L'OMBRE DU SERPENT

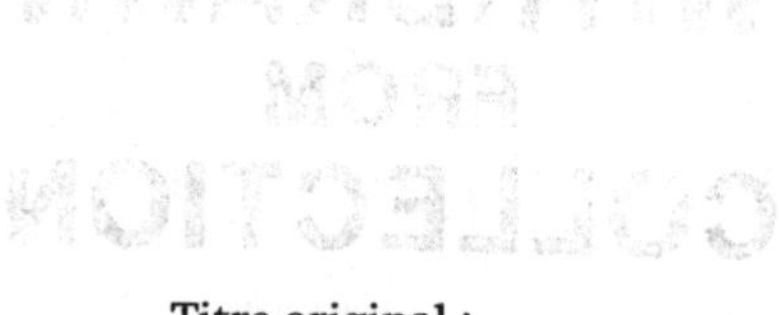

Titre original :
KANE CHRONICLES BOOK THREE :
THE SERPENT'S SHADOW
(Première publication : Hyperion Books for Children, New York, 2012)

9/15 1/2 WAD 7/15

Rick Riordan

L'Ombre du serpent

Traduit de l'anglais (américain)
par Nathalie Serval

DU MÊME AUTEUR CHEZ ALBIN MICHEL WIZ

Percy Jackson

Le Voleur de foudre

La Mer des Monstres

Le Sort du Titan

La Bataille du Labyrinthe

Le Dernier Olympien

Héros de l'Olympe

Le Héros perdu

Le Fils de Neptune

La Marque d'Athéna

Kane Chronicles

La Pyramide rouge

Le Trône de feu

Aux formidables éditrices
qui ont influencé ma carrière d'écrivain :
Kate Miciak, Jennifer Besser, Stephanie Lurie,
les trois magiciennes qui ont su donner vie à mes mots.

AVERTISSEMENT

Ce qui suit est la transcription d'un enregistrement numérique. À deux reprises déjà, Carter et Sadie Kane m'ont adressé des enregistrements de même nature, que j'ai retranscrits et intitulés respectivement La Pyramide rouge *et* Le Trône de feu. *Je suis très honoré que les Kane m'aient maintenu leur confiance. Toutefois, je me dois d'avertir le lecteur que ce récit dépasse en étrangeté tout ce qu'il a pu lire précédemment. La boîte contenant le fichier portait des traces de brûlures ainsi que des marques de dents et de griffes que le zoologue que j'ai consulté n'a pu identifier. Sans les hiéroglyphes qui la protégeaient, je ne crois pas qu'elle serait parvenue à mon domicile. Chacun comprendra pourquoi au fil de sa lecture.*

SADIE

1. *Où nous jouons (encore) les trouble-fête*

Salut, c'est Sadie Kane.

Si tu entends ceci, ça veut dire que tu as survécu à l'Apocalypse. Félicitations !

Avant d'aller plus loin, je tiens à m'excuser pour les désagréments que la fin du monde aurait pu te causer : tremblements de terre, émeutes, tornades, inondations, tsunamis, sans oublier le serpent géant qui a avalé le soleil... Je crains que tout cela ne soit notre faute. C'est pourquoi il nous a semblé, à Carter et à moi, qu'on devait quelques explications au public.

Cet enregistrement est probablement le dernier que tu recevras de nous. Quand tu l'auras écouté jusqu'au bout, tu sauras pourquoi.

Tout a commencé à Dallas, la nuit où des moutons cracheurs de feu ont dévasté l'exposition consacrée à Toutankhamon...

Ce soir-là, les magiciens texans organisaient une fête dans le jardin de sculptures en face du musée d'Art de Dallas. Les hommes portaient des chapeaux de cow-boy avec leurs smokings ; les femmes en robe de soirée avaient d'énormes chignons en ruche.

(Carter me souffle qu'on dit plutôt « choucroute », mais je trouve « ruche » plus... anglais. Je n'ai pas été élevée à Londres pour rien.)

Un orchestre jouait de vieux airs de country sur une scène. Des guirlandes électriques clignotaient dans les arbres. De temps en temps, un magicien ouvrait une porte secrète dans une sculpture ou lançait un éclair de feu pour éloigner les moustiques, mais à part ça, on aurait dit une réception ordinaire.

Le chef du Nome Cinquante et un, JD Grissom, bavardait avec ses invités en dégustant une assiette de tacos au bœuf quand on l'a attiré à l'écart pour l'avertir d'un danger imminent. Ça m'ennuyait de lui gâcher sa soirée, mais on n'avait pas le choix.

– Ça fait un mois que l'exposition est ouverte, nous a-t-il objecté. Si Apophis avait dû nous attaquer, il l'aurait déjà fait, non ?

JD – un grand type corpulent au visage et aux mains burinés, aux cheveux roux aussi fins que du duvet – paraissait dans les quarante ans, mais il est impossible de donner un âge à un magicien. Si ça se trouve, il en avait quatre cents. Avec son costume noir, sa cravate western et sa boucle de ceinturon en argent gravée d'une étoile, il ressemblait à un shérif texan.

– Venez, a dit Carter en nous entraînant vers l'extrémité du jardin. Parlons en marchant.

Je dois dire que mon frère affichait un aplomb sidérant.

À part ça, il faisait tache au milieu de cette élégante assemblée. Son griffon lui avait arraché une touffe de cheveux en voulant lui prouver son affection, et les nombreuses coupures qui marquaient son visage trahissaient une maîtrise encore imparfaite de l'art du rasage. Mais depuis son quinzième anniversaire, il avait beaucoup grandi et pris des muscles grâce à ses entraînements quotidiens. Entièrement vêtu de lin noir, il avait l'air mûr et plein d'assurance, et le khépesh – une épée recourbée – qui pendait de sa ceinture renforçait cette impression. À présent, j'arrivais presque à l'imaginer en chef de guerre sans m'étrangler de rire.

(Fais pas cette tête, Carter. C'est plutôt flatteur, non ?)

– Apophis opère toujours selon le même mode, a-t-il dit à JD, raflant une poignée de chips sur la table du buffet. Les précédentes attaques ont toutes eu lieu à la nouvelle lune, quand la nuit est la plus sombre. Croyez-moi, il donnera l'assaut ce soir, et il sera sans pitié.

JD Grissom a fait un écart pour éviter un groupe de magiciens qui buvaient du champagne.

– Les précédentes attaques, a-t-il dit, c'était à Chicago et à Mexico ?

– Également à Toronto, a répondu Carter. Mais il y en a eu d'autres.

Il n'avait pas envie de s'étendre sur le sujet, et moi non plus. Les raids auxquels on avait assisté tout au long de l'été peuplaient encore mes nuits de cauchemars.

Ça faisait six mois qu'Apophis s'était échappé de sa prison, et pourtant, il n'avait pas encore déchaîné l'Apocalypse. Au lieu de l'offensive générale qu'on redoutait, il s'était limité à des opérations ponctuelles contre des nomes jusque-là parfaitement tranquilles.

Comme celui qui nous accueillait ce soir-là.

Au moment où on passait devant la scène, l'orchestre a achevé un morceau. La jolie violoniste blonde a interpellé JD en agitant son archet :

– Viens vite, chéri. On a besoin d'un guitariste !

JD s'est forcé à sourire.

– Plus tard, mon cœur. Je reviens.

Pendant qu'on s'éloignait, il a précisé :

– Ma femme, Anne.

J'ai demandé :

– Magicienne ?

Il a acquiescé, et son visage s'est assombri.

– Qu'est-ce qui vous fait croire qu'Apophis va frapper ici ? a-t-il interrogé.

– Mhm-hmm, a répondu Carter, la bouche pleine de chips.

J'ai traduit :

– Il recherche un objet en particulier. Il a déjà détruit cinq des copies existantes. La dernière figure précisément dans votre exposition sur Toutankhamon.

– Quel objet ? a insisté JD.

En prévision de notre voyage à Dallas, on avait fait le plein de sorts protecteurs et d'amulettes censées nous prémunir contre les oreilles indiscrètes. Toutefois, j'hésitais à dévoiler nos plans à voix haute.

– Il vaut mieux qu'on vous le montre, ai-je dit, contournant un couple de jeunes magiciens occupés à tracer des « Je t'aime » scintillants avec leurs baguettes sur une fontaine en pierre. Notre équipe d'experts nous attend à l'intérieur du musée. Si vous nous autorisez à examiner l'objet en question, voire à l'emporter pour le mettre à l'abri...

J'ai cru que JD allait s'étouffer d'indignation.

– L'*emporter* ? Nos meilleurs éléments surveillent l'exposition jour et nuit. Vous croyez pouvoir faire mieux, chez vous, à Brooklyn ?

On avait atteint la limite du jardin. De l'autre côté de la rue, accrochée à l'extérieur du musée, une banderole haute comme un bâtiment de deux étages annonçait l'exposition.

Carter a sorti son portable et montré à JD la photo d'une grande bâtisse dont il ne restait que des décombres : l'ex-quartier général du Nome Cent, à Toronto.

– Je ne doute pas de la compétence de vos gardiens, a-t-il dit, mais on préférerait vous éviter d'être la cible de la prochaine attaque d'Apophis. Lors des précédentes, ses serviteurs n'ont laissé aucun survivant.

JD a regardé la photo, puis sa femme, Anne, qui jouait un two-step au violon.

– J'espère que votre équipe se montrera à la hauteur, a-t-il dit.

– Il n'en existe pas de meilleure, ai-je assuré. Venez, vous allez faire sa connaissance.

Notre équipe de cracks était occupée à piller la boutique du musée.

Felix avait invoqué trois manchots qui couraient en tous sens, arborant des masques de Toutankhamon en carton. Perché sur une bibliothèque, notre babouin préféré, Khéops, était plongé dans une monumentale *Histoire des pharaons de l'Égypte ancienne* – malheureusement, il tenait le livre à l'envers. Walt – Walt, non ! pas toi ! – avait fracturé la vitrine des bijoux et examinait les colliers et les bracelets comme s'il évaluait leur potentiel. Alyssa, notre experte en magie tellurique, jonglait avec une vingtaine de pots en argile qu'elle maintenait en l'air par la pensée.

Carter a toussé.

Walt s'est figé, les mains pleines de bijoux. Khéops est descendu précipitamment de la bibliothèque, faisant tomber la plupart des livres. Les pots d'Alyssa se sont fracassés sur le sol tandis que Felix tentait de pousser ses manchots derrière la caisse. (J'ai toujours autant de mal à m'expliquer sa passion pour ces gros oiseaux patauds.)

– C'est *ça*, vos champions ? a demandé JD, tripotant impatiemment la boucle de son ceinturon.

Je me suis forcée à sourire.

– Excusez le désordre. Je vais, hum...

Empoignant ma baguette, j'ai dit :

– *Hi-nehm* !

Je maîtrise beaucoup mieux les mots magiques à présent. La plupart du temps, j'arrive à canaliser le pouvoir d'Isis, ma déesse tutélaire, sans tomber dans les pommes ni provoquer d'explosion.

Le hiéroglyphe correspondant au mot « réparer » s'est rapidement inscrit dans le vide avant de s'effacer :

Les pots brisés se sont reconstitués. Les livres ont regagné leurs rayonnages. Les masques des manchots se sont envolés, révélant – surprise ! – leur nature de manchots.

– Pardon, a marmonné Walt, rangeant les bijoux dans leur vitrine. On s'ennuyait, alors...

Ma rancune à son égard s'est aussitôt envolée. Walt était grand, bâti comme un basketteur, toujours vêtu d'un short et d'un débardeur qui dévoilait ses bras musclés. Il avait le teint chocolat, et des traits aussi nobles que ceux de ses ancêtres pharaons.

Tu te demandes si j'étais amoureuse de lui ? Eh bien, c'est compliqué. J'y reviendrai plus tard.

JD Grissom a considéré nos coéquipiers et lâché du bout des lèvres :

– Heureux de vous rencontrer. Venez !

Il nous a guidés jusqu'à une vaste salle blanche comportant une estrade et des tables bistro vides, assez haute de plafond pour accueillir une girafe. D'un côté, un escalier conduisait à une mezzanine et à une rangée de portes. De l'autre, un mur vitré offrait une vue magnifique de Dallas la nuit.

JD nous a désigné la mezzanine, sur laquelle patrouillaient deux hommes vêtus de lin noir.

– Vous voyez ? a-t-il dit. Toutes les issues sont protégées.

Les deux hommes, armés de bâtons et de baguettes magiques, ont jeté un coup d'œil dans notre direction. Leur regard flamboyait, et des hiéroglyphes s'étalaient sur leurs joues telles des peintures de guerre.

– Qu'est-ce qui est arrivé à leurs yeux ? m'a murmuré Alyssa.

– Un effet de la magie. Les symboles peints sur leur visage leur permettent de voir l'intérieur de la Douât.

Alyssa s'est mordu la lèvre. Son domaine, c'est le concret, comme la pierre ou l'argile. Elle a une peur panique du vide et des eaux profondes. Par-dessus tout, elle déteste l'idée qu'un monde invisible coexiste avec le nôtre. Un jour où je lui décrivais la Douât comme un océan formé de strates de magie qui se superposaient à l'infini, son teint a brusquement viré au vert, comme si elle avait le mal de mer.

Felix est plus difficile à ébranler.

– Trop cool ! s'est-il écrié. Je veux les mêmes yeux !

Du bout du doigt, il a dessiné sur ses joues une forme qui évoquait l'Antarctique, délimitée par un trait violet scintillant.

Alyssa a éclaté de rire.

– Alors ? Tu vois la Douât ?

– Non, a répondu Felix. Mais je distingue beaucoup mieux mes manchots.

Carter est intervenu :

– On ferait bien de s'activer. Apophis a l'habitude d'attaquer au moment où la Lune s'aligne avec la Terre et le Soleil. Autrement dit, il nous reste...

– Agh ! a fait Khéops, montrant ses dix doigts.

Les babouins semblent avoir une horloge astronomique dans la tête.

– Dix minutes, ai-je traduit.

L'entrée de l'exposition, signalée par un immense panneau doré sur lequel on lisait TOUTANKHAMON, était impossible à manquer. Deux magiciens accompagnés de léopards en laisse la gardaient.

– Vous avez librement accès à tout le musée ? a demandé Carter, étonné.

– Ma femme préside le conseil d'administration, a expliqué le Texan. Quel est cet objet que vous vouliez voir ?

– Je l'ai repéré sur le plan de l'exposition, a répondu mon frère. Je vais vous le montrer.

Les deux léopards ont paru très intéressés par les manchots, mais leurs maîtres les ont retenus et on est entrés.

L'exposition était immense, mais je doute que tu veuilles en connaître les détails. Imagine un dédale de salles remplies de sarcophages, de statues, de pièces de mobilier, de bijoux... En ce qui me concerne, j'ai vu assez de reliques égyptiennes pour le restant de mes jours.

En plus, tous les objets sur lesquels tombait mon regard m'évoquaient de mauvais souvenirs : ici, des ouchebtis qui devaient s'animer quand on leur lançait un ordre (j'en ai réduit des dizaines en poussière), là, des statues représentant des monstres et des divinités que j'ai combattus en personne : Nekhbet, la déesse-vautour qui a un jour possédé ma grand-mère (une longue histoire) ; Sobek, le crocodile qui a tenté de tuer ma chatte (une histoire encore plus longue) ; Sekhmet, la lionne qu'on a vaincue grâce à de la sauce pimentée (pas de questions, je te prie)...

Mais la statue qui m'a le plus bouleversée, c'est celle de Bès, le dieu nain. Sculptée dans l'albâtre, elle remontait à plusieurs millénaires, pourtant on reconnaissait parfaitement l'estomac rebondi, le nez épaté, les rouflaquettes, le visage cabossé – on aurait dit qu'on l'avait frappé à de multiples reprises avec une poêle à frire –, à la fois hideux et attendrissant, de notre ami. On n'avait côtoyé Bès que quelques jours, mais il avait sacrifié son âme pour nous. Depuis, chaque fois que je voyais son image, je songeais qu'on ne pourrait jamais s'acquitter de la dette qu'on avait envers lui.

J'avais dû m'attarder devant la statue plus longtemps que je ne l'avais imaginé, car le reste de notre groupe s'apprêtait à pénétrer dans la salle suivante, une vingtaine de mètres plus loin.

– Psitt ! a fait une voix près de moi.

J'ai cru que c'était la statue de Bès qui venait de se manifester, quand la voix a ajouté :

– Hé, poupée ! Écoute-moi. On n'a pas beaucoup de temps.

Un visage d'homme se détachait du mur à hauteur de mon regard, comme s'il tentait de s'extraire de la peinture texturée. Il avait un front haut, un nez en bec d'aigle, des lèvres minces qui lui donnaient un air cruel. Si sa couleur se confondait avec celle du mur, il paraissait bien vivant, et ses yeux blancs exprimaient l'impatience.

– Tu ne pourras pas sauver le papyrus, a-t-il repris. Et même si tu y parvenais, tu ne saurais pas le déchiffrer. Pas sans mon aide.

J'ai vu beaucoup de choses bizarres depuis que je pratique la magie, aussi n'étais-je pas particulièrement étonnée. Mais je n'allais pas accorder aveuglément ma confiance au premier masque de plâtre venu, surtout s'il m'appelait « poupée ». Il semblait sortir d'un des films de gangsters idiots que les garçons regardaient pour se détendre, au manoir de Brooklyn.

– À qui ai-je l'honneur ? ai-je demandé.

– Tu sais très bien qui je suis... Tout le monde me connaît. Dans deux jours, on va m'éliminer. Si tu veux vaincre Apophis, t'as intérêt à faire jouer tes relations pour me sortir de là.

– J'ignore de quoi tu parles.

Mon interlocuteur ne ressemblait ni à Seth, le dieu du mal, ni au serpent Apophis, ni à aucun des adversaires que j'avais affrontés jusque-là. Mais avec la magie, on ne peut jamais être sûr de rien.

– J'ai pigé, a repris Don Vito Corleone, ou son sosie. Tu veux un gage de ma bonne foi. Comme je l'ai dit, t'as aucune chance de sauver le papyrus. Mais le coffret en or, si. Il te fournira un indice, si t'es assez maligne pour le décrypter. Ma proposition expirera après-demain, au coucher du soleil. Après, je...

Il a écarquillé les yeux, eu une sorte de hoquet, comme si on tentait de l'étrangler, avant de se fondre dans le mur.

– Sadie ? a fait la voix de Walt, à l'extrémité du corridor. Tout va bien ?

– T'as vu ça ? ai-je demandé.

– Quoi ?

Bien sûr, il n'avait pas vu Don Vito. Sinon, ç'aurait été moins drôle : je n'aurais pas eu l'impression de perdre la boule.

– Rien, ai-je dit.

Puis j'ai couru pour rattraper les autres.

L'entrée de la salle suivante était flanquée de deux sphinx à corps de lion et tête de bélier – des criosphinx, me souffle mon frère. Merci, Carter. C'est typiquement le genre de détail dont tout le monde se fiche.

– Agh ! a lancé Khéops sur le ton de l'avertissement, montrant les cinq doigts de sa main droite.

– Cinq minutes, a traduit Carter.

– Cette salle est protégée par des sorts particulièrement puissants, a expliqué JD. Il va me falloir un peu de temps pour les modifier afin qu'ils vous laissent entrer.

– Si un serpent maléfique se pointe, ils lui barreront quand même le passage ?

JD m'a jeté un regard exaspéré – ce n'était ni le premier ni le dernier.

– Je m'y connais un peu en magie protectrice, figurez-vous, a-t-il répliqué.

Puis il a levé sa baguette et entonné une incantation.

– Tu te sens bien ? m'a murmuré Carter.

Ma conversation avec Don Vito m'avait un peu ébranlée, et ça devait se lire sur mon visage.

– Ça va, ai-je répondu. Mais j'ai vu un truc bizarre à côté. Sans doute une nouvelle ruse d'Apophis. Pourtant...

Soudain j'ai aperçu Walt, devant un fauteuil en or. Une main appuyée contre la vitrine, il semblait victime d'un malaise.

– Je reviens, ai-je dit à Carter.

J'ai rejoint Walt devant la vitrine. La lumière artificielle donnait à son visage l'éclat fauve des collines d'Égypte.

– Qu'est-ce qu'il y a ? lui ai-je demandé.

– Toutankhamon est mort sur ce trône.

J'avais parcouru le catalogue de l'exposition. Il ne mentionnait pas ce détail macabre, mais Walt avait l'air certain de ce qu'il avançait. Peut-être avait-il une sorte de sixième sens pour ce qui concernait la malédiction frappant sa famille. Toutankhamon était son mille fois – au moins – arrière-grand-oncle, et la maladie génétique qui avait emporté le jeune pharaon à l'âge de dix-neuf ans l'affectait à son tour. Son état s'aggravait chaque fois qu'il pratiquait la magie, pourtant il refusait de lever le pied. J'imagine que la vue du trône de son ancêtre lui avait procuré l'impression de lire sa propre notice nécrologique.

– On trouvera un remède, lui ai-je assuré. Dès qu'on aura réglé son compte à Apophis...

Il m'a regardée, et ma voix s'est brisée. On savait l'un comme l'autre que nos chances de vaincre le serpent étaient minces. Et même si on réussissait, rien ne garantissait que Walt vivrait assez longtemps pour savourer notre victoire. Il était dans un de ses bons jours et, pourtant, je lisais la douleur dans ses yeux.

– On est prêts ! a annoncé Carter au même moment.

La salle gardée par les criosphinx présentait une sorte de « best of » de l'au-delà égyptien. Une statue grandeur nature d'Anubis toisait le visiteur de son piédestal. Un babouin au pelage doré (auquel Khéops a immédiatement fait des avances) était perché au sommet d'une réplique de la balance du jugement. On trouvait également des masques mortuaires, des cartes du royaume des morts et une collection d'urnes qui avaient contenu des viscères de momie.

Indifférent à tout ce bric-à-brac, Carter nous a dirigés vers une vitrine adossée au mur du fond, qui abritait un papyrus déplié.

– C'est ce que vous recherchez ? a demandé JD, perplexe.

L'Art de vaincre Apophis ? Aucun sort destiné à combattre le serpent ne s'est révélé très efficace, vous devez le savoir.

Carter a tiré de sa poche un morceau de papyrus roussi.

– C'est tout ce qu'on a pu sauver de la copie de Toronto, a-t-il déclaré.

JD lui a pris des mains le lambeau de papyrus, à peine plus grand qu'une carte postale et tellement abîmé que c'est à peine si on y distinguait quelques hiéroglyphes.

– « Vaincre Apophis », a-t-il déchiffré. Ce document n'a rien d'exceptionnel. On en dénombre plusieurs centaines de copies.

– Erreur, ai-je dit, résistant à la tentation de me retourner pour vérifier qu'aucun serpent géant n'épiait notre conversation. Apophis recherche une version en particulier, celle écrite par ce type...

J'ai déchiffré la plaque à côté de la vitrine :

– « Attribué au prince Khâemouaset, mieux connu sous le nom de Setné. »

JD s'est subitement rembruni.

– Un des pires scélérats qui aient jamais vécu, a-t-il commenté. La honte de notre corporation !

– Pour autant qu'on sache, il a réalisé six copies de *L'Art de vaincre Apophis*. Le serpent en a déjà détruit cinq. Celle-ci est la dernière.

JD a considéré le morceau de papyrus brûlé d'un air dubitatif.

– Si Apophis est en pleine possession de ses pouvoirs, ce ne sont pas ces sorts de seconde zone qui vont l'arrêter. Comment se fait-il qu'il n'ait pas encore détruit le monde ?

Ça faisait six mois qu'on se posait la même question.

– Ce papyrus lui fait peur, ai-je affirmé, espérant ne pas me tromper. Sans doute indique-t-il le moyen de le vaincre pour de bon. Il veut s'assurer qu'il n'en subsiste aucune copie avant d'envahir notre réalité...

Carter m'a interrompue :

– Il faut nous dépêcher. L'assaut peut survenir d'un instant à l'autre.

Je me suis approchée de la vitrine. Le papyrus, long d'environ deux mètres, était presque entièrement recouvert de hiéroglyphes et de dessins en couleurs. J'avais déjà vu un nombre incalculable de documents de ce genre, remplis d'incantations destinées à empêcher Apophis de dévorer le dieu-soleil, Rê, durant son périple nocturne à travers la Douât – une véritable obsession chez les anciens Égyptiens. Quelle bande de joyeux drilles !

Je parvenais à lire les hiéroglyphes (un de mes multiples talents), mais le papyrus en contenait des milliers. Au premier coup d'œil, aucun ne m'a paru particulièrement remarquable. J'ai survolé les descriptions habituelles de la rivière de la Nuit – merci, je connais – et les recommandations pour vaincre les différentes sortes de démons – vu, revu et re-revu.

– Quelque chose d'intéressant ? a demandé Carter.

– Une minute...

J'ai toujours trouvé injuste que mon frère, ce rat de bibliothèque, soit devenu un guerrier tandis que j'étais promue interprète en chef. Je n'ai déjà pas la patience de lire un magazine, alors un vieux papyrus moisi...

« Tu n'arriveras pas à déchiffrer le papyrus », avait dit en substance Don Vito. « Pas sans mon aide... »

– On l'emporte, ai-je décidé. Avec un peu de temps, je suis certaine de pouvoir le...

Soudain le bâtiment a tremblé. Avec un cri perçant, Khéops

a sauté dans les bras du faux babouin. Les manchots de Felix ont commencé à courir dans tous les sens.

JD a brusquement pâli.

– Une déflagration... La réception !

– C'est une diversion, a affirmé Carter. Apophis tente de nous éloigner du papyrus.

– Ils attaquent mes amis, a repris JD d'une voix étranglée. Ma femme...

– Allez-y, lui ai-je dit, fusillant mon frère du regard. On est assez nombreux pour veiller sur le papyrus.

JD m'a serré les mains.

– Je vous le confie... Bonne chance !

Puis il est parti en courant.

Je me suis retournée vers la vitrine.

– Walt, tu peux ouvrir ça, s'il te plaît ? Il faut sortir le papyrus sans...

Un rire maléfique a envahi la salle. Puis une voix aussi puissante qu'une explosion atomique a retenti :

– Trop tard, Sadie Kane !

Il m'a semblé que ma peau s'effritait comme un parchemin antique. Telle une préfiguration du chaos, cette voix me donnait la sensation que mon ADN s'effilochait et que mon sang se changeait en feu.

– Je vais te détruire au moyen des gardiens de Maât, a ajouté Apophis. Amusant, non ?

Les deux criosphinx d'obsidienne à l'entrée de la salle ont fait volte-face. Épaule contre épaule, ils bloquaient entièrement le passage. Soudain des flammes ont jailli de leurs narines.

– Nul ne quittera cet endroit vivant, ont-ils dit d'une seule voix – celle d'Apophis. Adieu, Sadie Kane !

2. *Je dis ses quatre vérités au dieu du chaos*

Si je te dis que la suite n'a pas été une partie de plaisir, tu me croiras ?

Les premières victimes ont été les manchots de Felix. Les criosphinx ont craché des flammes dans leur direction et ils ont fondu.

– Noon ! a hurlé Felix.

Le bâtiment a de nouveau tremblé, plus fort que la première fois.

Avec un cri strident, Khéops a sauté sur la tête de Carter, le renversant au sol. Dans d'autres circonstances, j'aurais trouvé ça marrant, mais j'ai aussitôt compris qu'il venait de lui sauver la vie.

À l'endroit où se tenait mon frère quelques secondes plus tôt, les dalles de marbre se sont émiettées, comme si un marteau-piqueur invisible avait éventré le sol. Puis la crevasse a zigzagué à travers la pièce, détruisant tout sur son passage, engloutissant les pièces exposées et les réduisant en poussière. Horrifiée, je l'ai vue serpenter vers le mur du fond et la vitrine abritant la copie de *L'Art de vaincre Apophis*.

J'ai crié :

– Le papyrus !

Personne n'a paru entendre. Toujours étendu sur le sol, Carter tentait de décrocher Khéops de sa tête. Felix, hagard, contemplait les flaques laissées par ses manchots tandis que Walt et Alyssa s'efforçaient de l'éloigner des criosphinx.

J'ai pris ma baguette dans ma ceinture et lancé le premier mot magique qui me venait à l'esprit :

– *Drowah* !

Des hiéroglyphes dorés ont tracé le mot « séparer » dans le vide, et un mur de lumière a surgi entre la vitrine et la crevasse qui progressait dans sa direction.

Si j'avais déjà utilisé ce sort pour mettre fin à des querelles ou protéger le réfrigérateur contre les petits creux nocturnes des élèves, c'était la première fois que je le tentais à pareille échelle.

L'onde de choc du marteau-piqueur invisible a fait voler mon mur en éclats. Une force supérieure à la mienne – celle du chaos – s'infiltrait dans mon esprit, me déconcentrant et contrariant ma magie.

Affolée, j'ai tenté de lâcher prise, en vain. J'étais prisonnière d'un combat que je ne pouvais gagner. Apophis lacérait mes pensées aussi aisément qu'il avait éventré le sol.

Walt m'a arraché ma baguette. Je me suis effondrée dans ses bras. Quand j'ai repris mes esprits, de la fumée se dégageait de mes mains, mais j'étais trop hébétée pour ressentir la douleur. De *L'Art de vaincre Apophis*, il ne subsistait rien. Le mur donnait l'impression qu'un char d'assaut l'avait défoncé, et un tas de décombres s'élevait à son pied.

Ma gorge s'est serrée devant ce spectacle. Mes amis ont

fait cercle autour de moi, m'empêchant de céder au désespoir. Tandis que Walt me soutenait, Carter a tiré son épée. Khéops montrait les crocs et aboyait en direction des criosphinx. Alyssa serrait dans ses bras Felix, qui sanglotait sur son épaule, accablé par la perte de ses manchots.

– C'est tout ? ai-je crié à la cantonade. Maintenant que t'as détruit le papyrus, tu vas fuir comme un lâche ? T'as peur de nous affronter en personne ?

Un rire a roulé dans l'espace, tel un coup de tonnerre. Les criosphinx, qui barraient toujours l'entrée de la salle, n'ont pas bronché. En revanche, bijoux et figurines se sont entrechoqués derrière les vitrines. Avec des craquements insupportables, la statue de babouin que Khéops avait draguée un peu plus tôt a tourné la tête vers nous.

– Je suis partout, a-t-elle dit avec la voix d'Apophis. J'ai le pouvoir d'anéantir tout ce à quoi tu accordes du prix, objets ou créatures.

Khéops a poussé un cri de rage et s'est jeté sur le faux babouin, qui s'est transformé en une flaque d'or fondu.

La statue d'un pharaon armé d'une lance a pris vie à son tour. Une lueur sanglante a animé son regard tandis qu'un rictus tordait sa bouche sculptée.

– Ta magie est faible, Sadie Kane. La civilisation humaine a déjà sombré dans la déchéance. Bientôt j'engloutirai le soleil et plongerai votre monde dans les ténèbres. La mer du chaos vous consumera tous !

Incapable de contenir une telle énergie, la statue a explosé, son piédestal s'est désintégré, et une deuxième crevasse a commencé à serpenter à travers la salle, soulevant et brisant les dalles de marbre. Elle se dirigeait vers un petit coffre en or, appuyé contre le mur est.

Sauve le coffret, m'a soufflé une voix intérieure – mon inconscient, ou Isis, ma déesse tutélaire. J'ai parfois du mal à démêler ses pensées des miennes.

C'était exactement ce que m'avait dit Don Vito, ajoutant : « Il te fournira un indice. »

Une nouvelle déflagration a retenti à l'extérieur. Le plâtre du plafond s'est effrité.

– Des enfants... C'est tout ce que tu as trouvé pour me combattre ?

Apophis s'exprimait à présent à travers un ouchebti en ivoire – un matelot à bord d'un bateau miniature –, exposé dans la vitrine la plus proche.

– C'est toi le plus chanceux, Walt Stone, a-t-il poursuivi. Même si tu survis à cette nuit, ta maladie t'aura tué avant ma victoire finale. Tu n'assisteras pas à la destruction de votre monde.

Walt a chancelé et soudain, c'est moi qui l'ai soutenu. Mes mains me faisaient horriblement souffrir. J'ai réprimé un haut-le-cœur.

La fissure continuait à se propager, menaçant toujours le coffret en or. Alyssa a levé son bâton.

Pendant une seconde, le sol s'est solidifié en une plaque de pierre grise et lisse, puis de nouvelles lézardes sont apparues, et le chaos s'est de nouveau déchaîné.

– Brave petite Alyssa, a dit le serpent. La Terre que tu aimes tant va se désintégrer et le sol s'ouvrira sous tes pieds.

Le bâton d'Alyssa s'est brusquement enflammé. Elle l'a lâché avec un cri de douleur.

– Assez ! a hurlé Felix.

Il a fracassé la vitrine avec son bâton, réduisant en miettes le matelot miniature ainsi qu'une douzaine d'autres ouchebtis.

La voix d'Apophis a alors jailli d'une amulette en jade, exposée sur un mannequin.

– Ah ! Le petit Felix... Toujours aussi amusant. Qui sait ? Je te garderai peut-être pour me distraire, comme ces ridicules oiseaux que tu affectionnes. À ton avis, combien de temps résisteras-tu avant de sombrer dans la folie ?

Felix a pointé sa baguette vers le mannequin, qui est tombé à la renverse.

Cependant, la crevasse se dirigeait toujours vers le coffret en or. Elle avait déjà parcouru la moitié de la salle quand j'ai réussi à articuler :

– Sauvez le coffret !

Je te l'accorde, il y a mieux comme cri de bataille. Mais Carter a réagi au quart de tour. Planté face au chaos qui avançait dans sa direction, il a enfoncé son épée dans le sol. Sa lame a pénétré dans le marbre aussi aisément que dans du beurre. La ligne de fracture s'est heurtée à un champ de force bleuté et a cessé de s'étendre.

– Pauvre Carter Kane...

La voix du serpent semblait provenir de partout à la fois ; elle passait d'objet en objet et tous explosaient à tour de rôle, vaincus par la puissance du chaos.

– Quel piètre leader tu fais ! Tout ce que tu as tenté de construire sera anéanti, a-t-il poursuivi, et tu perdras ceux que tu chéris le plus...

La lumière bleue a vacillé. Si je ne venais pas rapidement en aide à Carter...

– Apophis ! ai-je crié. Qu'est-ce que t'attends pour me détruire, espèce de... de couleuvre obèse !

Un sifflement rageur a envahi l'espace. Parmi les multiples talents dont la nature m'a dotée, je ne saurais oublier celui d'exaspérer les gens. Apparemment, il opère aussi sur les serpents.

Le sol s'est figé. Le champ de force s'est dissipé, laissant mon frère titubant. Khéops – loué soit-il ! – s'est élancé vers le coffret en or et s'en est emparé avant de s'esquiver.

Apophis a parlé de nouveau, d'une voix vibrante de colère :

– Soit ! Prépare-toi à mourir, Sadie Kane.

Les deux sphinx à tête de bélier se sont brusquement animés, ouvrant des gueules rougeoyantes, avant de se ruer vers moi.

Par chance, l'un d'eux a glissé sur une flaque de manchot. L'autre m'aurait certainement égorgée si un dromadaire n'avait surgi à point nommé pour le plaquer au sol.

Tu as bien entendu : un authentique dromadaire, grandeur nature. Ça te surprend ? Alors, imagine un peu l'effet produit sur le sphinx !

Tu te demandes d'où sortait ce fichu bestiau ? Il me semble avoir déjà mentionné la collection d'amulettes de Walt. Deux d'entre elles possédaient la particularité de faire apparaître une paire de camélidés baveux. J'avais déjà eu affaire à eux, ce qui explique que je n'ai pas été plus étonnée que ça de voir une tonne de dromadaire sur pattes traverser mon champ de vision et s'écraser de tout son poids sur le sphinx. Celui-ci s'est débattu avec des rugissements furieux tandis que son agresseur lâchait une bordée de pets sonores.

Je ne connaissais qu'un dromadaire capable d'émettre une telle quantité de méthane à la minute.

– Hindenburg ! Walt, qu'est-ce qui...

– Désolé ! Je me suis trompé d'amulette !

En tout cas, son erreur s'était révélée efficace. Si le dromadaire n'est pas réputé pour son aptitude au combat, il est lourd et difficile à déplacer. Malgré ses efforts, le criosphinx ne parvenait pas à se débarrasser du nôtre. Les pattes largement écartées, Hindenburg bêlait tel un agneau affolé en libérant un flot ininterrompu de gaz.

Ayant rejoint Walt, j'ai promené mon regard autour de la salle en proie à la dévastation. Des éclairs rouges reliaient les différentes vitrines entre elles, tels des arcs électriques. Les murs présentaient des lézardes, le sol n'était plus qu'un amas de décombres. De tous côtés, les objets exposés s'animaient pour attaquer mes amis.

Carter s'efforçait de repousser le second sphinx avec son khépesh, mais le monstre parait les coups avec ses cornes et crachait des flammes dans sa direction.

Felix se trouvait au centre d'un cercle tourbillonnant d'urnes funéraires qu'il tentait d'éloigner avec son bâton. Cernée par une armée d'ouchebtis, Alyssa psalmodiait désespérément des incantations, puisant dans ses réserves de magie pour éviter que le sol ne se désagrège. La statue d'Anubis pourchassait Khéops, brisant tout ce qui l'entourait à coups de poing. Notre brave babouin serrait toujours le coffret contre sa poitrine.

Le chaos devenait plus puissant de minute en minute ; sa rumeur emplissait mes oreilles comme celle d'une tempête à l'approche. La présence d'Apophis faisait trembler le bâtiment sur ses fondations.

Comment allais-je à la fois aider mes amis, protéger le coffret et empêcher le musée de s'abattre sur nous ?

La voix de Walt m'a tirée de mes réflexions :

– T'as un plan ?

Ayant enfin réussi à dégager Hindenburg de son dos, le premier sphinx a fait volte-face et craché une gerbe de flammes en direction du dromadaire, qui a lâché un ultime pet avant de retrouver l'aspect d'une inoffensive amulette dorée. Le monstre s'est ensuite tourné vers moi. Il n'avait pas l'air content.

– Couvre-moi, ai-je dit.

– Tu comptes faire quoi ? a demandé Walt avec un regard hésitant vers le sphinx.

Bonne question !

– Il faut à tout prix sauver le coffret, ai-je repris. Il contient une sorte d'indice. En même temps, si on ne restaure pas très vite le pouvoir de Maât, le bâtiment va s'écrouler et on mourra tous.

– Et comment doit-on s'y prendre ?

Au lieu de répondre, je me suis concentrée afin de voir l'intérieur de la Douât.

Comment te décrire cette expérience ? Quand tu regardes à travers des lunettes 3D, les objets t'apparaissent entourés d'un halo coloré, pas vrai ? Maintenant, imagine que cette aura ne corresponde pas tout à fait à l'objet de départ et que les images se déplacent constamment devant tes yeux... Dans le meilleur des cas, tu ressens une légère nausée. Dans le pire, ton cerveau explose.

Au niveau de la Douât, j'ai distingué un serpent rouge géant qui déroulait ses anneaux tout autour de la salle. La magie d'Apophis gagnait lentement du terrain, encerclant peu à peu mes amis. Devant cette vision d'épouvante, j'ai failli vomir mon déjeuner.

Isis ? ai-je pensé. *Un coup de main serait le bienvenu* !

Soudain le pouvoir de la déesse m'a envahie, aiguisant tous mes sens. J'ai vu Carter combattre le criosphinx, mais à la place de mon frère se dressait le dieu Horus, brandissant une épée resplendissante.

Les urnes qui tournoyaient autour de Felix m'apparaissaient à présent comme des esprits maléfiques qui tentaient de mordre et griffer notre jeune ami. Toutefois, dans la Douât, celui-ci possédait une aura étonnamment puissante, d'un violet éclatant qui semblait tenir les démons à distance.

Alyssa se trouvait au cœur d'une tempête de sable dessinant la silhouette d'un géant – le dieu Geb, soutenant le plafond à bout de bras. L'armée d'ouchebtis qui les encerclait flamboyait comme un incendie.

Khéops offrait le même aspect dans la Douât, mais tandis qu'il faisait des bonds autour de la salle, fuyant la statue d'Anubis, le coffret qu'il serrait contre lui s'est ouvert. L'intérieur en était aussi noir que la nuit.

Je me demandais ce que ça signifiait quand mon regard s'est posé sur Walt. J'ai étouffé un cri.

Sous les bandelettes grisâtres qui l'enveloppaient par intermittence, ses os brillaient intensément à travers sa chair, comme sur une radio.

La marque de la mort, ai-je pensé, horrifiée.

Pire encore, des éclairs rouges rayonnaient du sphinx qui lui faisait face, et la tête d'Apophis se superposait à celle du bélier, avec ses yeux jaunes et ses crocs dégoulinant de venin.

Il s'est élancé vers Walt, mais avant qu'il puisse l'atteindre, celui-ci a jeté une amulette dans sa direction. Des chaînes dorées se sont enroulées autour de la gueule du monstre, qui a commencé à s'agiter comme un chien tentant de se défaire d'une muselière.

– Fais ce que tu dois faire, m'a dit Walt. Vite !

Sa voix, plus grave et posée qu'à l'ordinaire, donnait l'impression qu'il était plus âgé dans la Douât.

Le criosphinx a écarté les mâchoires, tirant sur les chaînes. Son frère avait acculé Carter contre un mur. L'aura de Felix, qui était tombé à genoux, paraissait s'estomper au centre du tourbillon de démons. Alyssa était sur le point de perdre son combat contre le chaos. Des morceaux du plafond pleuvaient tout autour d'elle. La statue d'Anubis avait fini par rattraper Khéops. Suspendu par la queue, le babouin poussait des cris stridents, serrant le coffret dans ses bras.

C'était le moment ou jamais de restaurer l'ordre.

J'ai fait appel au pouvoir d'Isis, puisant si profond dans mes réserves de magie qu'il m'a semblé que mon âme allait s'enflammer. Rassemblant toutes mes forces, j'ai prononcé le plus puissant des mots divins : *maât*.

Le symbole de l'ordre créateur est apparu devant mes yeux, aussi brillant qu'un soleil miniature.

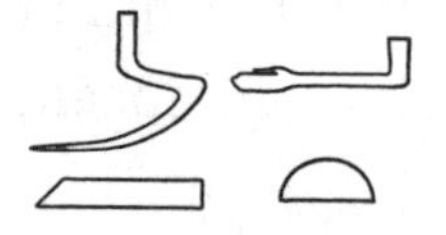

– Bien ! s'est exclamé Walt. Tiens bon !

Il était parvenu à empoigner le mufle du monstre. Malgré les efforts de celui-ci pour se libérer, l'étrange halo grisâtre qui entourait Walt se propageait rapidement à tout son corps, telle une infection. Une odeur de charogne qui semblait provenir d'un tombeau, si puissante qu'elle a failli me déconcentrer, a flotté jusqu'à mes narines.

– Sadie, je t'en prie, ne flanche pas ! m'a lancé Walt d'un ton pressant.

J'ai dirigé toute mon énergie vers le hiéroglyphe. Les anneaux du serpent se sont dissipés comme le brouillard au soleil. Les deux criosphinx sont tombés en poussière. Les urnes funéraires se sont brisées. La statue d'Anubis a lâché Khéops, qui est tombé sur la tête. L'armée des ouchebtis s'est figée, permettant à la magie d'Alyssa de se diffuser à travers la pièce pour réparer les fissures et consolider les murs.

Avec des sifflements rageurs, Apophis a battu en retraite dans les profondeurs de la Douât.

Je me suis effondrée.

– Je t'avais dit qu'elle en était capable, a fait la voix douce de ma mère.

Celle-ci étant morte, je ne la voyais que très rarement, et toujours dans le monde souterrain.

Peu à peu, ma vision a retrouvé sa netteté, et j'ai distingué deux femmes au-dessus de moi. L'une était ma mère. Ses yeux bleus étincelaient de fierté. Si elle était transparente – normal, pour un fantôme –, sa voix respirait la vie et la tendresse.

– Tu n'en as pas terminé avec Apophis, a-t-elle dit, s'adressant à moi. Tu dois poursuivre le combat.

À ses côtés, Isis agitait doucement ses ailes chatoyantes. Des diamants scintillaient dans sa chevelure d'un noir lustré. Son visage était aussi beau que celui de ma mère, avec une expression plus royale, moins chaleureuse.

Ne te méprends pas : pour avoir à plusieurs reprises partagé les pensées d'Isis, je savais qu'elle avait de l'affection pour moi, à sa manière. Dans le meilleur des cas, les dieux nous considèrent comme de mignons animaux domestiques. Selon leurs critères, l'existence humaine dure à peu près autant que celle d'une gerbille ordinaire.

– Je ne pensais pas qu'elle y arriverait, a-t-elle avoué. Le dernier magicien à avoir invoqué Maât était la reine Hatchepsout, et encore n'y parvenait-elle que lorsqu'elle portait une fausse barbe.

Je n'avais pas la moindre idée de ce qu'elle racontait, et à vrai dire, je préférais rester dans l'ignorance.

J'ai essayé de bouger, sans succès. J'avais la sensation d'être plongée dans une baignoire d'eau chaude, et les visages des deux femmes dansaient devant mes yeux comme si je les apercevais à travers la surface.

– Sadie, écoute-moi attentivement, a repris ma mère. Tu n'es pas responsable de toutes ces morts. Sache que ton père objectera à ton plan. Pour le convaincre, tu devras lui dire que c'est la seule manière de sauver les âmes des défunts. Dis-lui...

Son expression s'est assombrie, puis elle a achevé :

– Dis-lui que c'est son unique chance de me revoir. Il est essentiel que tu réussisses, ma chérie.

Je brûlais de lui demander des éclaircissements, mais j'étais incapable d'émettre un son.

Isis a posé une main glacée sur mon front.

– Il ne faut pas l'épuiser davantage, a-t-elle dit. Au revoir, Sadie. Nous serons de nouveau réunies d'ici peu. Tu es forte, encore plus que ta mère. Ensemble, nous régnerons sur le monde.

– Tu veux dire « Ensemble, nous vaincrons Apophis », a corrigé ma mère.

– Évidemment !

Leurs traits se sont mêlés tandis qu'elles prononçaient ces mots d'une seule voix :

– Je t'aime...

Tout s'est troublé devant mes yeux, comme si je m'étais

trouvée au cœur d'une tempête de neige, et soudain, je me suis vue dans un cimetière avec Anubis. Pas le dieu à tête de chacal des tombeaux égyptiens, mais un garçon aux yeux veloutés, aux cheveux noirs en désordre, d'une beauté aussi injuste qu'exaspérante. Comprends-moi : en tant que dieu, il avait le pouvoir de revêtir n'importe quelle apparence. Alors, pourquoi s'obstinait-il à m'apparaître sous une forme qui changeait mon cerveau en porridge ?

– Génial, ai-je articulé. Je suis morte !

Il a souri.

– Non, mais il s'en est fallu de peu. C'était une manœuvre risquée.

Mon visage est devenu brûlant. Était-ce de honte, de colère, ou parce que j'étais heureuse de le retrouver ? Je n'aurais su le dire.

– Aucune nouvelle depuis six mois, ai-je lancé d'un ton de reproche. T'étais où ?

Son sourire s'est effacé.

– Ils m'interdisaient de te voir.

– Qui ?

– Il existe des règles, vois-tu. Même en ce moment, ils nous surveillent. Mais tu es assez proche de la mort pour que je puisse voler quelques minutes avec toi. Je voulais te dire une chose : concentre-toi sur ce qui n'est pas là. C'est à cette condition que tu survivras.

– Ce serait plus simple si tu t'exprimais autrement que par énigmes...

Soudain la chaleur a envahi ma poitrine, et mon cœur s'est mis à battre. J'ai alors pris conscience qu'il ne l'avait pas fait une seule fois depuis que j'avais perdu connaissance. Pas très bon signe, à mon avis.

– J'ai une autre chose à te dire...

La voix d'Anubis s'est brouillée, son image s'est estompée.

– Viens me la dire en personne, ai-je répliqué. Les expériences de mort imminente, c'est pas trop mon trip.

– Impossible. Ils m'en empêcheront.

– On croirait entendre un gosse. T'es un dieu, non ? Personne ne peut t'interdire quoi que ce soit.

La colère a brillé dans son regard et, à mon grand étonnement, il a éclaté de rire.

– J'avais oublié à quel point tu pouvais être agaçante. Je tâcherai de te faire une brève visite. Toi et moi, il faut qu'on discute.

Il a tendu une main vers moi et m'a effleuré la joue.

– Tu es en train de te réveiller, a-t-il remarqué. Au revoir, Sadie.

– Ne pars pas !

J'ai agrippé sa main et l'ai pressée contre mon visage. Sa chaleur s'est communiquée à tout mon corps. Puis il a disparu.

J'ai brusquement ouvert les yeux.

– Reste, je t'en prie !

Je serrais les mains velues d'un babouin entre les miennes, bandées.

– Agh ? a fait Khéops, décontenancé.

De mieux en mieux... Je venais de déclarer ma passion à un singe !

Je me suis redressée, groggy. Mes compagnons faisaient cercle autour de moi. Le bâtiment ne s'était pas effondré, mais il ne restait qu'un tas de décombres de l'exposition sur Toutankhamon. Quelque chose me disait que l'Association des amis du musée de Dallas n'était pas près de nous inviter à rejoindre ses rangs.

– Que... que s'est-il passé ? ai-je bredouillé. Combien de temps... ?

– T'es morte pendant deux minutes, a déclaré Carter d'une voix tremblante. Ton cœur a cessé de battre. J'ai cru... J'ai eu peur que...

Il s'est tu, la gorge nouée par l'émotion. Le pauvre, qu'est-ce qu'il deviendrait sans moi ?

(Aïe ! Ça va pas, la tête ? Je t'interdis de me pincer !)

– Tu as invoqué Maât, a dit Alyssa. C'était... incroyable.

Je pouvais comprendre son étonnement. Créer un animal ou un objet à l'aide d'un mot magique n'est déjà pas une mince affaire. Invoquer un élément tel que le feu ou l'eau est encore plus difficile. Alors, le concept de l'ordre divin... Mais à ce moment-là, je souffrais trop pour apprécier mon exploit à sa juste valeur. Je ne me serais pas sentie plus mal si j'avais invoqué une enclume qui me serait tombée sur la tête.

– Mettons que j'aie eu de la chance, ai-je dit. Où est le coffret ?

– Agh !

D'un geste fier, Khéops a désigné le coffret posé à ses côtés, apparemment intact.

– Brave babouin ! me suis-je exclamée. Ce soir, t'auras une double ration de Cheerios.

– *L'Art de vaincre Apophis* a été détruit, a observé Walt. À quoi ce coffret peut-il nous servir ? Tu as dit qu'il contenait un indice...

J'avais du mal à le regarder en face. Depuis des mois, mon cœur balançait entre Anubis et lui. Je trouvais Anubis parfaitement déloyal d'avoir fait irruption dans mes rêves, aussi sexy et immortel qu'à son habitude, tandis que le pauvre Walt risquait sa vie pour me protéger et s'affaiblissait de jour en jour. Puis j'ai repensé à la manière dont il m'était apparu dans la Douât, entouré de bandelettes de momie grisâtres...

J'ai reporté mon attention sur le coffret.

« Concentre-toi sur ce qui n'est pas là », avait dit Anubis. Ces fichus dieux et leur manie de parler par énigmes...

Don Vito, lui, m'avait laissée entendre que le coffret me fournirait un indice, si j'étais assez maligne pour le décrypter.

– Je ne sais pas encore de quoi il s'agit, ai-je avoué. Si les Texans nous autorisent à le rapporter chez nous, à Brooklyn...

Soudain j'ai pris conscience avec horreur que les explosions avaient cessé à l'extérieur. Ce silence était angoissant.

– Les Texans ! me suis-je écriée. Qu'est-ce qui leur est arrivé ?

Felix et Alyssa se sont rués vers la sortie. Carter et Walt m'ont aidée à me relever, et on les a suivis.

Les gardiens avaient tous quitté leur poste. En pénétrant dans le foyer du musée, on a aperçu à travers les baies vitrées des colonnes de fumée blanche qui s'élevaient du jardin de sculptures.

– Non, ai-je murmuré. Non, non, non...

On a traversé la rue en courant. Un cratère de la taille d'une piscine olympique avait remplacé la pelouse parfaitement entretenue. Des statues fondues et des blocs de pierre en jonchaient le fond. Les tunnels qui menaient au quartier général du Nome Cinquante et un s'étaient effondrés, comme une fourmilière géante qu'on aurait piétinée. Des lambeaux de smokings et de robes de soirée, des débris d'assiettes, de flûtes à champagne et de bâtons magiques bordaient le cratère.

« Tu n'es pas responsable de toutes ces morts », avait dit ma mère.

Je me suis avancée, hébétée. La dalle de béton du patio s'était brisée et avait glissé dans le cratère. Un violon en partie brûlé émergeait de la boue près d'un morceau de métal étincelant.

– Il y a peut-être des survivants, a dit Carter. Il faudrait les rechercher...

J'ai ravalé un sanglot, bouleversée par une certitude inexplicable.

– Il n'y en a pas, ai-je dit.

Les magiciens texans nous avaient accueillis et offert leur aide. JD Grissom m'avait souhaité bonne chance avant d'aller secourir sa femme. Mais on avait vu les conséquences des attaques du serpent contre les autres nomes. Carter avait averti JD : « Les serviteurs d'Apophis n'ont laissé aucun survivant. »

Je me suis accroupie et ai ramassé le morceau de métal scintillant : une boucle de ceinturon déformée.

– Ils sont tous morts, ai-je ajouté.

CARTER

3. Un coffret plein de vide

C'est sur cette note joyeuse que ma sœur me tend le micro. Merci, Sadie. Je te revaudrai ça.

J'aimerais pouvoir te dire qu'elle se trompait, qu'on a découvert tous les magiciens texans sains et saufs. Malheureusement, il n'en est rien. Tout ce qu'on a retrouvé, c'étaient des vestiges de bataille : baguettes en ivoire calcinées, ouchebtis brisés, lambeaux de tissu et de papyrus roussis. De même qu'à Toronto, Chicago et Mexico, il ne demeurait rien des magiciens, comme s'ils s'étaient volatilisés, avaient été dévorés ou détruits de quelque autre manière, tout aussi horrible.

Un hiéroglyphe flamboyait dans l'herbe au bord du cratère : *Isfet*, le symbole du chaos – la carte de visite d'Apophis.

On était tous sous le choc. Toutefois, on n'avait pas le temps de pleurer nos compagnons disparus. Les autorités humaines n'allaient pas tarder à rappliquer ; d'ici là, on devait réparer les dégâts le mieux possible et effacer toute trace de magie.

On n'a pas pu faire grand-chose pour le cratère. Il fallait espérer que la police locale conclurait à une explosion due au gaz – l'explication la plus fréquemment avancée après notre passage.

On a tenté de remettre le musée et l'exposition à peu près

en état, mais même la magie a ses limites. Aussi ne t'étonne pas si, en visitant un jour une exposition sur Toutankhamon, tu remarques des fêlures ou des traces de brûlures sur certains objets, ou une statue dont on aurait recollé la tête à l'envers. Par avance, je sollicite ton indulgence.

Tandis que la police bloquait les rues menant au musée et encerclait le cratère, notre petite équipe a gagné le toit. En des temps moins troublés, on aurait ouvert un portail afin de rentrer chez nous, mais depuis qu'Apophis avait gagné en puissance, ce mode de déplacement était devenu trop risqué.

J'ai préféré siffler notre monture. D'un coup d'ailes, Crack le griffon nous a rejoints du toit du Fairmont Hotel tout proche.

Crois-moi, ce n'est pas évident de trouver un endroit où planquer un griffon, surtout s'il tire un bateau derrière lui. Pas question de le garer en double file ni de glisser quelques pièces dans un horodateur. En plus, Crack devient nerveux en présence d'inconnus et il a alors tendance à les bouffer. C'est pourquoi je l'avais laissé sur le toit du Fairmont avec une caisse de dindes pour l'occuper. Congelées, les dindes. Sinon il les avale tout rond et ça lui file le hoquet.

(Sadie me dit d'accélérer, et que tu te fiches pas mal des habitudes alimentaires des griffons. Désolé.)

Donc, Crack a atterri sur le toit du musée. C'est un monstre de toute beauté, à condition d'aimer les lions psychotiques à tête de faucon. Sa fourrure est rousse, et quand il vole, le bruit de ses ailes de colibri géant évoque un croisement entre un kazoo et une tronçonneuse.

– KRAAAK ! a-t-il croassé.

– Content de te voir, mon vieux, lui ai-je dit. Sors-nous d'ici, tu veux ?

Le bateau qu'il tirait, construit sur le modèle de ceux de l'ancienne Égypte, ressemblait à un grand canoë en roseaux tressés. Walt l'avait enchanté pour qu'il se maintienne en vol quel que soit le poids qu'il transportait.

La première fois où on avait volé à bord d'Air Crack, le bateau était attaché sous le ventre du griffon, ce qui entraînait pas mal de roulis. Il n'était pas question de le chevaucher, sous peine d'être découpés en rondelles par ses ailes surpuissantes. C'est pourquoi on avait opté pour le système du traîneau. Ça fonctionnait plutôt bien, sauf quand Felix se penchait par-dessus bord en criant : « Ho ho ho ! Joyeux Noël ! »

Bien sûr, la plupart des mortels ne distinguent pas la magie. J'ignore ce que s'imaginaient voir ceux qu'on survolait, mais j'ai dans l'idée que la plupart se précipitaient chez un psychiatre dans la foulée.

On a pris notre essor dans la nuit, nous six et le coffret. Je ne comprenais pas bien l'intérêt de Sadie pour celui-ci, mais j'avais assez confiance en ma sœur pour être persuadé de son importance.

J'ai jeté un dernier coup d'œil au jardin de sculptures. Le cratère fumant faisait penser à une bouche ouverte sur un hurlement. Les gyrophares des camions de pompiers et des véhicules de police l'entouraient d'un cercle de lumières intermittentes. Je me suis demandé combien de magiciens avaient péri dans l'explosion.

Crack a pris de la vitesse. Les yeux me piquaient, mais le vent n'y était pour rien. J'ai détourné le visage pour cacher mes larmes à mes amis.

Quel piètre leader tu fais !

Je savais Apophis capable de tous les mensonges pour nous

déstabiliser et nous faire douter de la justesse de notre cause, toutefois ses paroles m'avaient profondément ébranlé.

Je ne me sentais pas à l'aise dans mon rôle de chef. Pour rassurer mes compagnons, je devais feindre à tous moments une assurance que j'étais loin d'éprouver.

Je regrettais de ne pouvoir m'appuyer ni sur mon père ni sur oncle Amos, parti au Caire afin de diriger la Maison de vie. Je savais pouvoir compter sur Sadie, mais malgré son fichu caractère, ma sœur refusait d'apparaître comme une figure d'autorité. Officiellement, c'était moi qui dirigeais notre QG de Brooklyn. Par conséquent, les erreurs que nous pouvions commettre, comme provoquer la destruction d'un nome entier, relevaient de ma pleine responsabilité.

Sadie ne m'aurait fait aucun reproche à ce sujet, c'était entendu, mais je ne m'en sentais pas moins coupable.

Tout ce que tu as tenté de construire sera anéanti...

Crois-le ou non, mais il s'était écoulé moins d'un an depuis que ma sœur et moi avions débarqué à Brooklyn, ignorant tout de nos pouvoirs et de notre héritage. À présent, on entraînait une armée de jeunes magiciens à combattre Apophis en suivant la voie des dieux, une forme de magie que nul n'avait pratiquée depuis des millénaires. Si on avait beaucoup progressé collectivement, cette nouvelle défaite face au serpent démontrait l'insuffisance de nos efforts.

Tu perdras ceux que tu chéris le plus...

Ma mère est morte quand j'avais sept ans. Mon père s'est sacrifié pour devenir l'hôte d'Osiris. Au cours de l'été, un grand nombre de nos alliés avaient succombé en luttant contre Apophis, ou étaient tombés dans des embuscades tendues par des magiciens rebelles qui refusaient de prêter allégeance au nouveau chef lecteur, notre oncle Amos.

Qui d'autre pouvais-je perdre encore ? Sadie ?

Surtout, ne t'imagine pas que je suis ironique. Si on a longtemps vécu séparés, elle habitant à Londres avec nos grands-parents pendant que je voyageais autour du monde avec papa, Sadie n'en reste pas moins ma sœur et on s'est beaucoup rapprochés depuis un an. Même si elle m'agace parfois, j'ai besoin d'elle, et cet aveu me déprime.

(Aïe ! Merci, Sadie. Je n'en attendais pas moins de toi.)

Ou alors, l'allusion d'Apophis visait Zia Rashid...

Notre bateau s'est élevé au-dessus des faubourgs scintillants de Dallas, puis, poussant un cri sauvage, Crack a plongé à l'intérieur de la Douât et le brouillard nous a engloutis. La température a brutalement chuté. J'ai été saisi d'un vertige familier, comme si je me trouvais sur des montagnes russes et venais de plonger dans le vide. Des voix désincarnées murmuraient à mon oreille.

Je commençais à me demander si on n'était pas perdus quand le brouillard s'est dissipé. Notre bateau survolait à présent le port de New York et se dirigeait vers les lumières de Brooklyn.

Notre quartier général est situé au bord de l'East River, à proximité du pont de Williamsburg. Là où les mortels ordinaires ne voient qu'une friche industrielle et un immense entrepôt à l'abandon, les magiciens distinguent au sommet de celui-ci une imposante demeure de quatre étages faite de blocs de calcaire, aux fenêtres encadrées de métal, qui resplendit de lumières jaunes et vertes tel un phare dans la nuit.

Crack s'est posé sur le toit où nous attendait Bastet, la déesse-chatte.

– Mes chatons ont survécu ! s'est-elle exclamée.

Elle a pris mes mains et inspecté mes bras, s'assurant que je n'étais pas blessé, puis elle a soumis Sadie au même examen et eu une moue désapprobatrice devant les pansements qui enveloppaient ses mains.

Elle avait des yeux jaunes de félin vaguement inquiétants, de longs cheveux noirs coiffés en queue-de-cheval et portait en permanence une combinaison moulante dont les motifs – rayures de tigre, ocelles de léopard, taches imitant la robe d'un chat tricolore – évoluaient au gré de son humeur. Malgré toute l'affection que j'avais pour elle, ça me mettait toujours un peu mal à l'aise de la voir se comporter avec nous comme une chatte avec ses petits. Ses manches dissimulaient deux redoutables couteaux qu'elle pouvait faire apparaître d'une simple torsion du poignet. Chaque fois qu'elle me tapotait la joue, j'avais peur qu'elle ne me décapite à la suite d'une fausse manœuvre. Heureusement, elle n'essayait pas de nous soulever par la peau du cou ni de nous débarbouiller à coups de langue.

– Qu'est-ce qui s'est passé ? a-t-elle demandé.

Sadie a pris une inspiration, tremblante.

– Eh bien...

Pendant qu'on lui racontait la destruction du nome texan, un grondement sourd a jailli de sa gorge et bien qu'attachés, ses cheveux se sont dressés sur sa tête comme si elle avait mis les doigts dans une prise électrique.

– J'aurais dû vous accompagner, a-t-elle gémi.

– Le musée était trop bien protégé, lui ai-je objecté. Tu n'aurais pas pu entrer.

En effet, les magiciens ont consacré des millénaires à concevoir des barrières pour empêcher les dieux de pénétrer sur leur territoire sous leur forme physique. Nous-mêmes, on avait dû reconfigurer toutes les défenses du manoir pour permettre à Bastet d'y accéder sans nous exposer aux attaques d'autres divinités moins amicales. Introduire Bastet dans le musée de Dallas, sans être complètement impossible, se serait révélé aussi long et compliqué que de franchir le contrôle de sécurité d'un aéroport avec un bazooka. En outre, on avait besoin d'elle pour protéger notre QG et nos élèves. À deux reprises, déjà, nos ennemis avaient presque détruit le manoir. Il n'était pas question que ça se reproduise.

La combinaison de Bastet a viré au noir d'encre.

– Je ne me le pardonnerais jamais si l'un de vous...

Elle a jeté un coup d'œil à notre petite troupe fatiguée et effrayée avant de poursuivre :

– Au moins, vous êtes tous sains et saufs. Quelle est l'étape suivante ?

Walt a chancelé. Sans le soutien d'Alyssa et de Felix, il se serait certainement effondré.

– Je vais bien, a-t-il menti. Carter, tu veux que je rassemble tout le monde sur la terrasse ?

Il paraissait au bord de la syncope. Il ne l'aurait avoué pour rien au monde, mais Jaz, notre guérisseuse en chef, m'avait confié qu'il souffrait en permanence de douleurs intolérables. S'il tenait encore debout, il le devait uniquement à ses potions et aux symboles analgésiques qu'elle peignait chaque jour sur sa poitrine. Pourtant, je lui avais demandé de nous accompagner à Dallas – une décision de plus qui pesait sur ma conscience.

Le reste de l'équipe avait également besoin de repos. Felix avait les yeux gonflés de larmes, Alyssa tremblait comme une feuille.

Il était inutile de réunir les élèves. Je n'avais aucun plan à leur proposer, et après toutes les morts que je venais de causer, je craignais de me laisser submerger par l'émotion en m'adressant à eux.

– On se réunira demain, ai-je déclaré. Vous avez tous besoin de dormir. Ce qui s'est passé à Dallas...

Ma voix s'est brisée, et j'ai eu du mal à achever :

– Croyez-moi, je ressens la même chose que vous. Mais dites-vous que ce n'était pas votre faute.

Je ne suis pas certain de les avoir convaincus. Felix a essuyé une larme pendant qu'Alyssa l'entraînait vers l'escalier. Walt a adressé à ma sœur un regard plein de mélancolie – ou de regrets, je n'aurais su le dire – avant de les suivre.

– Agh ? a fait Khéops, tapotant le coffret doré.

– Tu veux bien le descendre à la bibliothèque ? lui ai-je demandé.

La pièce la mieux protégée du manoir : après tous les sacrifices auxquels on avait consenti pour sauver ce coffret, je ne voulais prendre aucun risque.

Khéops s'est éloigné d'une démarche dandinante.

Crack était tellement fatigué qu'il n'a pas eu le courage de se traîner jusqu'à son abri. Il s'est couché en rond à l'endroit où il avait atterri et s'est mis à ronfler, toujours attelé au bateau. Les voyages à travers la Douât l'épuisent.

Je l'ai débarrassé de son harnais et ai gratté sa tête emplumée.

– Merci, mon vieux. Fais de beaux rêves pleins de dindes bien grasses.

Il a gloussé dans son sommeil.

Je me suis ensuite tourné vers Sadie et Bastet :

– Il faut qu'on parle.

Il n'était pas loin de minuit, pourtant la salle commune bruissait d'activité. Julian, Paul et quelques autres garçons regardaient une chaîne sportive, affalés sur le canapé et les fauteuils. Nos trois benjamins – « les Razmoket » – faisaient du coloriage, assis par terre. La table basse était jonchée de paquets de chips entamés et de canettes de soda vides. Des chaussures gisaient pêle-mêle sur le tapis en peau de serpent. Au centre de la pièce, une statue monumentale de Thot, le dieu à tête d'ibis, représenté avec un calame et un papyrus à la main, dominait nos élèves de toute sa taille. Quelqu'un l'avait coiffé d'un des chapeaux d'Amos qui lui donnait l'allure d'un bookmaker en train de noter des paris, et un Razmoket avait colorié en rose et violet les orteils d'obsidienne du dieu. Je te jure, ces jeunes... Aucun respect !

Nous voyant déboucher de l'escalier, Sadie et moi, les garçons se sont levés en hâte.

– Alors ? a interrogé Julian. On a vu passer Walt, mais il ne nous a rien dit...

– On est tous revenus sains et saufs, ai-je répondu. Mais les gens du Nome Cinquante et un ont eu moins de chance.

Julian a grimacé mais s'est abstenu de demander des détails devant les petits.

– Vous avez trouvé quelque chose d'intéressant ? a-t-il repris.

– On ne sait pas encore.

J'allais me retirer quand une des Razmoket, Shelby, s'est approchée d'un pas encore mal assuré pour me montrer son œuvre.

– J'ai tué le méchant serpent, a-t-elle fièrement annoncé.

Elle avait représenté un reptile au corps hérissé de couteaux et de poignards, avec des croix à la place des yeux. À l'école, son dessin lui aurait certainement valu toute l'attention du psychologue scolaire, mais de mon point de vue, il indiquait que même les plus jeunes d'entre nous étaient conscients de ce qui se tramait.

Comme Shelby m'adressait un sourire édenté en brandissant son crayon telle une lance, j'ai reculé. En dépit de son jeune âge, la gamine montrait des dons spectaculaires pour la magie. Il n'était pas rare que ses crayons de couleur se métamorphosent en armes et que ses dessins prennent vie, comme la licorne tricolore qu'elle avait invoquée le jour de la fête nationale.

– Il est très beau, ton dessin.

Tandis que je la félicitais, il me semblait que des bandelettes de momie comprimaient mon cœur. Comme toutes nos plus jeunes recrues, Shelby avait rejoint le manoir Kane avec l'accord de ses parents. Ceux-ci avaient compris que le sort du monde était en jeu et que leur fille ne serait nulle part davantage en sécurité ni ne trouverait de meilleures conditions pour développer ses talents. Pratiquer une magie qui aurait détruit la plupart des adultes, apprendre à combattre des créatures qui auraient filé des cauchemars à n'importe qui... Quelle sorte d'enfance était-ce là ?

– Viens, poussin, a dit Julian, la prenant par la main. Tu vas faire un autre dessin, d'accord ?

– Pour tuer le méchant serpent ?

Sadie, Bastet et moi avons poursuivi en direction de la bibliothèque.

Les portes en chêne massif ouvraient sur un escalier qui descendait vers une vaste salle circulaire tout en hauteur, comme un puits. La déesse du ciel, Nout, était peinte au plafond, sa peau bleu nuit constellée d'étoiles scintillantes. Le sol était décoré d'une mosaïque représentant son époux, le dieu de la Terre, Geb, couvert de rivières, de collines et de déserts.

Malgré l'heure tardive, notre bibliothécaire autodésignée, Cléo, était toujours au travail. Quatre ouchebtis, des serviteurs en argile, s'affairaient sous ses ordres, époussetant les rayonnages, classant les ouvrages avant de les glisser dans les alvéoles disposées tout autour des murs. Assise au centre de la salle, Cléo prenait des notes sur un papyrus. Accroupi sur la table devant elle, Khéops tapotait le coffret qu'on avait rapporté de Dallas en poussant des grognements qu'on aurait pu traduire par : « Hé ! T'as vu ce que j'ai dégoté ? Une affaire en or ! »

Si Cléo ne brillait pas par la bravoure, elle possédait une mémoire phénoménale et parlait, outre le portugais, sa langue maternelle (elle était brésilienne), l'anglais, l'égyptien ancien ainsi que des rudiments de babouin. Elle avait entrepris de répertorier les documents contenus dans notre bibliothèque et d'en faire venir d'autres du monde entier pour approfondir nos connaissances sur Apophis. C'était elle qui avait établi un lien entre les récentes attaques du serpent et les papyrus du légendaire Setné. Elle était toujours prête à rendre service, mais il lui arrivait pourtant de s'agacer quand on lui demandait de faire de la place dans « sa » bibliothèque pour nos manuels scolaires, nos ordinateurs, des antiquités encombrantes ou la collection de *Chat magazine* de Bastet.

Elle s'est levée d'un bond en nous voyant.

– Vous êtes vivants !

– On dirait que ça t'étonne, a fait remarquer Sadie.

– Pardon, a balbutié Cléo. Seulement... Quand Khéops est descendu tout seul, ça m'a inquiétée. Il essayait de me dire quelque chose au sujet de ce coffret, mais il est vide. Vous avez récupéré l'exemplaire de *L'Art de vaincre Apophis* ?

– Il a brûlé, ai-je répondu. On n'a pas pu le sauver.

– C'était la dernière copie ! s'est écriée Cléo, au bord des larmes. Comment Apophis a-t-il pu détruire un document d'une telle valeur ?

J'ai failli lui rétorquer que le serpent avait l'intention de détruire le monde entier, avant de me rappeler que cette perspective la terrifiait au point de la paralyser. C'est pourquoi elle préférait s'indigner du sort du papyrus ; l'idée qu'Apophis ait pu causer la disparition de ce précieux document lui donnait l'envie – et le courage – de lui casser la figure.

Un ouchebti a sauté sur la table et tenté de coller un code-barres sur le coffret, mais Cléo l'a chassé.

– Tous à vos places ! a-t-elle ordonné, frappant dans ses mains.

Les quatre statuettes en argile ont regagné leur piédestal et se sont figées. L'une d'elles portait encore des gants de ménage en latex et tenait un plumeau à la main.

Cléo a examiné le coffret.

– Il est vide, a-t-elle constaté. Pourquoi l'avez-vous rapporté ?

– Sadie, Bastet et moi devons en discuter. Si ça ne t'ennuie pas...

– Pas du tout, a répondu Cléo, toujours penchée au-dessus du coffret. Oh ! Tu veux dire, en privé.

Elle semblait un peu froissée, toutefois elle s'est dirigée vers l'escalier, tirant Khéops par la main.

– Viens, *babuinozinho*. On va te trouver quelque chose à grignoter.

– Agh ! a acquiescé Khéops d'un ton joyeux.

Il adorait Cléo, peut-être à cause de son prénom. Pour une raison mystérieuse, notre babouin raffole de toutes les choses dont le nom se termine par le son « o », comme les Oreo, les burritos, les bonobos...

Une fois seuls, Sadie, Bastet et moi nous sommes approchés de notre nouveau trophée.

L'extérieur du coffret, gravé de hiéroglyphes et de portraits du pharaon et de son épouse, était doré – je penchais pour une mince couche de dorure appliquée sur du bois, car il n'était pas très lourd. Sa double porte ouvrait sur pas grand-chose : un minuscule piédestal sur lequel on distinguait des empreintes de pieds, comme s'il avait accueilli autrefois une version antique de la poupée Barbie.

Sadie a étudié les hiéroglyphes.

– Ça parle de Toutankhamon et de sa femme, a-t-elle expliqué. On leur souhaite une joyeuse vie dans l'autre monde, le blabla habituel. Il y a aussi un portrait de lui en train de chasser le canard. Sans blague, c'était comme ça qu'il imaginait le paradis ?

– Moi, j'aime bien le canard, a glissé Bastet.

Je suis intervenu :

– À mon avis, l'intérêt de ce coffret ne réside pas dans les canards, mais dans son contenu, lequel a disparu. Volé par des pilleurs de tombes, sans doute...

Bastet a gloussé.

– Qu'est-ce qu'il y a de marrant ? ai-je dit, agacé.

Elle nous a regardés, Sadie et moi, et son sourire s'est effacé.

– Oh ! Je vois... Vous n'avez pas la moindre idée de la fonction de ce coffret. Pas étonnant. Très peu ont survécu.

– Très peu de quoi ?

– De coffres à ombre.

– C'est quoi, ça ? a demandé Sadie. Un gadget pour amateurs de jeux de rôle ?

– Des « jeux drôles » ? Comme courir après sa propre queue ? Croyez-moi, ce coffret n'a rien d'un jouet.

Elle paraissait sérieuse, mais avec les chats, on ne sait jamais.

– L'ombre est là, a-t-elle ajouté, indiquant l'intérieur du coffre. C'est pourquoi j'ai ri quand tu as dit qu'on l'avait volée, Carter. Vous la voyez, maintenant ? Coucou, ombre de Toutankhamon !

– Je n'ai jamais entendu papa faire la moindre allusion à un « coffre à ombre », ai-je objecté. Pourtant, j'ai assisté à toutes ses conférences.

– Je vous l'ai dit, très peu ont survécu. L'usage voulait qu'on enterre le coffre à ombre à distance du reste de l'âme du défunt. Toutankhamon était idiot d'avoir fait mettre le sien dans sa tombe. À moins qu'un prêtre ne l'y ait placé contre sa volonté, par vengeance.

J'étais complètement largué. Mais, à mon grand étonnement, Sadie a acquiescé.

– C'est ça que voulait me dire Anubis, a-t-elle déclaré. « Concentre-toi sur ce qui n'est pas là... » Au niveau de la Douât, l'intérieur du coffre m'est apparu noir comme de l'encre. Et Don Vito a prétendu que c'était un indice...

– Temps mort ! me suis-je écrié. Sadie, quand as-tu vu Anubis ? Et qui est Don Vito ?

Ma question a semblé la gêner – la première, du moins –, toutefois elle nous a rapporté sa conversation avec le visage dans le mur, puis la vision qu'elle avait eue avec Isis, notre mère et son presque petit ami, le dieu de la mort. Ma sœur a tendance à se disperser, mais cette fois, elle s'était surpassée : deux voyages astraux en moins d'un quart d'heure, je dis bravo !

– Cette tête qui a surgi du mur... Si ça se trouve, c'est un piège.

– Possible, mais je ne crois pas. Elle a dit qu'on aurait besoin de son aide, et qu'on avait deux jours pour la sauver avant qu'il lui arrive un truc affreux. C'est elle qui m'a suggéré de récupérer le coffret, et Anubis m'a confirmé ensuite qu'il contenait un indice. Et maman... Maman a dit que c'était notre seule chance de sauver les âmes des défunts. Si on échoue, on la perdra.

J'ai eu la sensation que le brouillard glacé de la Douât se refermait sur moi. J'ai scruté l'intérieur du coffret, sans rien distinguer.

– Quel rapport entre Apophis, l'ombre de Toutankhamon et les âmes des morts ? me suis-je interrogé.

Je me suis tourné vers Bastet, qui se faisait les griffes sur la table – un signe de nervosité chez elle. Les meubles ne durent pas longtemps chez nous.

– Apophis et les ombres, a-t-elle dit d'un ton songeur. Je n'avais jamais réfléchi... Vous devriez garder ces questions pour Thot. Il en sait beaucoup plus que moi.

Soudain un souvenir a resurgi en moi. Une conférence donnée par mon père – à l'université de Munich, je crois. Les étudiants l'avaient interrogé sur la notion d'âme dans l'Égypte antique.

« L'âme se compose de cinq parties », avait-il alors expliqué. « Comme les cinq doigts de la main... »

– Les cinq parties de l'âme, ai-je murmuré, m'efforçant de me rappeler la suite. Quelles sont-elles ?

Bastet est restée muette.

– Carter ! a protesté Sadie. Je ne vois pas ce que...

Je l'ai ignorée.

– La première partie est le bâ, pas vrai ? L'esprit...

– Quoi, la dinde ? a glissé Sadie.

Une image parlante, à défaut d'être très académique. Quand ton bâ quitte ton corps durant ton sommeil, ou qu'il revient sur terre après ta mort, il revêt l'apparence d'un énorme oiseau chatoyant à tête humaine.

– C'est ça, ai-je acquiescé. La dinde. Ensuite il y a le ka, la force vitale qui se retire après la mort, puis le ab, le cœur...

– Le siège des actions, bonnes et mauvaises, a précisé Sadie. C'est lui qu'on pèse dans la salle du jugement.

– La quatrième partie...

Je me suis tu, gêné. Sadie a achevé à ma place :

– Le ren, le nom secret.

Six mois plus tôt, elle m'avait sauvé la vie en prononçant mon nom secret, qui lui avait permis d'accéder à mes pensées les plus secrètes et à mes sentiments les moins avouables. Même si elle n'y avait fait aucune allusion depuis, personne n'aimerait savoir sa petite sœur en possession d'un tel moyen de chantage.

Également, le nain Bès avait sacrifié son ren au dieu de la lune, Khonsou, pour nous permettre de remporter la partie de senet qui nous opposait à ce dernier. À présent, notre ami n'était plus qu'une enveloppe vide, tassée au fond d'un fauteuil roulant dans une clinique pour divinités séniles.

– Exact, ai-je repris. Quant à la dernière partie... Sauf erreur de ma part, il s'agit de l'ombre.

– L'ombre ? a répété Sadie, incrédule. Comment l'ombre peut-elle faire partie de l'âme ? C'est juste une illusion, un effet de lumière...

Bastet a avancé une main, dont les contours se sont profilés sur le coffret.

– Nul ne peut se séparer de son ombre, son *shut*, a-t-elle dit. Tous les êtres vivants en ont une.

– Les rochers, les crayons, les chaussures aussi, lui a objecté Sadie. Ce n'est pas pour autant qu'ils possèdent une âme.

– Qu'est-ce que tu en sais ? a rétorqué Bastet. Les êtres

vivants ne peuvent se comparer à des rochers... Enfin, la plupart. Et puis, le shut ne se réduit pas à un phénomène physique. C'est une projection magique – la silhouette de l'âme, en quelque sorte.

Je suis intervenu :

– Quand tu affirmes que ce coffret abrite l'ombre de Toutankhamon...

– Je veux dire qu'il contient un cinquième de son âme. Ainsi, son shut ne risque pas de se perdre dans l'autre monde.

J'avais l'impression que mon cerveau allait exploser. Je sentais intuitivement que la notion d'ombre jouait un rôle capital dans cette affaire, mais lequel ? C'était comme si on m'avait tendu une pièce provenant d'un autre puzzle que celui que je m'efforçais de compléter. La pièce d'origine, le papyrus unique qui devait nous permettre de vaincre Apophis, nous n'avions pu la sauver – de même que les magiciens texans qui nous avaient accueillis avec tant de chaleur. Tout ce qu'on avait rapporté de cette expédition, c'était une boîte vide illustrée d'une scène de chasse aux canards. Je me suis retenu de jeter ce stupide coffret contre un mur.

– Cette histoire d'ombre perdue, ai-je marmonné. Ça me fait penser à *Peter Pan*...

Les yeux de Bastet brillaient comme des lanternes de papier.

– À ton avis, où l'auteur du livre a-t-il puisé son inspiration ? a-t-elle demandé. Les contes populaires sur le thème de l'ombre perdue ont traversé les siècles, Carter. Et tous remontent à l'Égypte ancienne.

– Sans doute, mais ce n'est pas ce qui nous aidera à combattre Apophis. Le papyrus nous aurait été beaucoup plus utile. Seulement, il a brûlé !

J'étais en colère, je l'admets.

Le souvenir des conférences de mon père avait ravivé le regret de l'époque où je voyageais autour du monde avec lui. S'il nous était arrivé des trucs bizarres, je m'étais toujours senti en sécurité à ses côtés. Il savait quoi faire en toutes circonstances. Tout ce qu'il me restait de ces années, c'était une valise qui prenait la poussière au fond de mon placard.

Je savais parfaitement ce qu'il m'aurait dit s'il avait été encore là : « La justice, c'est que chacun reçoive ce dont il a besoin. Et le meilleur moyen de recevoir ce dont on a besoin, c'est de l'obtenir soi-même. »

Merci du conseil, papa. L'ennui, c'est que je suis confronté à un ennemi surpuissant, et qu'il vient de détruire l'objet dont j'avais précisément besoin pour le combattre...

– T'inquiète, on trouvera un autre moyen de vaincre Apophis, a déclaré Sadie, à croire qu'elle avait lu dans mes pensées. Bastet, tu allais dire quelque chose à propos d'Apophis et des ombres...

– Pas du tout ! a protesté la déesse-chatte.

– Qu'est-ce qui te rend si nerveuse ? ai-je demandé. Est-ce que les dieux possèdent une ombre ? Et Apophis ? Si oui, comment l'atteindre ?

De la pointe de l'ongle, Bastet a gravé un hiéroglyphe dans le bois de la table. J'aurais parié qu'il signifiait « danger ».

– Franchement, chaton, je préférerais que tu abordes ce sujet avec Thot. Les dieux aussi ont une ombre, bien sûr. Seulement... on n'est pas censés en parler.

Je l'avais rarement vue aussi troublée. Pourtant, elle avait combattu Apophis au corps à corps, dans sa prison même, durant des millénaires. Qu'est-ce qui pouvait l'effrayer ainsi ?

J'ai repris :

– Si on ne trouve pas de meilleure solution, on devra mettre en œuvre le plan B.

La déesse-chatte a grimacé tandis que Sadie fixait la table avec une expression accablée. Le plan B avait été élaboré par Bastet, Walt, ma sœur et moi. Aucun de nos élèves ne connaissait son existence. On n'avait même pas osé en parler à oncle Amos. C'est te dire s'il était risqué !

– Je... j'aimerais mieux qu'on n'en arrive pas là, a bredouillé Bastet. Mais je te supplie de me croire, je n'ai pas les réponses aux questions que tu te poses. Et je te conseille d'oublier les ombres. C'est un sujet dange...

On a frappé à la porte de la bibliothèque, puis Cléo et Khéops sont apparus au sommet de l'escalier.

– Pardon de vous interrompre, a dit Cléo. Carter, Khéops revient à l'instant de ta chambre, et il semble avoir quelque chose d'important à te dire.

– Agh ! a acquiescé le babouin.

Bastet a traduit :

– Il dit que tu as reçu un appel sur ton bol divinatoire... Un appel *privé*.

Comme si je n'avais pas eu déjà assez de soucis ! Je ne connaissais qu'une personne susceptible de me contacter par ce moyen. Pour qu'elle m'appelle au milieu de la nuit, il fallait qu'il se passe quelque chose de grave.

– Restons-en là pour le moment, ai-je dit à Bastet et Sadie. On reparlera de tout ça demain matin.

CARTER

4. Horus, pigeon de combat !

J'ai un aveu à te faire : j'étais amoureux d'une baignoire pour oiseaux.

La plupart des garçons de mon âge passent leur temps à vérifier qu'ils n'ont pas reçu de SMS, ou sont obsédés par ce que les filles écrivent d'eux sur Facebook. Moi, je ne supportais pas de m'éloigner de mon bol de divination.

Chaque fois que je me trouvais dans ma chambre, je jetais sans cesse des regards en direction du balcon et de la coupe en bronze posée sur son piédestal. Je devais me faire violence pour ne pas me précipiter à l'extérieur dans l'espoir d'y apercevoir l'image de Zia.

Comment définir ma relation avec Zia ? Sache seulement que j'étais tombé amoureux de son ouchebti, sa réplique en argile, pour découvrir, ayant sauvé la vraie Zia, que celle-ci ne partageait pas mes sentiments. Dire que ma sœur trouve sa vie sentimentale compliquée...

Depuis que Zia avait regagné le Premier Nome afin d'y seconder notre oncle Amos, ce bol était notre seul moyen de contact. J'avais passé tant d'heures à en scruter la surface en conversant avec elle que c'est à peine si je me rappelais à quoi ressemblait son visage sans les ondulations qui parcouraient l'huile enchantée.

Quand j'ai enfin atteint le balcon, hors d'haleine, Zia a tourné son regard vers moi depuis le bol. Elle croisait les bras, et ses yeux semblaient jeter des flammes. (Le premier bol que m'avait fabriqué Walt avait réellement pris feu, mais c'est une autre histoire.)

– Carter, a-t-elle dit, je vais t'étrangler.

Elle n'est jamais aussi belle que lorsqu'elle menace de me tuer. Durant l'été, elle avait laissé pousser ses cheveux, qui retombaient à présent en vagues d'un noir lustré sur ses épaules. J'ai admiré une fois de plus ses traits finement sculptés, ses lèvres pleines, ses yeux d'ambre étourdissants, son teint doré de statuette en terre cuite à peine sortie du four...

– Tu es au courant pour Dallas, ai-je deviné. Je suis déso...

– Tout le monde est au courant ! Amos vient de passer une heure à recevoir les messagers des autres nomes, qui réclamaient des explications. L'onde de choc s'est propagée jusqu'à Cuba à travers la Douât. Certains prétendent que vous avez anéanti la moitié du Texas, d'autres qu'il ne reste plus que des ruines du Nome Cinquante et un. D'autres encore... Ils ont dit que tu étais mort.

L'inquiétude qui perçait dans sa voix m'a mis un peu de baume au cœur tout en accentuant mes remords.

– J'ai voulu te prévenir, ai-je plaidé. Mais quand on a compris qu'Apophis allait frapper Dallas, on s'est mis en route sans délai.

Je lui ai fait le récit de notre expédition sans rien lui cacher de nos erreurs et des pertes qu'on avait subies.

Tout en parlant, je m'efforçais de déchiffrer son expression. Je la connaissais depuis neuf mois, pourtant j'avais toujours du mal à deviner ses pensées. Il faut dire qu'en sa présence je devenais stupide. C'est tout juste si j'arrivais à achever mes phrases.

À la fin de mon récit, elle a prononcé un mot en arabe, sans doute un juron.

– Je me réjouis que tu aies survécu, a-t-elle dit. Mais la destruction du Nome Cinquante et un... Je connaissais Anne Grissom. Elle m'a enseigné l'art de guérir quand j'étais plus jeune.

J'ai repensé à la jolie épouse blonde de JD, puis au violon brisé au bord du cratère créé par l'explosion.

– C'étaient des gens bien, ai-je déclaré.

– Les derniers alliés qu'il nous restait, ou presque. Déjà, les rebelles te rendent responsable de leur mort. Si davantage de nomes se dressent contre Amos...

Elle n'a pas eu besoin de préciser sa pensée. Six mois plus tôt, les pires éléments de la Maison de vie avaient formé un commando afin d'attaquer notre QG. On les avait vaincus, et Amos leur avait accordé l'amnistie après son investiture. Mais certains avaient refusé de se rallier à lui. Depuis, ils avaient rassemblé leurs forces et dressé d'autres magiciens contre nous – comme si on n'avait pas eu assez d'ennemis sans ça !

– Les rebelles sont entrés en contact avec vous ? ai-je demandé.

– Pire. Ils nous ont fait parvenir un message à ton intention.

La surface du bol s'est troublée, et l'image de Sarah Jacobi, l'âme de la rébellion, s'est formée devant mes yeux. J'ai immédiatement reconnu son visage blême, ses cheveux bruns coiffés en brosse, ses yeux sombres lourdement soulignés de khôl, à l'expression perpétuellement effarée. Drapée dans une robe blanche, elle semblait s'être déguisée en fantôme pour Halloween.

Elle se trouvait dans une pièce bordée par une double rangée de colonnes de marbre. Une demi-douzaine de personnages patibulaires se pressaient derrière elle : ses tueurs d'élite. J'ai aperçu la robe bleue et le crâne rasé de Kwai, chassé du Nome Trois cents, en Corée du Nord, pour avoir assassiné un de ses pairs. À ses côtés se tenait Pétrovitch, un assassin ukrainien au visage balafré, autrefois au service de notre vieil ennemi, Vlad Menchikov.

Je n'ai pu identifier les autres, mais aucun ne pouvait égaler leur chef en férocité. Avant son recrutement par Menchikov, Sarah Jacobi était exilée en Antarctique pour avoir provoqué un tsunami meurtrier dans l'océan Indien.

– Carter Kane ! a-t-elle tonné.

Ce n'était qu'un enregistrement, je le savais, pourtant j'ai sursauté.

Elle a poursuivi :

– La Maison de vie réclame ta reddition. Tu as commis des crimes impardonnables pour lesquels tu mérites la mort.

Soudain des flashs violents se sont succédé à la surface du bol : l'explosion de la pierre de Rosette au British Museum, qui avait libéré Seth et tué notre père – comment Jacobi s'était-elle procuré des images de cet incident ? –, l'attaque contre notre QG au printemps dernier, que notre apparition à bord de la barque de Rê avait interrompue, mais présentée de manière à nous faire passer, ma sœur et moi, pour des voyous investis de pouvoirs divins qui agressaient violemment la pauvre Jacobi et ses amis.

– Tu as rendu leur liberté à Seth et à sa fratrie, a commenté la chef des rebelles. Tu as enfreint les lois sacrées de notre ordre en coopérant avec les dieux. En agissant ainsi, tu as créé un déséquilibre et renforcé Apophis.

– Mensonges ! me suis-je exclamé. Apophis se serait libéré de toute façon !

Je me suis brusquement rappelé que je m'adressais à un enregistrement.

Les images continuaient à défiler : un gratte-ciel en feu dans l'arrondissement de Shibuya, à Tokyo – le siège du Nome Deux cent trente-quatre. Une vitre volait en éclats sous la poussée d'un démon ailé à tête de katana qui enlevait un magicien hurlant dans les airs. Puis j'ai reconnu la maison de l'ancien chef lecteur, Michel Desjardins : un bel hôtel particulier de la rue des Pyramides, à Paris, à présent en ruine. Le toit s'était effondré, les fenêtres étaient brisées, le jardin jonché de lambeaux de papyrus et de livres détrempés. Le symbole du chaos flamboyait sur la porte d'entrée, telle une marque au fer rouge.

– C'est toi qui as causé tout cela, a repris Jacobi. Tu as fait investir un serviteur du mal comme chef lecteur, corrompu de jeunes magiciens en leur enseignant la voie des dieux. Tu as affaibli la Maison de vie, la laissant à la merci d'Apophis. Tu devras répondre de tes crimes, ainsi que tous ceux qui t'ont soutenu.

Le bol a alors affiché l'image de la Maison du sphinx, à Londres, siège du nome britannique. Sadie et moi avions rendu visite à ses dirigeants pendant l'été et étions parvenus à faire la paix avec eux après plusieurs heures de négociations. J'ai vu Kwai dévaster la bibliothèque, brisant les statues de dieux et balayant les livres des rayonnages. Une dizaine de magiciens enchaînés se tenaient devant Sarah Jacobi, armée d'un couteau noir étincelant. Leur chef, sir Leicester, un vieux type inoffensif, était forcé de s'agenouiller devant leur vainqueur, qui levait son couteau juste avant que la surface de l'huile ne se trouble.

Le visage de Jacobi est apparu en gros plan ; ses yeux étaient si sombres qu'on aurait dit un crâne aux orbites vides.

– Vous autres, les Kane, êtes un vrai fléau. Si vous vous soumettez, nous épargnerons vos disciples à condition qu'ils renoncent à la voie des dieux. Je n'aspire pas à devenir chef lecteur, mais j'assumerai cette charge pour le bien de l'Égypte. Une fois les Kane éliminés, nous serons de nouveau forts et unis. Nous réparerons les dommages que vous avez causés et renverrons les dieux et Apophis dans la Douât. L'heure du châtiment approche, Carter Kane. Cela est notre dernier avertissement.

L'image de Jacobi s'est dissoute, me laissant seul face à Zia.

– Pour une tueuse en série, elle est très convaincante, ai-je fait observer d'une voix tremblante.

Zia a acquiescé.

– Jacobi a déjà retourné ou vaincu la plupart de nos alliés européens et asiatiques. Beaucoup des attaques les plus récentes – que ce soit à Paris, Tokyo ou Madrid – étaient de son fait, mais elle les a attribuées à Apophis, ou au clan Kane.

– C'est ridicule !

– Toi et moi connaissons la vérité, mais les magiciens ont peur. Jacobi leur martèle qu'une fois les Kane détruits, Apophis regagnera la Douât et tout redeviendra normal. Ils ne demandent qu'à la croire. Elle leur dit qu'en vous restant fidèles, ils se condamnent eux-mêmes à mort. Après ce qui est arrivé à Dallas...

– Ça va, j'ai compris.

Je me sentais injuste de m'énerver contre Zia, mais j'étais

complètement désemparé. Toutes nos tentatives semblaient vouées à l'échec. J'imaginais Apophis ricanant dans le monde souterrain. C'était peut-être pour ça qu'il n'avait pas lancé une attaque frontale contre la Maison de vie : il s'amusait trop à nous regarder nous entredéchirer.

– Pourquoi Jacobi n'a-t-elle pas adressé son message à Amos ? ai-je demandé. C'est lui le chef lecteur.

Zia a jeté un regard de côté. Je n'apercevais pas grand-chose de ce qui l'entourait, mais apparemment, elle n'était ni dans son dortoir du Premier Nome ni dans la salle des temps.

– Jacobi l'a dit : ils considèrent Amos comme un serviteur du mal. Pour cette raison, ils refusent de lui parler.

– Il n'a pas choisi de se faire posséder par Seth, ai-je plaidé. Et puis, il a été soigné. Il est guéri, à présent.

Le visage de Zia s'est imperceptiblement crispé.

– Qu'est-ce qu'il y a ? ai-je dit, inquiet. Rassure-moi, il va bien ?

– Carter, c'est... compliqué. Mais notre problème numéro un, c'est Jacobi. Elle a établi son quartier général dans l'ancienne base de Menchikov, à Saint-Pétersbourg – une forteresse presque aussi imprenable que le Premier Nome. Nous ignorons ce qu'elle prépare et combien de magiciens elle a sous ses ordres. Nous ne savons pas où ni quand elle frappera. Notre seule certitude, c'est que l'offensive est imminente.

L'heure du châtiment approche... Cela est notre dernier avertissement.

Mon intuition me disait que Jacobi ne se risquerait pas à attaquer de nouveau notre manoir – le souvenir de l'humiliation qu'elle y avait subie était encore trop vif. J'ai tenté de me mettre à sa place : si j'avais voulu m'emparer de la Maison de vie et détruire notre famille, quelle autre cible aurais-je visée ?

Soudain mon regard a croisé celui de Zia, et il m'a semblé lire dans ses pensées.

– Jamais ils n'attaqueront le Premier Nome, ai-je affirmé. Ce serait du suicide ! Il a survécu pendant cinq mille ans.

– Nous sommes plus faibles que tu ne le crois, Carter. Beaucoup de nos meilleurs éléments nous ont quittés, sans doute pour rallier l'autre camp. Hormis Amos et moi, il ne reste qu'une poignée de vieillards et quelques enfants apeurés. Et la plupart du temps, a-t-elle ajouté, écartant les bras, je me trouve coincée ici...

– Une seconde ! T'es où, là ?

– Coucou ! a lancé une voix d'homme, hors champ.

– Oh non ! a soupiré Zia. Il est réveillé.

Le visage d'un vieillard est apparu dans le cercle. Avec son crâne chauve et ridé, il ressemblait à un bébé atteint de démence précoce.

– Zinnia ici, a-t-il ânonné.

Puis il a ouvert la bouche et tenté d'aspirer l'huile dans le bol, provoquant des remous à la surface.

– Seigneur, non ! s'est écriée Zia, le tirant en arrière. Vous ne pouvez pas boire l'huile enchantée. Nous en avons déjà parlé. Tenez, un cracker.

– Cracker ! Miam !

Le vieil homme s'est éloigné en sautillant, tenant un biscuit dans ses mains.

Le grand-père gâteux de Zia ? Hélas, non. Ce débris humain n'était autre que Rê, dieu du soleil, premier pharaon d'Égypte et ennemi juré d'Apophis. Six mois plus tôt, on avait entrepris une quête périlleuse afin de le retrouver et le tirer du sommeil où il était plongé depuis des millénaires, espérant qu'il renaîtrait dans toute sa gloire et vaincrait le serpent à notre place.

Malheureusement, Rê s'était révélé complètement sénile. S'il excellait à mâchouiller des biscuits, baver et chanter des comptines absurdes, il ne fallait pas compter sur lui pour combattre Apophis.

– Tu es encore de corvée auprès de Rê ? me suis-je exclamé.

– Isis et Horus l'accompagnent presque chaque nuit à bord de sa barque. Mais dans la journée... Il s'agite si je ne lui rends pas visite, et aucun des autres dieux ne veut le garder. Pour être franche, a-t-elle ajouté, baissant la voix, j'aurais peur de le laisser seul avec eux. Ils supportent de moins en moins sa présence.

– Ouiiii ! a fait Rê à l'arrière-plan.

Le poids de la culpabilité s'est abattu sur moi. C'était ma faute si Zia devait servir de nounou à un dieu décrépit, en plus d'aider Amos à diriger le Premier Nome. Ses différentes responsabilités lui laissaient à peine le temps de dormir, et encore moins d'accepter le rencard que je n'avais de toute manière pas le courage de lui proposer.

Bien sûr, rien de tout ça n'aurait plus d'importance si Apophis détruisait l'univers, ou si Jacobi et ses tueurs parvenaient à m'attraper. Pendant une seconde, je me suis demandé si les rebelles n'avaient pas raison de prétendre que tout allait mal à cause de nous, et si le monde n'irait pas mieux une fois débarrassé de moi.

Dans mon désarroi, j'ai éprouvé la tentation de faire appel au pouvoir d'Horus. Son courage et son assurance m'auraient été bien utiles. Mais j'avais déjà l'esprit assez embrouillé sans ses conseils et ses exhortations.

– Je sais ce que tu penses, a dit Zia. Mais tu as tort de t'en vouloir, Carter. Sans Sadie et toi, Apophis aurait déjà détruit la création. Il subsiste un espoir.

Un espoir plutôt mince : si on échouait à découvrir comment utiliser les ombres dans notre combat contre le serpent, on devrait recourir au plan B, lequel, même en cas de succès, signifierait ma mort et celle de ma sœur. Mais ce n'était pas le moment d'en informer Zia. Elle avait eu son lot de nouvelles déprimantes pour la journée.

– T'as raison, ai-je dit. On trouvera un moyen.

– Je serai de retour au Premier Nome ce soir. Appelle-moi alors, et...

Un bruit s'est élevé derrière elle, comme si on avait traîné une lourde dalle de granit sur le sol.

– Sobek vient d'arriver, a-t-elle murmuré. Quel sale type ! On parlera de ça plus tard.

– Une seconde ! On parlera de quoi ?

Mais l'huile s'est assombrie, effaçant l'image de Zia.

Au lieu de dormir, j'ai marché de long en large dans ma chambre.

Comme toutes celles du manoir, celle-ci offrait un lit confortable, un téléviseur HD, une connexion Internet à haut débit, et un miniréfrigérateur dont le contenu se renouvelait automatiquement. Une armée de balais, serpillières et chiffons enchantés veillait à son entretien, et les placards étaient remplis de vêtements toujours propres à ma taille.

Toutefois, je m'y sentais comme un animal en cage, peut-être parce que je la partageais avec un babouin. Si Khéops n'y était pas souvent – il préférait tenir compagnie à Cléo à la bibliothèque, ou se laisser bichonner par les Razmoket dans la salle commune –, son lit gardait la forme de son corps, un paquet de Cheerios entamé traînait sur sa table de nuit, et une balançoire à pneu occupait toujours un coin de la pièce. C'était Sadie qui en avait eu l'idée, pour rire, mais Khéops l'appréciait tellement que je ne pouvais me résoudre à la décrocher. En réalité, je m'étais si bien habitué à la présence de mon compagnon à fourrure qu'il me manquait à présent qu'il jouait les baby-sitters pour nos plus jeunes recrues. Au fil des mois, il avait pris une place essentielle dans ma vie, à la fois attachant et exaspérant, comme ma petite sœur.

(Ne me dis pas que tu ne l'avais pas vu venir, Sadie !)

Des images défilaient sur l'écran de veille de mon PC portable. Il y avait d'abord mon père, sur un champ de fouilles en Égypte. En treillis kaki, il paraissait détendu et sûr de lui. Ses manches roulées révélaient des avant-bras musclés tandis qu'il présentait à l'objectif la tête brisée d'une statue de pharaon. Son crâne rasé et son bouc lui donnaient un air vaguement diabolique, surtout quand il souriait. La photo suivante montrait notre oncle Amos jouant du saxo à l'occasion d'un festival de jazz. Il portait des lunettes rondes à verres teintés, un chapeau bleu nuit assorti à son costume en soie à la coupe impeccable. Des saphirs étaient piqués dans ses cheveux tressés. Si je n'avais jamais vu Amos sur scène, cette photo me plaisait à cause de l'énergie qu'il dégageait. Depuis, le poids des responsabilités avait quelque peu entamé sa joie de vivre. Malheureusement, cette image m'a fait penser à Anne Grissom, la magicienne texane. Elle semblait si heureuse avec son violon, juste avant que la mort ne la fauche...

L'écran a ensuite affiché l'image de ma mère me faisant sauter sur ses genoux, bébé. À l'époque, j'avais encore cette ridicule coupe afro que Sadie prend toujours un malin plaisir à me rappeler. Sur cette photo, je porte une grenouillère bleue tachée de purée de patates douces et j'agrippe les pouces de ma mère en ouvrant des yeux effrayés, comme si je voulais crier : « Au secours ! Laissez-moi descendre ! » Maman est aussi belle que dans mon souvenir, même vêtue d'un vieux jean et d'un tee-shirt, les cheveux tirés sous un bandana. Elle me sourit comme si j'étais la personne la plus importante au monde.

Cette photo me déchirait le cœur, pourtant je n'arrivais pas à détacher le regard de l'écran.

Selon Sadie, quelque chose affectait les âmes des défunts, et à moins d'y remédier, on risquait de ne jamais revoir notre mère.

J'ai pris une profonde inspiration. Papa, maman, Amos... Des magiciens puissants, qui s'étaient sacrifiés pour restaurer le pouvoir de la Maison de vie. Tous trois étaient plus âgés, plus sages et expérimentés que ma sœur et moi. Pourtant, on allait devoir tenter un exploit qu'aucun magicien n'avait pu accomplir avant nous : vaincre Apophis.

Je me suis dirigé vers ma penderie et en ai sorti ma vieille valise en cuir noir, d'un modèle qu'on rencontre par milliers dans les aéroports. Pendant des années, elle m'avait accompagné dans mes voyages autour du monde avec mon père. Celui-ci m'avait appris à y faire entrer tout ce que je possédais.

À présent, elle ne contenait plus qu'une statuette de granit rouge gravée de hiéroglyphes, représentant un serpent enroulé sur lui-même. Le nom « Apophis » avait été barré et recouvert de formules de conjuration, toutefois cette image de notre ennemi demeurait l'objet le plus dangereux que renfermait notre QG.

Sadie, Walt et moi l'avions façonnée en secret, malgré les objections de Bastet. Si on avait mis Walt dans le secret, c'était uniquement parce qu'on avait besoin de ses talents. Même

Amos aurait jugé l'expérience trop dangereuse. Il aurait suffi d'une erreur, d'un sort mal dirigé pour que cette statuette destinée à combattre Apophis lui offre un accès illimité à notre manoir. Mais on devait prendre ce risque. À moins de trouver un autre moyen de vaincre le serpent, cet artefact était indispensable à notre plan B.

– Une idée stupide ! a fait une voix provenant du balcon.

Un pigeon était perché sur la rambarde. Il avait un regard hardi, presque féroce, et des intonations un peu trop guerrières pour un oiseau réputé pacifique.

– Horus ? ai-je supposé.

Il a penché la tête de côté et demandé :

– Je peux entrer ?

Ce n'était pas une question de pure forme. La maison était protégée contre les indésirables tels que les rongeurs, les termites et les dieux égyptiens.

– Je t'autorise à entrer, ai-je déclaré d'un ton solennel, sous la forme d'un, euh..., pigeon.

– Merci.

Horus a sauté au sol et s'est avancé vers moi d'un pas dandinant.

Devant mon regard interrogateur, il a hérissé ses plumes et expliqué :

– Les faucons étant rares à New York, j'ai opté pour un pigeon. Un oiseau remarquablement adapté à la ville, et pas farouche. Je lui trouve une certaine noblesse. Pas toi ?

– Et comment ! « Noblesse » : c'est le premier mot qui me vient à l'esprit quand je pense au pigeon.

– Tout juste !

Il faut croire que les anciens Égyptiens ignoraient l'ironie, parce que Horus n'a pas percuté. Il a voleté jusqu'à mon lit et s'est mis à picorer des miettes de Cheerios, vestiges du déjeuner de Khéops.

– Hé ! ai-je protesté. T'as pas intérêt à fienter sur ma couverture !

– Tu oublies à qui tu t'adresses, m'a-t-il rétorqué. Le dieu de la guerre n'a pas l'habitude de fienter sur les couvertures. Sauf la fois où...

– Parlons d'autre chose, d'accord ?

Horus s'est perché sur le rebord de ma valise et en a scruté l'intérieur.

– Beaucoup trop dangereux, a-t-il commenté.

Je ne lui avais pas parlé du plan B, mais je n'ai pas été autrement étonné de découvrir qu'il savait. Nos esprits avaient fusionné à plusieurs reprises, et mieux j'arrivais à contrôler ses pouvoirs, mieux on se comprenait. L'inconvénient de la magie divine, c'est qu'une fois établie, la connexion est difficile à interrompre.

– On ne s'en servira qu'en toute dernière extrémité, ai-je plaidé. On cherche un autre moyen de vaincre Apophis...

– Tu veux parler du papyrus ? Celui dont la dernière copie a brûlé cette nuit à Dallas ?

Je me suis retenu de lui tordre le cou.

– Oui. Mais Sadie a découvert un coffre à ombre. Elle croit qu'il s'agit d'une sorte d'indice. Tu ne saurais pas comment utiliser son ombre contre Apophis, par hasard ?

Le pigeon a détourné la tête.

– Désolé. Mon approche de la magie est assez rudimentaire, vois-tu : larder l'adversaire de coups d'épée jusqu'à ce qu'il tombe. S'il se relève, recommencer autant de fois que nécessaire. Ça a marché avec Seth.

– Au bout de combien de temps ?

Le pigeon m'a lancé un regard inquisiteur.

– Tu pourrais développer ?

J'ai renoncé à argumenter. Horus était le dieu de la guerre, un combattant-né, pourtant il lui avait fallu des années pour vaincre Seth. Et ce dernier n'était qu'un rigolo auprès du maître du chaos. Je doutais qu'une épée nous soit d'un grand secours contre Apophis.

Soudain j'ai repensé à la discussion qu'on avait eue avec Bastet, à la bibliothèque.

– Et Thot ? ai-je demandé. Il doit en connaître un rayon sur les ombres, non ?

– Sans doute, a admis Horus du bout des lèvres – ou plutôt, du bec. Il a toujours le nez fourré dans de vieux papyrus moisis. Je viens de me rappeler un truc, a-t-il ajouté, considérant la statuette. Autrefois, les Égyptiens utilisaient le même mot – « shut » – pour désigner une ombre et une statue, parce que les deux sont une copie réduite d'un objet.

– Qu'est-ce que t'essaies de me dire, là ?

– Rien. Ça m'est revenu à l'esprit en regardant cette statue, c'est tout.

Un frisson m'a parcouru.

Six mois plus tôt, le précédent chef lecteur, Desjardins, avait exécré Apophis devant ma sœur et moi. Même appliquée à un démon mineur, l'exécration est une opération très dangereuse. Elle efface sa cible de la surface du monde en détruisant sa représentation. À la moindre erreur, tout explose, à commencer par l'auteur du sort. Ce jour-là, dans le monde souterrain, Desjardins s'était servi d'une effigie grossière. Il avait tout juste réussi à repousser Apophis un peu plus loin dans la Douât, et cet effort lui avait coûté la vie. En joignant nos forces et en utilisant une statuette imprégnée d'une magie plus puissante, on espérait, Sadie et moi, détruire complètement le dieu du chaos, ou au moins l'exiler à tout jamais.

C'était ça, notre plan B. On était conscients que son exécution exigerait de nous une telle quantité d'énergie qu'on n'y survivrait pas. À moins de trouver une solution de rechange.

Statue égale ombre, ombre égale statue...

Un plan C commençait à se former dans mon esprit – une idée tellement folle que j'hésitais à la formuler.

– Dis-moi, ai-je demandé à Horus, est-ce qu'Apophis possède une ombre ?

Le pigeon a cligné ses yeux rouges.

– Quelle question ! Pourquoi veux-tu qu'il... Oh ! Je comprends. Très malin. Parfaitement irréaliste, mais malin. Le papyrus de Setné, celui qu'Apophis désirait tant faire disparaître... Tu penses qu'il dissimulait un sort pour... ?

– Je n'en sais rien, mais ça vaudrait la peine de demander à Thot.

– Peut-être. Mais je reste partisan d'une attaque frontale.

– Ça m'étonne pas de toi.

– Ouvre-moi de nouveau ton esprit, Carter. Ensemble, nous mènerons l'armée des hommes et des dieux à la victoire. Nous régnerons sur le monde !

J'aurais pu me laisser tenter, si cette proposition n'avait pas émané d'un oiseau rondouillard au plumage semé de miettes de Cheerios. Confier le sort du monde à un pigeon ne me semblait pas une très bonne idée.

– J'y réfléchirai. Mais d'abord, je souhaite parler à Thot.

– Comme tu voudras... Tu le trouveras à Memphis, en train de se pavaner dans son espèce de cirque ridicule. Mais à ta place, je ne tarderais pas.

– Pourquoi ?

– C'était la raison de ma visite. Les relations se tendent entre les dieux. Apophis nous traque et nous dresse les uns contre les autres, comme il le fait avec vous autres magiciens. Thot a été le premier à en souffrir.

– Comment ?

Le pigeon a gonflé les plumes, et un filet de fumée s'est échappé de son bec.

– La barbe ! Mon hôte est en train de s'autodétruire. Fais vite, Carter. J'ai de plus en plus de mal à maintenir la cohésion parmi les dieux, et on ne peut pas dire que la présence du vieux Rê nous remonte le moral. Toi et moi avons intérêt à nous unir sans attendre. Sinon, nous risquons de ne plus avoir d'armée à diriger.

– Mais...

Le pigeon a recraché une nouvelle bouffée de fumée.

– Je dois y aller. Bonne chance.

Horus s'est envolé par la fenêtre, me laissant face à la statuette d'Apophis et une poignée de plumes grises.

Après ça, j'ai dormi comme une momie. Une bonne chose, sauf que Bastet m'a laissé comater jusque dans l'après-midi.

– Pourquoi tu ne m'as pas réveillé ? lui ai-je lancé d'un ton accusateur. J'avais des trucs à faire !

– Sadie a dit que tu avais besoin de repos. Et en tant que chatte, je considère le sommeil comme sacré.

J'étais toujours furieux, même si une partie de moi donnait raison à Sadie : j'avais dépensé beaucoup d'énergie durant la soirée et m'étais couché très tard. Qui sait ? Peut-être ma petite sœur prenait-elle d'abord mon intérêt à cœur...

(À la réflexion, j'en doute : je viens de la surprendre en train de faire des grimaces derrière mon dos.)

Je me suis douché, habillé. Le temps que les autres rentrent de l'école, j'avais retrouvé figure humaine, ou presque.

Oui, de l'école : au cours des six derniers mois, les nouveaux initiés avaient suivi notre enseignement à l'exclusion de tout autre. Mais à l'approche de la rentrée des classes, Bastet avait jugé nécessaire d'instiller une dose de normalité dans leurs existences. À présent, ils fréquentaient un établissement scolaire de Brooklyn dans la journée et étudiaient la magie le soir et le week-end.

J'étais le seul à rester à la maison. Je n'ai jamais connu l'école, et la direction du Nome Vingt et un m'occupait suffisamment sans que je m'encombre l'esprit avec des problèmes de casier, de devoirs, d'emploi du temps et de cafétéria.

On aurait pu croire que les autres rechigneraient à reprendre le chemin des cours, à commencer par Sadie. En réalité, les filles avaient apprécié de se faire de nouvelles copines (et de côtoyer d'autres garçons que « les boulets habituels », affirmaient-elles), et les garçons de pouvoir pratiquer leur sport favori au sein d'une véritable équipe, et non en tête à tête avec un babouin en utilisant des statues égyptiennes comme paniers. Quant à Bastet, elle profitait du calme qui régnait dans la maison pour somnoler au soleil, étendue de tout son long sur le sol.

Depuis mon réveil, j'avais beaucoup réfléchi au plan que j'avais ébauché durant la nuit, à la suite de mes conversations avec Zia et Horus. S'il me paraissait toujours aussi dément, j'étais parvenu à la conclusion qu'il représentait notre meilleure chance de succès. Je l'ai exposé à Sadie et à Bastet, qui l'ont approuvé – ça ne m'a pas franchement rassuré – et m'ont convaincu d'en informer le reste du groupe.

On s'est tous retrouvés pour dîner sur la terrasse. Des barrières invisibles y protègent du vent, et on y jouit d'une vue exceptionnelle sur l'East River et Manhattan. Les plats, tous délicieux, apparaissent par enchantement. Pourtant, je redoutais d'y manger : au cours des neuf mois qui venaient de s'écouler, la terrasse avait accueilli toutes nos réunions de crise, et je craignais l'annonce d'une nouvelle catastrophe chaque fois que j'y mettais les pieds.

Pendant qu'on remplissait nos assiettes, notre crocodile albinos, Philippe de Macédoine, s'ébattait dans la piscine. Dîner à proximité d'un saurien de dix mètres peut sembler inquiétant de prime abord, mais Philippe est très bien élevé. Il ne mange que du bacon, les oiseaux qu'il happe au vol et, à l'occasion, les monstres qui tentent d'envahir le manoir.

Bastet s'est assise à une extrémité de la longue table avec une barquette de Gourmet, face à Sadie et à moi. Khéops surveillait les Razmoket à l'intérieur, et quelques initiés récents étaient encore occupés à faire leurs devoirs ou réviser leurs sorts. Mais le gros de notre équipe, soit une douzaine d'apprentis magiciens confirmés, était présent.

L'ambiance était étonnamment joyeuse, si l'on considère les événements de la nuit précédente. Je me suis réjoui que nos amis n'aient pas eu connaissance des dernières menaces de Jacobi. Julian faisait des bonds sur sa chaise et souriait sans raison. Cléo et Jaz échangeaient des confidences et pouffaient. Felix, apparemment remis de ses émotions, façonnait avec sa purée de pommes de terre de minuscules ouchebtis en forme de manchots qu'il animait ensuite.

Seul Walt offrait un visage morose. Sur son assiette, trois carottes tenaient compagnie à une cuillerée de dessert gélatineux – Khéops prête des vertus curatives au Jell-O. Le visage crispé de notre ami et la raideur de ses gestes trahissaient une intense douleur.

– Qu'est-ce qui leur prend ? ai-je glissé à Sadie. On dirait qu'ils ont tous la tête ailleurs.

Elle m'a lancé un regard étonné avant de répondre :

– Enfin, Carter ! Ce soir, c'est le premier bal du lycée. Les élèves de trois autres établissements sont invités. Aussi, si tu pouvais abréger un peu la réunion...

– Je rêve ! Je suis en train d'échafauder des plans pour éviter l'Apocalypse, et toi, tu t'inquiètes d'arriver en retard à un bal ?

– J'y ai fait allusion devant toi au moins une dizaine de fois. Et cette soirée tombe à pic pour regonfler le moral de nos troupes. Maintenant, dépêche-toi d'exposer ton plan. Certaines filles doivent encore choisir leur robe.

J'ai failli répliquer, mais les regards chargés d'attente qui me fixaient m'en ont dissuadé.

Je me suis lancé :

– Je sais qu'il y a un bal ce soir...

– À sept heures, a précisé Jaz. Tu viens avec nous, dis ?

Son sourire m'a laissé sans voix. Ma parole, c'était une invitation ?

(Sadie vient de me traiter d'idiot. Je tiens à signaler que j'avais d'autres trucs en tête.)

– Hum, on verra ça plus tard, ai-je bredouillé. Pour le moment, nous devons parler de ce qui est arrivé à Dallas et mettre au point une riposte.

Cette entrée en matière a cassé l'ambiance et effacé les sourires. Dans un silence de cimetière, j'ai relaté notre expédition au Nome Cinquante et un, la destruction du papyrus et notre découverte du coffre à ombre. Puis j'ai mentionné l'ultimatum de Sarah Jacobi et les dissensions parmi les dieux mentionnées par Horus.

À son tour, Sadie a évoqué ses rencontres successives avec

Don Vito, Anubis, Isis, notre mère défunte, et sa conviction, qu'elle partageait avec cette dernière, que le coffre à ombre constituait notre meilleure piste pour combattre Apophis.

Cléo a levé la main, réclamant la parole.

– Si j'ai bien suivi, a-t-elle dit, les rebelles t'ont condamné à mort, il ne faut pas compter sur l'aide des dieux, Apophis peut frapper n'importe quand et il a détruit la dernière copie du papyrus qui devait nous permettre de le vaincre. Mais on ne doit pas s'inquiéter, parce qu'on a un coffre vide et une vague intuition concernant les ombres ?

– Joli coup de griffe, a approuvé Bastet.

J'ai pressé mes mains sur la surface de la table. Ça ne m'aurait pas demandé un gros effort d'invoquer la puissance d'Horus pour en faire du petit bois, mais ma réputation de calme et de sang-froid en aurait pris un coup.

– C'est plus qu'une vague intuition, ai-je rétorqué. Vous avez tous entendu parler de l'exécration, je pense ?

Philippe a grogné et frappé l'eau avec sa queue, éclaboussant la table du dîner. Le terme « exécration » provoque toujours une certaine nervosité chez les créatures magiques.

Julian a épongé le dessus de son panini au fromage avec sa serviette.

– Tu peux pas exécrer Apophis, grand. Il est énorme ! Desjardins a essayé, et il est mort.

– Je sais. L'exécration standard nécessite une statuette à l'effigie de l'ennemi. Mais imaginez qu'on puisse booster le sort en détruisant une représentation plus étroitement liée à Apophis ?

Walt s'est redressé, subitement intéressé :

– Son ombre, par exemple ?

De saisissement, Felix a laissé tomber sa cuiller, écrasant un manchot en purée.

– C'est Horus qui m'a soufflé cette idée, ai-je expliqué. Il m'a dit qu'en Égypte ancienne, on employait le même mot pour désigner une ombre et une statue.

– Un rapprochement purement, hum, symbolique ? a avancé Alyssa.

Bastet a reposé sa barquette de Gourmet vide. Je la sentais encore réticente à creuser le sujet, mais quand je lui avais fait remarquer que c'était ça ou nous envoyer à la mort, ma sœur et moi, elle avait accepté de nous apporter son appui.

– Pas forcément, a-t-elle dit. Je ne suis pas une spécialiste de l'exécration – une belle vacherie, si vous voulez mon avis –, mais il se peut qu'à l'origine la statuette représentait l'ombre de la cible.

– Si c'est vrai, a enchaîné Sadie, au lieu de détruire une vulgaire effigie, on détruirait l'ombre d'Apophis. Génial, non ?

– C'est ouf ! s'est exclamé Julian. Mais on fait comment, pour détruire une ombre ?

Walt a chassé un manchot en pomme de terre de son tas de Jell-O avant d'expliquer :

– Ce n'est pas « ouf », c'est de la magie affinitaire. On agit sur une cible à travers sa copie en taille réduite. Si, comme on peut l'imaginer, celle-ci abritait à l'origine l'ombre – le shut – de son modèle, alors il doit être possible d'anéantir une ombre enfermée dans une figurine.

– Tu saurais fabriquer ce genre de truc ? s'est enquise Alyssa. Une statue capable de piéger l'ombre d'Apophis ?

– Peut-être.

Walt m'a regardé à la dérobée : la plupart des personnes

assises autour de la table ignoraient qu'on avait déjà conçu une statuette susceptible de jouer ce rôle.

– Mais quand bien même, a-t-il repris, il faudrait encore trouver l'ombre d'Apophis et la capturer.

– Trouver l'ombre d'Apophis ? a répété Felix avec un sourire crispé, comme s'il soupçonnait une plaisanterie. Elle doit être juste derrière lui, non ? Et vous voulez la capturer comment ? En posant le pied dessus ? En braquant un projecteur sur elle ?

– J'ai peur que ce ne soit plus compliqué que ça, ai-je dit. Je pense que Setné avait conçu un sort pour piéger les ombres. C'est pourquoi Apophis tenait à détruire chaque copie de son livre, pour éviter qu'on découvre sa faiblesse secrète.

– Et le dernier exemplaire a brûlé, a fait remarquer Cléo.

– Mais Thot pourrait nous renseigner, a répliqué Walt. Si quelqu'un connaît la réponse aux questions qu'on se pose, c'est lui.

L'atmosphère a paru s'alléger. Enfin, nos élèves trouvaient un espoir, même ténu, auquel se raccrocher ! Je me suis réjoui une fois de plus de compter Walt dans nos rangs. Notre seule chance de lier l'ombre d'Apophis à sa statue reposait sur son talent, et la confiance qu'il nous accordait entraînait l'assentiment du reste du groupe.

– On va lui rendre visite dès ce soir, ai-je annoncé.

– Très juste, a acquiescé Sadie. Après le bal.

– Quoi ? T'es pas sérieuse ?

– Oh que si, mon cher frère !

Devant son sourire narquois, j'ai craint un instant qu'elle n'invoque mon nom secret pour me contraindre à lui obéir.

– Nous allons tous assister à ce bal, a-t-elle affirmé, s'adressant à moi. Et tu vas nous accompagner.

SADIE

5. Un slow avec la mort

Merci, Carter. Au moins, tu as l'intelligence de me filer le micro pour les trucs importants.

C'est vrai, quoi ! L'Apocalypse, il n'a que ce mot à la bouche. Mais quand il s'agit d'évoquer le bal du lycée... Au cas où tu ne l'aurais pas remarqué, mon frère n'a aucun sens des priorités.

Ne crois pas que je faisais preuve d'égoïsme en insistant pour qu'on assiste à ce bal. D'accord, la situation était grave. C'était une raison de plus pour veiller au moral de nos initiés. Les pauvres avaient droit à une existence aussi normale que possible, à des amis et des distractions de leur âge. Les soldats montrent davantage d'ardeur au combat quand on leur accorde des moments de détente. Un célèbre général l'a dit – enfin, il me semble.

Au coucher du soleil, j'étais prête à conduire mes troupes à la bataille. J'avais enfilé un fourreau noir tout simple, m'étais fait des mèches de même couleur avec une légère touche de maquillage gothique. Je portais des ballerines afin d'être à l'aise pour danser. (Contrairement à ce que prétend Carter, je ne suis pas toujours chaussée de bottes militaires – seulement quatre-vingt-dix pour cent du temps.) Un pendentif en argent – un tyet, ou nœud d'Isis, hérité de ma mère – et l'anneau shen, symbole d'éternité, que Walt m'avait offert pour mon dernier anniversaire, complétaient ma tenue.

Walt possédait une amulette identique qui créait un lien magique entre nous et nous permettait de nous convoquer mutuellement en cas d'urgence.

Malheureusement, nos anneaux ne nous garantissaient pas un amour éternel et exclusif. Pour ça, il aurait déjà fallu qu'on sorte ensemble. Si Walt me l'avait proposé, je crois que j'aurais accepté sans hésiter. Beau gosse, attentionné, il était parfait dans son genre. S'il avait pris l'initiative, j'aurais peut-être fini par m'attacher vraiment à lui et oublier mon autre amoureux, Anubis.

Seulement, Walt était mourant et ne se sentait pas le droit d'entamer une relation avec moi. Comme si j'allais renoncer pour si peu ! Sa réserve nous condamnait à un entre-deux exaspérant, fait d'avances masquées, de conversations interminables, d'un baiser quand l'un de nous baissait la garde... Mais Walt finissait toujours par se dérober et me claquer sa porte au nez, du moins au figuré.

Pourquoi la vie est-elle si compliquée ?

Si je te raconte tout ça, c'est parce que je me suis trouvée nez à nez avec lui en descendant l'escalier.

Remarquant qu'il était toujours en débardeur et les pieds nus, j'ai demandé :

– Tu ne t'es pas changé pour le bal ?

– Je n'y vais pas.

– Quoi ? Pourquoi ?

– Carter et toi aurez besoin de moi ce soir. Si je veux être à peu près en forme pour rendre visite à Thot, je dois d'abord me reposer.

– Mais...

J'ai ravalé mes protestations. Il n'y avait pas besoin d'être médecin pour constater qu'il souffrait terriblement.

On avait à notre disposition les millénaires de connaissances accumulées par les guérisseurs, et pourtant, on était impuissants contre le mal qui rongeait Walt. Je te le demande : à quoi sert la magie si elle ne permet pas de soulager les gens qu'on aime d'un coup de baguette ?

– Je comprends, ai-je repris. Seulement, j'espérais...

Je me suis tue, craignant de passer pour une gamine capricieuse. La vérité, c'était que je mourais d'envie de danser avec lui. Par tous les dieux d'Égypte, je m'étais sapée pour lui ! Je n'avais rien contre les garçons ordinaires, ceux que je fréquentais au bahut, mais ils semblaient ternes comparés à Walt. (Et à Anubis ? Laisse tomber !) Quant à mes autres copains, ceux du manoir, je les considérais un peu comme des cousins. Je me serais sentie idiote de danser avec l'un d'eux.

– Si tu veux, je peux rester, ai-je proposé sans beaucoup de conviction.

Walt est parvenu à esquisser un sourire.

– Non, vas-y. J'insiste. Je suis sûr que je me sentirai mieux à votre retour. Amusez-vous bien.

Il m'a frôlée et a repris sa montée.

Une partie de moi désirait rester et lui tenir compagnie. Je me sentais coupable d'aller au bal sans lui.

Puis j'ai jeté un coup d'œil vers la salle commune, où les plus âgés de nos initiés échangeaient des plaisanteries, attendant le signal du départ. Si je renonçais, ils se croiraient obligés d'en faire autant.

Toute la gaieté et l'excitation que j'avais ressenties plus tôt dans la soirée sont brusquement retombées. Au cours des derniers mois, j'avais fait de gros efforts pour m'adapter à ma nouvelle vie, conciliant tant bien que mal l'apprentissage de la magie et les préoccupations d'une collégienne ordinaire. Et juste comme ce bal m'offrait enfin l'occasion de réunir les deux mondes dans lesquels j'évoluais, mes espoirs de passer une agréable soirée s'envolaient. J'allais quand même sortir, faire semblant de m'amuser, mais seulement pour rassurer mes amis.

Si c'est ça, devenir adulte, ça craint.

Au même moment, Carter est apparu sur le seuil de sa chambre, et j'ai souri malgré moi. Costard-cravate, chemise à col boutonné, mocassins... Évidemment, le pauvre n'avait jamais assisté à un bal de lycée !

– Superbe ! me suis-je exclamée, tâchant de garder mon sérieux. Je sais pas si t'es au courant mais il s'agit d'un bal, pas d'un enterrement.

– La ferme, a-t-il marmonné. Allons-y et finissons-en.

Le nom de notre école, l'Académie pour jeunes talents de Brooklyn – en raccourci, AJTB –, donne lieu à un tas de plaisanteries. Entre nous, on s'appelle « les agités ». Les filles qui se font refaire le nez et gonfler les lèvres au Botox sont « à jeter », les anciens élèves, « déjantés », et la directrice, Mme Laird, est « la Magistère ».

À part ça, c'est une bonne école. Tous les élèves possèdent un don pour le dessin, la musique ou l'art dramatique. L'emploi du temps, très souple, fait la part belle au travail individuel, ce qui nous convient parfaitement. Ça nous permet de nous éclipser chaque fois qu'on doit combattre un monstre, et en tant que magiciens, on n'a aucun mal à passer pour des artistes : Alyssa excelle dans la poterie, Walt s'est spécialisé dans la fabrication de bijoux, Cléo réécrit à sa manière des légendes millénaires tombées dans l'oubli... Moi seule n'ai pas besoin de tricher : je suis une actrice-née.

(Il n'y a pas de quoi rire, Carter.)

Quoique situé au cœur de Brooklyn, l'établissement est entouré d'un parc avec plusieurs hectares de pelouse, des arbres, des haies impeccablement taillées et même un étang où nagent des canards et des cygnes.

Le bal avait lieu sur l'esplanade qui fait face au bâtiment administratif. Un orchestre jouait sous un kiosque à musique. Des guirlandes lumineuses s'étiraient entre les arbres. Des profs patrouillaient parmi les élèves, l'œil aux aguets, s'assurant que les plus âgés ne filaient pas en direction des buissons.

Malgré moi, la musique et la foule m'évoquaient une autre fête, qui s'était terminée de façon tragique la nuit précédente. J'ai revu JD Grissom me serrer la main et me souhaiter bonne chance avant de voler au secours de sa femme...

Le poids de la culpabilité s'est brusquement abattu sur moi. J'ai tenté de me raisonner : si j'éclatais en sanglots en public, ça ne rendrait pas la vie aux Grissom et je gâcherais à coup sûr la soirée de mes amis.

Tandis que notre groupe se dispersait et se fondait dans la foule, je me suis tournée vers Carter, qui tripotait nerveusement sa cravate, et lui ai dit :

– Ce qu'il te faut maintenant, c'est une cavalière.

Il m'a regardée d'un air horrifié :

– Quoi ?

J'ai fait signe à une de mes copines mortelles, une fille adorable prénommée Lacy. Plus jeune que moi d'un an, elle me vouait une admiration sans bornes. (C'est pas difficile, je sais.) Avec ses couettes blondes et son appareil dentaire, elle était mignonne comme tout... Et si possible, elle était encore plus nerveuse que mon frère. Je lui avais montré des photos de Carter et, va savoir pourquoi, elle l'avait trouvé « trop mignon ». Mais je ne lui en avais pas tenu rigueur, car la plupart du temps, elle avait très bon goût.

Je me suis chargée des présentations :

– Lacy... Carter...

– C'est fou comme tu ressembles à ta photo ! a-t-elle déclaré avec un grand sourire.

Sur ses dents, les bagues blanches alternaient avec les roses, assorties à sa robe.

– Euh..., a fait Carter avec beaucoup d'à-propos.

– Il ne sait pas danser, ai-je repris. Si tu voulais bien lui apprendre, je t'en serais éternellement reconnaissante.

– Pas de problème !

Elle a agrippé la main de mon frère avant de l'entraîner vers la piste.

Soudain j'ai eu l'impression qu'on m'ôtait un poids. La soirée n'était peut-être pas fichue, après tout.

Mais en me retournant, je me suis trouvée nez à nez avec Drew Tanaka, la chef du clan des pimbêches, et son escorte de dindes sapées haute couture.

– Sadie ! s'est exclamée Drew en passant un bras autour de mes épaules.

Son parfum m'évoquait un mélange de roses et de gaz lacrymo.

Elle a poursuivi :

– Chérie, comme je suis heureuse de te voir ! Si j'avais su que tu venais, on serait passées te prendre chez toi en limousine.

Ses clones ont poussé des soupirs compatissants, avec des sourires exagérés pour le cas où je les aurais crues sincères. Elles portaient toutes le même genre de robe, un chiffon de soie hors de prix, probablement commandé lors de la dernière Fashion Week de New York. Drew, la plus grande et la plus glamour – dans ma bouche, c'est une insulte –, avait les yeux bordés d'un trait d'eye-liner rose – une horreur –, et sa permanente très frisée plaidait pour un revival des années 1980. Un pendentif en platine et en diamants – un « D » comme « Drew » ou comme « Débile » – étincelait à son cou.

Je lui ai adressé un sourire crispé.

– Une limousine, rien que ça ? Je te remercie, mais avec toi, tes copines et vos ego, je ne crois pas qu'il y aurait eu de la place pour moi.

Drew a fait la moue.

– Ça, c'est pas sympa. Mais je ne vois pas Walt... Le pauvre chou est encore malade ?

Quelques-unes des filles ont toussé, imitant Walt.

Je brûlais de faire apparaître ma baguette et de les transformer toutes en vers de terre avant de les balancer aux canards. Je m'en savais capable, et je ne pense pas qu'il y aurait eu beaucoup de monde pour les pleurer, pourtant j'ai résisté.

Lacy m'avait mise en garde contre Drew dès le premier jour. Si je me rappelle bien – je l'avais écoutée d'une oreille distraite, je l'avoue –, elle l'avait côtoyée en camp de vacances, où elle s'était montrée aussi odieuse qu'elle l'était le reste de l'année au bahut.

Malheureusement pour elle, je n'ai pas l'habitude de me laisser marcher sur les pieds.

J'ai répondu du tac au tac :

– Je lui ai dit que tu serais là, et bizarrement, il a préféré rester chez lui.

– Quel dommage ! a dit en soupirant Drew. Mais si ça se trouve, il n'est pas vraiment malade, juste allergique à toi. J'ai envie de lui apporter un bol de soupe, ou autre chose, pour le réconforter. Tu saurais pas où il habite, par hasard ? a-t-elle achevé avec un sourire mielleux.

J'ignore si Walt lui plaisait vraiment ou si elle jouait la comédie uniquement parce qu'elle me détestait, mais ça me démangeait de plus en plus de la transformer en ver de terre.

J'aurais peut-être cédé à la tentation si au même moment, une voix familière n'avait pas retenti derrière moi :

– Bonsoir, Sadie.

Le groupe des bêcheuses a laissé échapper un « Ooooh ! » unanime tandis que mon cœur s'emballait. J'ai fait volte-face et... Mais oui, Anubis s'était invité au bal de mon lycée !

Comme d'habitude, il était à tomber avec son jean slim, ses bottes militaires, sa veste en cuir noir portée sur un tee-shirt d'Arcade Fire. Je mourais d'envie de passer la main dans ses cheveux bruns naturellement décoiffés, comme s'il sortait du lit. J'ai surpris une lueur amusée dans son regard. Soit il était content de me voir, soit il trouvait malin de me faire perdre toute dignité.

– J'le crois pas ! a bredouillé Drew. Qui... ?

Anubis l'a ignorée – un bon point pour lui – et m'a tendu le bras dans un geste délicieusement désuet.

– Tu m'accordes cette danse ? a-t-il demandé.

– Pourquoi pas ? ai-je répondu d'un ton que j'espérais désinvolte.

J'ai glissé mon bras sous le sien et on s'est éloignés, accompagnés par un concert de piaillements excités.

J'ai pensé : *Même pas en rêve, les filles... C'est mon dieu de la mort à moi. Vous n'avez qu'à trouver le vôtre !*

Les pavés inégaux rendaient la piste dangereuse. Autour de nous, les danseurs se tordaient les chevilles et trébuchaient.

L'apparition d'Anubis n'a rien arrangé : toutes les filles se retournaient sur son passage et le regardaient avec des yeux ronds pendant qu'on traversait la foule.

C'est une chance qu'Anubis m'ait tenu le bras, car les émotions qui se mêlaient en moi me filaient le tournis. Le bonheur imbécile que me causait sa présence le disputait au remords de me pavaner à son bras tandis que le pauvre Walt se morfondait tout seul au manoir. D'un autre côté, s'il était venu, la situation aurait été encore plus gênante... Le soulagement que j'éprouvais augmentait ma culpabilité, et ainsi de suite. Tu parles d'un bazar !

Juste comme on atteignait le centre de la piste, l'orchestre a attaqué un slow.

– C'est toi qui as fait ça ? ai-je demandé à Anubis.

Il a souri sans répondre. Une main délicatement posée sur ma taille, l'autre serrant la mienne, en parfait gentleman, il m'a alors entraînée dans la danse.

Il me semblait ne plus toucher terre. Il m'a fallu plusieurs pas pour comprendre que ce n'était pas qu'une impression : quelques millimètres séparaient nos pieds du sol – pas assez pour que quiconque le remarque, mais suffisamment pour nous permettre d'évoluer avec grâce au-dessus de la piste quand les autres butaient sur ses aspérités.

À quelques mètres de nous, Lacy tentait d'inculquer les principes de base du slow à mon frère, plus empoté que jamais. (Franchement, Carter... C'est quand même plus simple que la physique quantique !)

J'ai plongé les yeux dans ceux, brun chocolat, d'Anubis, et admiré ses lèvres exquises. Il m'avait embrassée une fois – pour mon anniversaire, six mois plus tôt – et je ne m'en étais jamais remise. On s'imagine que le baiser de la mort est d'un froid glacial. Eh bien, pas du tout.

Je me doutais qu'il était là pour une bonne raison, mais j'avais le plus grand mal à mettre de l'ordre dans mes pensées.

– Je croyais... Gloups !

Bien joué, Sadie, ai-je pensé. *Un peu plus et tu lui bavais dessus ! La prochaine fois, essaie de faire une phrase complète, d'accord ?*

J'ai repris :

– Je croyais que tu ne te manifestais que dans les cimetières ?

Il a souri.

– Mais nous nous trouvons dans un cimetière, Sadie. La bataille de Brooklyn Heights, en 1776... Des centaines de combattants anglais et américains sont tombés ici même.

– Comme c'est romantique ! Alors, on danse sur leurs tombes ?

– La plupart n'ont pas reçu de sépulture. C'est pourquoi j'ai choisi cet endroit pour te rendre visite. J'ai pensé que ces malheureux avaient autant besoin de se divertir que tes élèves.

Soudain des fantômes se sont mis à tournoyer autour de nous – des spectres habillés à la mode du XVIIIe siècle. Certains arboraient l'uniforme rouge des soldats de l'armée britannique, d'autres les hardes des patriotes américains. Leurs cavalières, aussi mortes qu'eux, portaient les vêtements simples des filles de ferme ou d'élégantes robes en soie. Quelques-unes exhibaient des coiffures bouclées et étagées qui auraient fait pâlir Drew de jalousie. Ces défunts semblaient évoluer sur une autre musique que nous. En tendant l'oreille, j'ai perçu des accords de violon.

À part moi, personne, pas même mes amis, ne semblait avoir conscience de cette invasion d'outre-tombe. Un couple de fantômes a traversé Carter et Lacy devant mes yeux. Plus la danse se prolongeait et plus les morts gagnaient en substance alors que les bâtiments du lycée paraissaient s'estomper.

Un soldat présentait une plaie béante à la poitrine, conséquence d'un tir de mousquet. Un officier anglais avait un tomahawk planté dans sa perruque poudrée. Nous dansions entre deux mondes, aux côtés de fantômes exposant à nos regards d'effroyables blessures. Pas de doute, Anubis savait offrir du bon temps à une fille !

– Tu as recommencé, ai-je lancé d'un ton accusateur. Tu m'as encore « déphasée ».

– Un peu, oui. Je devais te parler en privé. J'avais promis de te rendre visite...

– Et tu as tenu parole.

– C'est peut-être la dernière fois qu'on se voit. On m'a beaucoup reproché notre... situation.

Je rêvais, ou le dieu de la mort avait piqué un fard ?

– Notre « situation » ?

– Oui. Nous deux, quoi.

« Nous deux »... Comme ces mots résonnaient dans mon esprit !

– En ce qui me concerne, il n'y a pas de « nous deux », ai-je répliqué d'un ton aussi neutre que possible. Et d'abord, pourquoi on ne pourrait plus se parler ?

Il a rougi de plus belle.

– Je t'en prie, écoute-moi. J'ai tant de choses à te dire... Ton frère a raison : votre meilleur espoir de vaincre Apophis consiste à l'atteindre à travers son ombre. Il n'existe qu'une personne capable de vous guider. Thot peut vous conseiller, mais ça m'étonnerait qu'il vous révèle les sorts dont vous aurez besoin. Ils sont trop dangereux...

– Une seconde !

Mon cerveau était resté bloqué sur « nous deux », et l'idée de ne jamais revoir Anubis me paniquait. Des milliers de Sadie miniatures couraient tout autour de mon crâne en hurlant et agitant les bras.

J'ai fait un effort de concentration.

– Tu veux dire qu'Apophis a bien une ombre, et qu'on pourrait s'en servir pour l'exécrer ?

Anubis a grimacé.

– Je t'en prie, ne prononce pas ce mot ! Toutes les entités intelligentes possèdent une âme, et donc une ombre. Même Apophis. Maintenant, peut-on l'utiliser contre lui ? En théorie, oui. Mais il y a des risques.

– Naturellement.

Anubis m'a entraînée à travers un couple de fantômes. Les autres élèves échangeaient des messes basses en nous regardant du coin de l'œil, mais leurs voix étaient distantes et déformées, comme si elles me parvenaient à travers une chute d'eau.

Anubis a posé sur moi un regard empli de tendresse et de regret.

– Sadie, crois-moi, jamais je ne t'aurais indiqué cette voie s'il en existait une autre. Je ne veux pas que tu meures.

– On est d'accord sur ce point.

– Le seul fait d'évoquer ce genre de magie est interdit. Mais il importe que tu saches dans quoi tu t'engages. Le shut est la moins connue des différentes parties de l'âme. Comment te l'expliquer ? On pourrait dire que c'est l'image résiduelle d'une personne. Comme tu le sais, les méchants voient leur âme détruite dans la salle du jugement...

– À l'instant où Ammout dévore leur cœur.

– Exact. Mais en réalité, cette destruction est incomplète.

Leur ombre subsiste. En de très rares occasions, il arrive qu'Osiris révise son jugement. Dans le cas où de nouveaux éléments viennent disculper un condamné, par exemple. Il existe un moyen de soustraire une âme au néant.

Je m'étais efforcée de suivre. Mes pensées me semblaient flotter dans le vide, comme moi-même, sans lien avec la réalité tangible.

– Donc... Si j'ai bien suivi, l'ombre peut servir à, disons, « rebooter » une âme, comme le système d'un PC ?

Comme Anubis me regardait bizarrement, j'ai soupiré :

– Pardon. J'ai passé trop de temps avec mon geek de frère.

– Ne t'excuse pas. L'image est parlante. Simplement, je n'aurais pas dit les choses comme ça. Tu as bien compris : dans les cas extrêmes, et avec les sorts appropriés, il est possible de « rebooter » une âme à travers son shut. Inversement, si l'on souhaite détruire l'ombre d'un dieu, ou même celle d'Apophis, en l'exéc... en lui faisant subir l'opération que tu as mentionnée...

– Le shut d'Apophis est plus puissant que n'importe quelle statue, ai-je supposé. Avec un peu de chance, il nous permettrait de le détruire sans y laisser la vie.

Anubis a promené un regard inquiet autour de lui.

– Tu comprends pourquoi cette magie est entourée de secret : les dieux n'aimeraient pas qu'elle tombe entre les mains de n'importe quel mortel. Nous cachons soigneusement nos ombres. Si un magicien parvenait à capturer un shut divin et s'en servait contre nous...

– Mais moi, je suis de votre côté. Je n'utiliserai le sort que contre Apophis. Je suis certaine que Thot le comprendra.

– Peut-être, a dit Anubis sans beaucoup de conviction. Vous

pouvez toujours commencer par lui. Mais je crains que vous n'ayez besoin d'un guide plus expérimenté... et dangereux.

J'ai dégluti.

– Qui ça ?

– Le seul magicien assez fou pour avoir jamais fait des recherches sur ce sujet. Son procès aura lieu demain, au coucher du soleil. Carter et toi devez parler à votre père avant.

– Quoi ?

Le vent a balayé la piste. Anubis a pressé plus fermement ma main.

– Le temps nous presse, a-t-il murmuré. Je n'en ai pas terminé. Il se passe quelque chose avec les âmes des morts. Elles. Regarde !

Il désignait un couple de spectres tout proche. La femme, vêtue d'une simple robe de lin blanc, dansait pieds nus. Le costume de l'homme – culottes courtes, veste longue – évoquait celui d'un colon tandis que l'angle bizarre que formait son cou suggérait une mort par pendaison. Un brouillard noir s'enroulait autour de ses jambes, comme du lierre. Trois pas de valse plus tard, il l'avait complètement englouti. Les volutes ténébreuses l'ont attiré vers le sol, et il a disparu. La femme a continué à danser, apparemment inconsciente que son partenaire venait de se dissoudre dans un banc de smog maléfique.

J'ai demandé :

– C'était quoi, ce truc ?

– On n'en sait rien. Ça devient de plus en plus fréquent depuis qu'Apophis a gagné en puissance. Des âmes disparaissent dans les profondeurs de la Douât. On n'a aucune idée de ce qu'elles deviennent.

Mon cœur s'est serré.

– Ma mère... Elle va bien ?

Le regard que m'a lancé Anubis était assez éloquent. Maman m'avait prévenue : à moins de vaincre Apophis, on risquait de ne jamais la revoir.

– Elle a disparu, ai-je supposé. Ça a quelque chose à voir avec cette histoire d'ombre, pas vrai ?

– J'aimerais pouvoir te répondre, crois-moi. Ton père fait de son mieux pour la retrouver, seulement...

Une nouvelle rafale de vent l'a interrompu. Tu t'es déjà amusé à passer un bras par la vitre d'une voiture en déplacement pour sentir la poussée de l'air ? Eh bien, c'était la même sensation, mais dix fois plus puissante. Anubis et moi avons été brutalement arrachés l'un à l'autre, et mes pieds ont brutalement repris contact avec le sol.

– Sadie...

Anubis a tendu la main vers moi, mais le vent l'éloignait toujours davantage.

– Ça suffit ! a fait une voix sifflante. Je n'accepte pas ces démonstrations d'affection !

Soudain le vent a revêtu une forme humaine qui a rapidement gagné en substance et en couleurs. Je me suis alors trouvée face à un homme avec un casque en cuir, des lunettes d'aviateur, un blouson et une écharpe flottante, comme ces pilotes de la Seconde Guerre mondiale dont j'avais vu des photos. Toutefois, il n'était pas fait de chair et de sang, car son image se brouillait continuellement devant mes yeux. J'ai alors compris qu'il était constitué de poussière, de débris de papier, de feuilles mortes et de graines de pissenlit si étroitement agrégés par le vent que, de loin, il aurait pu passer pour un authentique mortel.

– Cette fois, c'en est trop ! a-t-il grincé en agitant un index menaçant en direction d'Anubis. Je t'avais prévenu, gamin.

– Minute ! ai-je protesté. Vous êtes qui, d'abord ? Et je vous signale qu'Anubis n'est pas un « gamin ». Il a cinq mille ans !

– C'est bien ce que je disais, a rétorqué l'aviateur : un gamin ! Et je ne me rappelle pas t'avoir donné l'autorisation de parler, ma fille.

Sur ces paroles, il a explosé. La déflagration était si violente qu'elle m'a momentanément assourdie et fait tomber sur les fesses. Mes amis, mes professeurs et tous les élèves se sont écroulés. Seuls Anubis et les fantômes n'ont pas semblé affectés. Puis l'aviateur s'est reconstitué et m'a toisée d'un regard noir.

Je me suis relevée avec difficulté et ai tenté de faire apparaître mon bâton de magie, sans succès.

– Qu'est-ce que vous avez fait ? ai-je demandé.

– Sadie, tout va bien, m'a assuré Anubis. Tes amis sont juste inconscients. Shou a provoqué une dépressurisation.

– « Chou » ?

– Mon arrière-grand-père.

J'ai fouillé dans mes souvenirs.

– Ah oui, Shou ! Le dieu de, euh..., des brocolis. Non ! Des pâtissiers...

– De l'air ! a soufflé Shou, furieux. L'air !

Il s'est dissous en un tourbillon de débris divers pour se reformer aussitôt sous son aspect traditionnel : torse nu, la taille entourée d'un pagne et le front d'un bandeau dans lequel était piquée une plume d'autruche géante.

– À votre place, je resterais comme ça, lui ai-je conseillé tandis qu'il reprenait l'apparence d'un pilote. La plume d'autruche ne vous va pas du tout !

Shou a fait entendre un bruit de soufflerie franchement hostile.

– Je te remercie, mais je préférerais rester invisible. Seulement, les hommes ont tellement pollué l'atmosphère au cours des derniers millénaires que ça me devient de plus en plus difficile. Le covoiturage, les moteurs hybrides, ça vous dit quelque chose ? Et les vaches ? Figure-toi que chacune rejette plus de cent kilos de méthane par an. Sachant qu'il y a un milliard et demi de bovins domestiques dans le monde, tu imagines les dégâts sur mon système respiratoire ?

Il a sorti un inhalateur et pris une profonde inspiration.

J'ai jeté un coup d'œil perplexe à Anubis, qui paraissait mortellement – ou immortellement ? – gêné.

– On ne faisait que discuter, a-t-il expliqué à son aïeul. Si tu voulais bien nous laisser terminer...

– « Discuter » ? a mugi Shou, rejetant probablement une quantité non négligeable de méthane dans l'atmosphère. En dansant, en vous tenant la main et adoptant un comportement indécent ? Ne fais pas l'innocent avec moi, gamin. Je te rappelle que j'ai chaperonné tes grands-parents. J'ai réussi à les séparer pendant des millénaires !

Soudain l'histoire de Nout et Geb, le ciel et la Terre, m'est revenue à l'esprit : Rê avait chargé le père de Nout, Shou, d'empêcher les deux amoureux d'engendrer des enfants susceptibles de le destituer un jour. Shou avait échoué, mais apparemment, ça n'avait pas suffi à le décourager.

Avec une grimace de dégoût, le dieu de l'air a désigné à Anubis les mortels inconscients, dont certains commençaient à gémir et s'agiter.

– Te retrouver dans ce temple de l'immoralité, ce repaire de déviants, ce... ce...

J'ai suggéré :

– Lycée ?

– C'est ça !

Il a acquiescé avec tant de vigueur que sa tête s'est décomposée en un nuage de feuilles mortes.

– Tu as entendu le jugement des dieux, gamin. Tu es devenu beaucoup trop proche de cette mortelle. Par conséquent, il t'est défendu d'entrer en contact avec elle à l'avenir.

Je me suis révoltée :

– Quoi ? C'est ridicule ! Qui a décidé ça ?

Shou a émis un son qui évoquait une chambre à air percée. Ma parole, il se payait ma tête !

– Le conseil en entier, ma fille ! Sous la présidence du seigneur Horus et de dame Isis !

Il m'a semblé me décomposer à mon tour. Isis et Horus ? Tu parles d'un coup de poignard dans le dos... Je me suis juré d'avoir une explication avec ma soi-disant copine.

Je me suis tournée vers Anubis, espérant un démenti, mais il a écarté les bras dans un geste d'impuissance.

– J'ai essayé de t'avertir, Sadie. Les dieux n'ont pas le droit de... « s'impliquer » avec des mortels, à moins d'habiter un hôte humain. Et comme tu le sais, ce n'est pas ma façon de fonctionner.

J'ai serré les dents. À plusieurs reprises, il m'avait expliqué qu'il ne pouvait m'apparaître qu'en rêve, ou dans des lieux consacrés à la mort. Contrairement aux autres dieux, il n'avait jamais eu d'hôte humain.

Quelle injustice ! On nous interdisait de nous revoir alors qu'on n'était même pas sortis ensemble... À peine un baiser, six mois plus tôt !

Je ne sais lequel des deux m'exaspérait le plus, d'Anubis ou de l'outre pleine d'air qui lui servait de chaperon.

J'ai protesté :

– Tu ne vas pas les laisser décider de ta vie, si ?

– Il n'a pas le choix ! a dit Shou.

Une quinte de toux a déchiré sa poitrine, libérant un nuage de graines de tournesol. Il a pris une nouvelle inspiration avec son inhalateur.

– Le taux d'ozone à Brooklyn... Une catastrophe ! Pars, Anubis, et n'oublie pas : tu ne dois plus entrer en contact avec cette mortelle. Quant à toi, ma fille, je te conseille de le laisser tranquille. Tu as mieux à faire que lui courir après.

– Et vous, monsieur Tornade blanche ? On est en guerre, et tout ce qui vous préoccupe, c'est d'empêcher les gens de danser ?

La pression a brusquement augmenté. Le sang a rugi dans mes oreilles.

– Silence ! a grondé Shou. Je t'ai déjà aidée au-delà de ce que tu méritais. J'ai exaucé le souhait de ce gamin russe ; je l'ai amené de Saint-Pétersbourg pour lui permettre de te parler. Maintenant, ouste !

Une bourrasque m'a projetée en arrière ; les fantômes se sont dispersés comme de la fumée. Les mortels groggy ont protégé leur visage des détritus qui volaient.

– Quel gamin russe ? ai-je hurlé. Qu'est-ce que vous racontez ?

Shou a formé un tourbillon autour d'Anubis, le soulevant du sol.

– Sadie !

Anubis a tenté de me rejoindre, mais la tornade était trop puissante.

– Shou, a-t-il supplié, au moins, laisse-moi lui parler de Walt ! Elle a le droit de savoir !

C'est à peine si je l'avais entendu.

– Tu as dit « Walt » ? ai-je crié. Qu'est-ce que j'ai le droit de savoir ?

La réponse d'Anubis s'est noyée dans le vacarme, puis le tourbillon l'a englouti.

Quand le vent est retombé, Shou et Anubis avaient disparu. Je me trouvais seule au milieu de la piste de danse, entourée de mortels qui reprenaient lentement conscience.

J'allais me précipiter vers mon frère pour m'assurer qu'il allait bien – si, Carter, c'est vrai – quand un jeune type s'est avancé en pleine lumière.

Il était vêtu d'un uniforme gris et d'un manteau en laine trop chaud pour cette douce nuit de septembre. Son bonnet aurait certainement caché ses yeux si ses oreilles ne l'avaient retenu. Il portait un fusil à l'épaule. Je lui donnais à peine dix-sept ans, et s'il n'appartenait à aucun des établissements invités au bal, son visage m'était étrangement familier.

« Saint-Pétersbourg », avait dit Shou...

Bien sûr ! C'était le jeune policier qui avait tenté de nous arrêter, Carter et moi, alors qu'on fuyait le musée de l'Ermitage, au printemps dernier. Sous son déguisement, il s'était révélé appartenir au nome de Russie et à la garde rapprochée de l'horrible Vlad Menchikov.

Mon bâton a surgi de la Douât à mon commandement.

– *Niet* ! a supplié le garçon en levant les mains.

Puis il a ajouté dans un anglais hésitant :

– Sadie Kane... Je veux parler à toi.

SADIE

6. Amos et ses soldats de plomb

Il se prénommait Léonid, et nous sommes convenus de ne pas nous entretuer.

Assis sur les marches du kiosque à musique, on a discuté tandis qu'autour de nous, les élèves et les professeurs revenaient lentement à eux.

L'anglais de Léonid laissait beaucoup à désirer. Quant à moi, je ne parlais pas un mot de russe, mais je le comprenais assez pour être alarmée. Après son évasion du nome de Russie, il avait convaincu Shou de le transporter jusqu'à moi. Apparemment, je lui avais causé une forte impression. Pas étonnant : je ne suis pas le genre de fille qu'on oublie.

(Ne ris pas, Carter.)

En s'aidant de gestes et d'effets sonores, il a tenté de m'expliquer ce qui était arrivé à Saint-Pétersbourg depuis la mort de Menchikov. Si les détails m'ont échappé, j'ai saisi les grandes lignes : *Kwai, Jacobi, Apophis, Premier Nome, beaucoup de morts, très bientôt...*

Cependant, les profs rassemblaient leurs brebis et téléphonaient aux parents de celles-ci. À les écouter, ils attribuaient le malaise collectif à du punch frelaté ou à une attaque au gaz toxique – le parfum de Drew, peut-être – et envisageaient une évacuation totale. La police et les équipes de secours n'allaient pas tarder à rappliquer, et je n'avais pas l'intention de les attendre.

J'ai entraîné Léonid vers mon frère, qui errait en se frottant les yeux.

– Qu'est-ce qui s'est passé ? a demandé Carter.

Puis il a aperçu mon compagnon :

– Qui... ?

Je lui ai fait la version courte : la visite d'Anubis, l'intervention de Shou, l'apparition du Russe...

– Léonid détient des informations sur une attaque imminente du Premier Nome, ai-je ajouté. Il est probable que les rebelles le recherchent.

– Tu suggères de le cacher au manoir ?

– Non. Je vais immédiatement le conduire à Amos.

Léonid a paru sur le point de s'étrangler.

– Amos ? Lui devenu Seth... Manger visage !

Je me suis efforcée de le rassurer :

– Amos ne va pas te manger le visage. Jacobi t'a raconté des histoires.

– Amos pas Seth ?

Comment lui expliquer la situation sans attiser ses craintes ? Je ne connaissais pas assez le russe pour lui dire : « Il a été possédé par Seth mais ce n'était pas sa faute, et de toute façon, il va beaucoup mieux. »

– Non, ai-je répondu. Amos gentil.

Carter n'avait pas cessé d'observer notre visiteur.

– Tu lui fais confiance ? m'a-t-il demandé, l'air soucieux. Et si c'était un piège ?

– T'inquiète. Léonid n'a pas envie que je le transforme en limace-banane. Pas vrai ?

– *Niet*, a déclaré Léonid d'un ton solennel. Pas limace.

– Tu vois ?

– Et notre visite à Thot ? a repris Carter.

J'ai lu l'angoisse dans son regard. Sans doute pensait-il la même chose que moi : notre mère était en danger. Pour la sauver, il nous fallait trouver de toute urgence le rapport entre les âmes disparues et l'ombre d'Apophis.

– Tu iras sans moi, lui ai-je répondu. Emmène Walt. Et, hum, garde un œil sur lui, tu veux bien ? Anubis voulait me dire un truc à son sujet mais il n'en a pas eu le temps. Et quand j'ai plongé dans la Douât, à Dallas, je l'ai vu...

Je n'ai pu achever. Le souvenir de Walt entouré de bandelettes, comme une momie, me serrait la gorge.

Heureusement, Carter avait capté.

– Je veillerai sur lui, a-t-il promis. Comment comptez-vous vous rendre en Égypte ?

Bonne question. Shou avait fait le taxi pour Léonid, mais je doutais qu'il soit aussi bien disposé à mon égard, et de toute manière, je ne voulais rien lui devoir.

– On va tenter un portail, ai-je répondu après réflexion. Je sais qu'ils ont été un peu capricieux ces derniers temps, mais on ne va pas très loin. Qu'est-ce qui pourrait bien arriver ?

– Oh ! Trois fois rien. Tu pourrais te matérialiser à l'intérieur d'un mur, par exemple. Ou finir éparpillée aux quatre coins de la Douât, façon puzzle.

– Ma parole, Carter, tu te fais du souci pour moi ? Sois tranquille, tout se passera bien. Et ce n'est pas comme si on avait le choix...

Je l'ai serré dans mes bras – ça craint, je sais, mais je tenais à lui exprimer ma solidarité – puis j'ai agrippé la main de Léonid et l'ai entraîné à travers le parc avant de changer d'avis.

Mon esprit bruissait toujours de ma conversation avec Anubis. Comment Isis et Horus osaient-ils nous séparer alors qu'on n'avait rien fait ? Et qu'est-ce qu'Anubis avait tenté de me dire à propos de Walt ? Peut-être souhaitait-il mettre un terme à une relation condamnée d'avance et me donner sa bénédiction pour sortir avec Walt... Nulle, comme explication. Ou désirait-il me jurer un amour éternel et me faire savoir qu'il était prêt à rivaliser avec Walt pour moi ? Peu probable. En plus, je ne crois pas que j'apprécierais qu'on se dispute ma possession comme celle d'un vulgaire ballon de basket. Ou alors – c'était l'hypothèse la plus plausible – il voulait m'annoncer de mauvaises nouvelles.

À ma connaissance, Anubis avait visité Walt en plusieurs occasions. Ni l'un ni l'autre n'avaient divulgué quoi que ce soit de leurs conversations, mais Anubis étant le guide des morts, j'en avais déduit qu'il préparait Walt à son départ. Peut-être avait-il voulu m'avertir que le moment approchait – comme si je ne le savais pas !

Anubis : hors d'atteinte. Walt : un pied dans la tombe. Si je devais perdre les deux garçons que j'aimais, alors, à quoi bon sauver le monde ?

D'accord, j'exagère un peu. Mais à peine.

Pour couronner le tout, ma mère avait de sérieux ennuis, et les rebelles de Sarah Jacobi se préparaient à attaquer le QG de mon oncle.

Dans ces conditions, d'où provenait la lueur d'espoir que j'entrevoyais ?

Ce n'était pas uniquement la perspective de découvrir comment vaincre Apophis qui m'incitait à l'optimisme. Les paroles d'Anubis résonnaient dans ma mémoire : « Leur ombre subsiste. Il existe un moyen de soustraire une âme au néant. »

Si l'ombre avait le pouvoir de régénérer l'âme d'un mortel, qu'en était-il de celle d'un dieu ?

Perdue dans mes réflexions, je m'apprêtais à dépasser le bâtiment des beaux-arts quand Léonid m'a arrêtée.

– Portail ? a-t-il demandé, indiquant un bloc de calcaire sculpté dans la cour.

J'ai acquiescé.

En entrant à l'AJTB, j'avais pensé qu'il pourrait être utile d'avoir une relique égyptienne à portée de main, en cas d'urgence. En bonne logique, j'avais alors emprunté un morceau de frise au Brooklyn Museum tout proche. Avec tous les cailloux qu'ils ont en stock, je ne crois pas qu'ils avaient remarqué la disparition de celui-ci. Toutefois, j'avais laissé une copie sur place et demandé à Alyssa de remettre l'original à son prof d'arts plastiques. Comme il se doit, celui-ci avait été très impressionné par cette « tentative d'imitation d'une forme d'art antique », au point de l'exposer à l'extérieur de sa classe.

La frise représentait des pleureuses à un enterrement – bien trouvé pour un lycée, non ? Sans être une œuvre d'art de premier plan, elle n'en contenait pas moins une parcelle de pouvoir occulte, comme toute relique égyptienne. Avec un peu d'entraînement, n'importe quel magicien pouvait accomplir avec un certain nombre de tâches pratiques – par exemple, ouvrir un portail, un sort dans lequel j'excellais.

Tandis que Léonid faisait le guet, j'ai entonné une incantation.

La plupart des magiciens attendent un moment propice pour ouvrir un portail. Ils consacrent des années à apprendre par cœur les heures de naissance de tous les dieux, les positions des planètes, et je ne sais quoi encore. J'imagine que j'aurais dû en faire autant, mais tu me connais... L'histoire de l'Égypte couvrant plusieurs millénaires, elle contient tellement de moments propices que pour ma part, je préfère réciter la formule jusqu'à tomber sur l'un ou l'autre – en espérant que mon portail ne va pas s'ouvrir à un moment néfaste, entraînant toutes sortes de désagréments. Mais à quoi rimerait l'existence si on ne prenait jamais le moindre risque ?

(Carter secoue la tête d'un air accablé. Je me demande pourquoi.)

L'air s'est mis à trembler, et un tunnel de sable tourbillonnant s'est ouvert devant nous. On a sauté dedans sans hésiter.

J'aimerais pouvoir dire que mon portail a parfaitement fonctionné, mais en réalité, j'étais un poil à côté de la plaque.

Le vortex nous a recrachés en plein ciel, une centaine de mètres au-dessus du Caire. Je me suis vue tomber à travers la nuit en direction des lumières de la ville.

Je n'ai pas paniqué pour autant. J'avais à ma disposition tout un arsenal de sorts pour me tirer d'affaire. Pour commencer, j'aurais pu me changer en milan – l'oiseau de proie, pas la ville –, même si ce n'est pas mon véhicule préféré. Mais avant que j'aie pu décider d'un plan, Léonid a agrippé ma main.

Aussitôt, le vent a tourné et notre chute s'est muée en descente contrôlée. On a atterri en douceur à la limite de la ville, à proximité de ruines dont je savais d'expérience qu'elles dissimulaient une des entrées du Premier Nome.

J'ai adressé un regard interloqué à mon compagnon.

– T'as invoqué le pouvoir de Shou ?

Il a acquiescé gravement.

– Oui. Interdit mais obligé.

J'ai souri.

– T'as appris la voie des dieux tout seul, c'est ça ? Malin ! Je savais que j'avais raison de ne pas te transformer en limace-banane.

Léonid a écarquillé les yeux.

– Pitié ! Pas limace-banane !

– C'était un compliment, ballot ! Interdit, cool ! Sadie kiffe l'interdit ! Viens, maintenant. Je vais te présenter mon oncle.

Carter t'aurait probablement dépeint la ville souterraine dans les moindres détails, en précisant les dimensions exactes de chaque salle, l'histoire de chaque statue, et en émaillant sa description de notes explicatives sur la construction du quartier général de la Maison de vie.

Rassure-toi, j'irai droit à l'essentiel : le siège du Premier Nome est immense, plein de magie et situé sous terre. Point barre.

Le tunnel d'accès débouchait sur un pont de pierre qui enjambait un gouffre. De l'autre côté nous attendait un bâ – une espèce de dinde géante au corps chatoyant, avec la tête d'un Égyptien mort depuis des millénaires que j'étais probablement censée connaître – qui m'a posé une colle : *De quelle couleur sont les yeux d'Anubis ?*

Cette blague ! Noirs. Je suppose qu'il espérait me déstabiliser avec une question trop facile.

Le bâ nous a laissés pénétrer dans la ville elle-même. Ça m'a attristée de voir combien elle s'était vidée depuis ma dernière visite, six mois plus tôt. Non que le Premier Nome ait jamais été surpeuplé : le nombre des initiés n'avait cessé de décliner au fil des siècles. Mais à présent, la plupart des boutiques de la caverne centrale étaient fermées, et plus personne ne discutait le prix des amulettes ou des fioles de venin de scorpion entre les étals du marché. Un commerçant désœuvré a paru se requinquer à notre approche, pour retomber aussitôt dans sa léthargie quand on s'est éloignés.

Nos pas résonnaient dans le silence des couloirs. On a franchi une rivière souterraine avant de traverser le secteur de la bibliothèque et la salle des oiseaux.

(Mon frère prétend qu'il faut expliquer pourquoi on l'appelle ainsi. Pas difficile : c'est une caverne remplie d'oiseaux de toutes sortes. Pourquoi tu te cognes la tête contre la table, Carter ?)

Avec mon nouvel ami russe, on a emprunté un long couloir, dépassé l'entrée d'un tunnel condamné qui menait autrefois au sphinx de Gizeh, avant d'atteindre les portes de bronze de la salle des temps. C'est là que mon oncle passe ses journées à présent, aussi je suis entrée sans cérémonie.

Tu te demandes si cette salle est impressionnante ? Certainement. Si on la remplissait d'eau, elle pourrait servir d'aquarium à un banc de baleines. Un tapis bleu aussi étincelant que le Nil en parcourt le centre sur toute sa longueur. Entre les colonnes qui la bordent des deux côtés, des images mouvantes rejouent des événements heureux, poignants ou dramatiques du passé de l'Égypte.

Connaissant leur pouvoir de fascination, je m'efforçais de les ignorer. Une fois, j'ai commis l'erreur de toucher un de ces écrans, et mon cerveau a failli imploser.

La première série d'images, baignant dans une clarté dorée, concerne l'âge des dieux. Viennent ensuite l'Ancien Empire (dominante argentée), le Moyen Empire (dominante cuivrée) et ainsi de suite.

À plusieurs reprises, tandis qu'on avançait vers le fond de la salle, j'ai dû empêcher Léonid de s'approcher d'une image qui avait éveillé son attention. Mais pour être honnête, j'avais moi-même beaucoup de mal à leur résister.

Soudain ma vision s'est brouillée quand j'ai aperçu Bès qui faisait la roue, vêtu d'un simple pagne, pour divertir les autres dieux. (Si j'ai pleuré – je tiens à le préciser –, c'était d'émotion et de regret, même si le spectacle de Bès en pagne arracherait des larmes à n'importe qui.)

Alors qu'on abordait la section correspondant au Moyen Empire, je me suis brusquement arrêtée. Sur l'écran chatoyant, un type maigre en robe de prêtre brandissait une baguette et un couteau au-dessus d'un taureau noir. Il murmurait comme pour bénir l'animal. Si la signification de la scène m'échappait, l'homme m'était familier : ce nez en bec d'aigle, ce front haut, ces lèvres minces qui esquissaient un sourire cruel tandis qu'il tranchait la gorge du malheureux taureau...

– C'est lui ! ai-je soufflé, me dirigeant vers le mur.

Léonid m'a retenue par le bras.

– *Niet* ! Tu as dit, images mauvaises. Pas approcher !

– T'as raison... N'empêche, c'est Don Vito.

J'en aurais mis ma main à couper, c'était bien le visage qui avait surgi du mur devant moi, au musée de Dallas. Pourtant, la scène qui avait attiré mon regard remontait à plusieurs milliers d'années.

Léonid m'a corrigée :

– Pas Don Vito, Khâemouaset.

– Heeein ?

Je me suis demandé si j'avais bien entendu, et dans quelle langue il venait de s'exprimer.

– C'est...

Léonid a poursuivi en russe, avant de s'interrompre de nouveau.

– Trop dur à expliquer, a-t-il repris avec un soupir agacé. Allons voir Amos, qui ne va pas manger visage à moi.

Je me suis forcée à détacher les yeux de l'image qui m'avait captivée.

– Bonne idée. Avançons.

Vers le fond de la salle, le rouge de la période moderne virait au violet pourpre. Pour marquer le début d'une nouvelle ère, probablement, même si aucun d'entre nous ne savait de quoi celle-ci serait faite. Si Apophis parvenait à détruire le monde, nul doute qu'elle resterait comme « l'âge de l'éradication ».

Je m'attendais à trouver Amos assis au pied du trône du pharaon. Selon la tradition, c'était là que siégeait le chef lecteur, pour signifier son rôle de premier conseiller du souverain. Mais vu que les pharaons sont tous morts et enterrés depuis des millénaires, ils n'ont plus guère besoin de conseils...

Il n'y avait personne sur l'estrade.

Sur le moment, ça m'a déstabilisée. Jusque-là, je ne m'étais jamais demandé ce que faisait le chef lecteur quand il ne donnait pas audience. Est-ce qu'il disposait d'une loge, avec son nom et une étoile gravés sur la porte ?

– Ici, a murmuré Léonid, indiquant le mur du fond.

Mon nouvel ami russe avait une fois de plus raison. Derrière le trône, un mince trait de lumière au ras du sol trahissait la présence d'une porte.

– Bien vu, Léo ! me suis-je enthousiasmée. Une entrée secrète... Flippant.

La porte ouvrait sur une sorte de salle d'état-major. Amos et une jeune femme en tenue militaire se tenaient chacun à une extrémité d'une longue table illustrée d'une carte du monde en couleurs. Des figurines – bateaux, monstres, magiciens, voitures – et des jetons gravés de hiéroglyphes étaient disposés sur celle-ci.

Amos et son adjointe étaient tellement occupés à déplacer les figurines qu'ils ne nous ont pas remarqués tout de suite.

La robe en lin de notre oncle lui faisait un peu la silhouette de frère Tuck, mais il avait le teint plus foncé et une coiffure plus cool que le moine de *Robin des Bois*. Des perles dorées parsemaient ses fines tresses, les verres de ses lunettes rondes jetaient des reflets tandis qu'il étudiait la carte. Une cape en léopard, attribut du chef lecteur, drapait ses épaules.

Quant à la fille... Par tous les dieux, c'était Zia !

Je ne l'avais encore jamais vue avec des vêtements modernes – dans ce cas précis, un pantalon de camouflage, des rangers et un débardeur kaki qui mettait sa peau cuivrée en valeur. Ses cheveux étaient plus longs que dans mon souvenir. C'était fou comme elle avait mûri et embelli en six mois. Si mon frère nous avait accompagnés, il aurait tiré une langue de deux mètres.

(Si, Carter, tu l'aurais fait. En Commando Girl, ta copine déchirait.)

– Ici, a dit Amos, déplaçant une figurine sur la carte.

– Ça laisserait Paris sans protection, lui a objecté Zia.

J'ai toussé.

– Pardon de vous interrompre...

Amos a fait volte-face et son visage s'est illuminé.

– Sadie !

Il m'a broyée contre sa poitrine et ébouriffé les cheveux dans un geste affectueux.

J'ai protesté :

– Hé !

Il a ri.

– Désolé, mais ça fait tellement plaisir de te voir. Et lui, c'est... ?

Zia s'est interposée entre Amos et Léonid.

– Un Russe ! Qu'est-ce qu'il fiche ici ?

– Doucement, ai-je dit. C'est un ami.

Je leur ai raconté comment Léonid avait débarqué en plein bal du lycée. Le pauvre m'aidait comme il pouvait, mais son anglais était trop rudimentaire.

Amos nous a interrompus :

– Une seconde !

Il a touché le front du Russe en murmurant : « *Med-wah.* »

Le hiéroglyphe signifiant « parler » s'est matérialisé en rouge devant nos yeux.

– Voilà, a repris Amos. Ça devrait être plus facile à présent.

– Vous parlez russe ? a demandé Léonid, interloqué.

Amos a souri.

– En réalité, pendant quelques minutes, nous allons tous nous exprimer en égyptien ancien, mais chacun de nous aura l'impression d'entendre sa langue maternelle.

– Génial ! me suis-je exclamée. À toi, Léo. Ne gaspille pas ton temps de parole.

Le Russe a ôté son bonnet et l'a tripoté nerveusement.

– Sarah Jacobi et Kwai... Ils ont l'intention de vous attaquer.

– Ça, on le sait déjà, a répliqué Amos.

– Vous ne comprenez pas ! a poursuivi Léonid d'une voix tremblante. Ils sont au service d'Apophis !

Coïncidence ? Juste comme il prononçait ce nom, plusieurs figurines sur la table ont émis des étincelles avant de fondre. Il m'a semblé que mon cœur en faisait autant.

– Comment tu le sais ? ai-je demandé.

Léonid a rosi jusqu'à la pointe des oreilles.

– Après la mort de Menchikov, Jacobi et Kwai sont venus nous trouver, à Saint-Pétersbourg. On leur a offert un refuge. Très vite, Jacobi a pris l'ascendant sur mes camarades, sans que ceux-ci lui opposent beaucoup de résistance. Ils... ils détestent les Kane, a-t-il avoué avec un regard coupable dans ma direction. Depuis que vous vous êtes introduits dans notre QG, au printemps dernier, les magiciens russes vous rendent responsables de la mort de Menchikov et de l'évasion d'Apophis. Ils disent que tout est votre faute.

– Ça, c'est pas nouveau, ai-je fait remarquer. Et toi, tu ne partages pas leur avis ?

– Je t'ai vue vaincre le tjesu heru. Ce jour-là, tu aurais pu me détruire également, mais tu ne l'as pas fait. Tu n'avais pas l'air maléfique.

– Merci du compliment.

– Notre rencontre a aiguisé ma curiosité. Je me suis mis à lire de vieux manuscrits, et j'ai appris à contrôler le pouvoir de Shou. J'ai toujours été doué pour la magie élémentale.

– Tu t'es montré très courageux, a commenté Amos.

– Pas courageux, stupide ! Jacobi a tué des magiciens pour moins que ça. Un de mes amis, un vieil homme appelé Mikhaïl, a commis un jour l'erreur de dire que tous les Kane n'étaient peut-être pas mauvais. Jacobi l'a accusé de trahison et confié à Kwai, qui fait des choses horribles avec des éclairs. Mikhaïl a hurlé dans le donjon pendant trois nuits. Puis il est mort...

Léonid avait le front trempé de sueur. Amos et Zia ont échangé un regard. J'ai eu l'impression que ce n'était pas la première fois qu'on évoquait devant eux les méthodes de torture du Coréen.

– Je suis désolé pour ton ami, a dit mon oncle. Mais comment peux-tu affirmer que Jacobi et Kwai sont au service d'Apophis ?

Léonid s'est tourné vers moi, quêtant des encouragements.

– Tu peux avoir confiance en Amos, lui ai-je assuré. Il te protégera.

Le jeune Russe a repris :

– Hier, je me trouvais au sous-sol de l'Ermitage, dans une salle que je croyais secrète. J'étudiais un sort pour invoquer Shou, ce qui est formellement interdit, quand j'ai entendu Jacobi et Kwai approcher. Je me suis alors caché, et j'ai surpris leur conversation. On aurait dit qu'ils avaient plusieurs voix. C'est difficile à expliquer...

– Ils étaient possédés ? a suggéré Zia.

– Pire : au moins une dizaine de monstres et de démons s'exprimaient par la bouche de chacun d'eux. Un vrai conseil de guerre ! Une voix dominait toutes les autres, plus grave, plus puissante... Comme si les ténèbres avaient parlé !

– Apophis, a murmuré Amos.

– Comprenez bien, a poursuivi Léonid, livide. La plupart des magiciens, à Saint-Pétersbourg, ne sont pas méchants. Simplement, ils ont peur pour leur vie. Jacobi les a persuadés qu'elle seule pouvait les sauver. Elle les a induits en erreur avec ses mensonges. Elle prétend que les Kane sont des démons. Mais que dire d'elle-même et de Kwai ? Ils n'ont plus rien d'humain ! Ils ont établi leur camp à Abou Simbel. C'est de là qu'ils attaqueront le Premier Nome.

Amos s'est retourné vers la carte et a suivi du doigt le tracé du Nil jusqu'à un lac, au sud.

– Je ne sens rien, a-t-il annoncé. S'ils sont bien à Abou Simbel, ils ont trouvé le moyen d'échapper à ma magie.

– Je jure qu'ils y sont ! s'est exclamé Léonid.

– Pratiquement sous notre nez, a grondé Zia. On aurait dû tuer ces rebelles quand on en avait l'occasion, à Brooklyn.

Amos a secoué la tête.

– Nous sommes les serviteurs de Maât, l'ordre et la justice. Il n'est pas dans nos habitudes de tuer des ennemis pour des actions qu'ils n'ont pas encore commises.

– Maintenant, ce sont eux qui vont nous tuer, a objecté Zia.

Sur la table, deux figurines ont fondu en Espagne tandis qu'un vaisseau miniature volait en éclats au large du Japon.

– De nouvelles pertes, a soupiré Amos.

Il a poussé vers l'épave du bateau naufragé une figurine de cobra provenant de Corée et balayé de la main les restes des magiciens espagnols.

– C'est quoi, cette carte ? ai-je demandé.

Zia a déplacé un jeton de l'Allemagne vers la France avant de répondre :

– La carte d'état-major d'Iskandar. Comme tu le sais, sa spécialité était la statuaire.

Bien sûr. L'ancien chef lecteur avait même créé une réplique de Zia, mais j'ai préféré ne pas le rappeler à l'intéressée.

– J'imagine que les jetons représentent les forces en présence ?

– En effet, a acquiescé Amos. La carte nous indique les mouvements de nos ennemis – du moins, les principaux – et nous permet d'adresser des renforts là où il y en a besoin, grâce à la magie.

– Et, hum, comment se présente la situation ?

L'expression de mon oncle était éloquente.

– Pas très bien, a-t-il enfin avoué. Les partisans de Jacobi frappent là où nous sommes les plus faibles, et Apophis envoie ses démons terroriser nos alliés. Les attaques semblent concertées.

– C'est le cas, a affirmé Léonid. Le serpent contrôle Kwai et Jacobi.

– Comment peuvent-ils être aussi stupides ? me suis-je étonnée. Ils ne voient pas qu'Apophis a l'intention d'anéantir le monde ?

– Le chaos fait preuve de séduction, a répondu Amos. Sans doute Apophis leur a-t-il promis le pouvoir. Il leur a soufflé à l'oreille qu'ils étaient trop importants pour mourir. Ils croient contribuer à l'avènement d'un monde meilleur, et que la destruction de l'humanité est le prix à payer pour ça.

Je ne comprenais toujours pas comment on pouvait se montrer aussi naïf. Mais bien sûr, Amos savait de quoi il parlait. Il avait été possédé par Seth, le dieu du chaos. Quoique moins nuisible qu'Apophis, Seth avait fait de notre oncle, un des magiciens les plus puissants au monde, sa marionnette. Si Carter et moi ne l'avions pas renvoyé de force dans la Douât... Je te laisse imaginer comment tout ça se serait terminé.

Zia a ramassé sur la table un faucon miniature et l'a approché d'Abou Simbel. De la fumée a commencé à se dégager de la figurine, obligeant Zia à lâcher celle-ci.

– Ils sont bien protégés, a-t-elle commenté. Pas moyen d'épier leurs conversations.

– Ils attaqueront dans trois jours, à l'aube, a affirmé Léonid. Simultanément, Apophis entamera son ascension. Ce sera l'équinoxe d'automne.

– Encore ? ai-je marmonné. C'est quoi, cette obsession malsaine des équinoxes ? Ils n'apportent que des ennuis...

Amos m'a lancé un regard sévère.

– Sadie, comme tu le sais probablement, le moment où le jour et la nuit ont la même durée revêt une importance toute particulière pour les magiciens. À partir de l'équinoxe d'automne, les ténèbres prennent peu à peu le dessus sur la lumière. Ce jour marque l'anniversaire de la retraite de Rê. Je craignais qu'Apophis n'en profite pour passer à l'action. C'est un des jours les plus néfastes du calendrier égyptien.

– S'il est néfaste, pourquoi les rebelles l'ont-ils choisi pour... Oh !

Je me suis tue, comprenant que les dates néfastes pour nous étaient forcément propices pour les forces du chaos. Dans ce cas, celles-ci étaient tous les jours à la fête, ou presque.

Amos s'est appuyé sur son bâton. Il m'a semblé que ses cheveux blanchissaient à vue d'œil. Je me suis alors rappelé combien son prédécesseur, Michel Desjardins, avait vieilli rapidement. L'idée qu'il puisse arriver la même chose à mon oncle m'était insupportable.

– Nos forces sont insuffisantes, a-t-il déclaré. Je vais devoir utiliser d'autres moyens.

– Amos, non ! l'a supplié Zia.

J'ignore de quoi ils parlaient, mais Zia avait l'air terrifiée. Par quoi ? Je ne voulais même pas l'imaginer.

Je suis intervenue :

– En fait, Carter et moi, on a une idée.

Ce n'était peut-être pas très prudent de leur exposer notre plan devant Léonid, mais celui-ci avait risqué sa vie pour nous avertir des projets de Jacobi et m'avait accordé sa confiance. Il me paraissait naturel de lui rendre la pareille.

Amos m'a écoutée, puis il a dirigé son regard vers la carte.

– Je ne connais pas cette forme de magie, a-t-il avoué. Mais même en supposant qu'elle existe...

– C'est le cas, ai-je affirmé. Sinon, pourquoi Apophis aurait-il retardé sa grande offensive afin de rechercher et détruire tous les papyrus attribués à Setné ? Il a peur qu'on ne découvre le sort capable de l'arrêter.

– C'est impossible, m'a rétorqué Zia. Tu viens de dire qu'il n'en subsistait aucune copie.

– On va demander l'aide de Thot. Carter est en chemin pour lui rendre visite. Quant à moi, je connais peut-être un moyen de vérifier notre théorie à propos des ombres.

Comment ? s'est enquis Amos.

Je lui ai dit ce que j'avais en tête. Il m'a semblé qu'il brûlait de formuler des objections, mais sans doute a-t-il lu dans mon regard que rien ni personne ne me ferait changer d'avis. On est du même sang, après tout. Il sait combien les Kane peuvent être têtus.

– Très bien, a-t-il fini par dire. Mais d'abord, tu vas manger et te reposer. Tu pourras partir à l'aube. Zia, je tiens à ce que tu l'accompagnes.

L'intéressée a sursauté.

– Moi ? Mais, et si... Enfin, est-ce bien raisonnable ?

Une fois de plus, j'ai eu l'impression que ces deux-là cachaient quelque chose.

– Tout va bien se passer, a assuré Amos. Sadie aura besoin de ton aide. Je désignerai quelqu'un pour te remplacer auprès de Rê en ton absence.

Ça ne ressemblait pas à Zia de s'inquiéter ainsi. Elle et moi, on avait eu des différends par le passé, mais je devais dire à son crédit qu'elle ne manquait pas d'aplomb. À présent, elle me faisait presque de la peine.

– Fais pas cette tête, lui ai-je dit. On va bien rigoler. Une petite virée au pays des morts, au bord du lac de feu... Qu'est-ce qui pourrait nous arriver ?

CARTER

7. *Une vieille connaissance manque de m'étrangler*

Bref, Sadie avait mis les voiles avec un type qu'elle connaissait à peine pendant que je faisais le sale boulot. Ça ne m'étonnait pas plus que ça : dès que la situation réclame un minimum de sérieux et d'application, tu peux compter sur ma sœur pour prendre la tangente.

(Ne me remercie pas, Sadie. Au cas où ça t'aurait échappé, ce n'était pas un compliment.)

Je n'étais pas encore remis de l'humiliation que j'avais subie durant le bal. Je trouvais déjà moche que Sadie m'ait obligé à danser le slow avec sa copine Lacy, mais m'être réveillé sous celle-ci pour apprendre que j'avais manqué la visite de deux dieux... La honte suprême !

Après le départ de Sadie et de son nouvel ami russe, j'ai ramené toute l'équipe à la maison. Walt a été étonné de nous voir rentrer si tôt. Je l'ai attiré sur le toit pour un débriefing express avec Bastet. Je les ai mis au courant des événements de la soirée, tels que Sadie me les avait relatés : la visite d'Anubis, l'intervention de Shou et l'apparition du Russe, Léonid.

– Crack me conduira à Memphis, ai-je dit en conclusion. Je reviendrai dès que j'aurai parlé à Thot.

– Je t'accompagne, a annoncé Walt.

Certes, j'avais promis à Sadie de l'emmener. Pourtant, je me suis mis à douter. Il avait les joues creuses, le regard vitreux, et son état de santé semblait s'être encore dégradé depuis la veille. C'est horrible, je sais, mais il donnait l'impression d'avoir été embaumé vivant.

J'ai dit :

– Désolé, vieux, mais Sadie m'a demandé de veiller à ce qu'il ne t'arrive rien. Elle s'inquiète pour toi, et moi aussi.

Sa mâchoire s'est crispée.

– Pour accomplir votre plan, a-t-il plaidé, vous allez devoir capturer une ombre à l'aide d'une figurine. Et pour ça, vous aurez besoin de moi.

Malheureusement, il avait raison. Ni Sadie ni moi ne savions comment attraper une ombre, à supposer que ce soit possible. Notre unique chance résidait dans le talent de Walt.

– C'est bon, ai-je dit enfin. Mais prends garde à toi, d'accord ? S'il t'arrive quelque chose, ma sœur va me tuer.

Bastet a poussé délicatement le bras de Walt, comme un chat qui donne un coup de patte à une mouche pour s'assurer qu'elle est toujours en vie, puis elle a reniflé ses cheveux.

– Ton aura est très affaiblie, a-t-elle observé, mais tu devrais survivre au voyage. Essaie de ménager tes forces. Pas de magie, sauf cas de force majeure.

– Bien, maman, a soupiré Walt.

Bastet a eu l'air d'apprécier.

– Je m'occuperai des autres chatons en votre absence, a-t-elle repris... Enfin, des novices. Soyez prudents. Je n'ai pas beaucoup de sympathie pour Thot, et je ne voudrais pas qu'il vous mêle à ses histoires...

– Quelles histoires ? ai-je demandé.

– Vous verrez bien. Tâchez de revenir sains et saufs. À force de jouer les baby-sitters, je n'ai plus de temps pour la sieste.

Elle s'est éloignée vers l'escalier, marmonnant qu'elle allait grignoter un brin d'herbe à chat, tandis que Walt et moi montions à bord du bateau. Crack a poussé un cri rauque et agité les ailes, impatient de nous emmener. Il semblait bien reposé, et il savait qu'il recevrait une nouvelle fournée de dindes surgelées en récompense à notre retour.

Quelques minutes plus tard, on survolait l'East River.

Le voyage à travers la Douât m'a paru plus agité que d'habitude. J'avais l'impression de traverser une zone de fortes turbulences à bord d'un avion, le brouillard et les cris plaintifs en plus. Heureusement, j'avais dîné léger.

Le bateau a tangué quand on a fini par émerger dans le ciel nocturne. Au-dessous de nous, les lumières de Memphis épousaient les courbes du Mississippi.

Une pyramide en verre sombre – une salle de sports désaffectée que Thot s'était appropriée – se dressait sur la berge. Des gerbes multicolores se déployaient dans la nuit, illuminant les flancs de l'immense bâtiment. J'ai d'abord cru que Thot tirait un feu d'artifice avant de comprendre que sa pyramide essuyait une attaque ennemie.

Une variété monstrueuse de démons avaient entrepris l'escalade de la pyramide – des silhouettes vaguement humaines, dotées de pattes de poulets ou d'insectes, de fourrure, d'écailles, voire d'une carapace de tortue. Beaucoup possédaient un marteau, une lame d'épée, de hache ou de tronçonneuse en guise de tête. J'ai même aperçu plusieurs tournevis.

Ils étaient au moins une centaine à progresser vers le sommet en plantant leurs griffes entre les plaques de verre.

Certains tentaient de forcer le passage en brisant les vitres, mais celles-ci répondaient aux coups par des bouquets d'étincelles bleutées. Des démons ailés tournoyaient dans la nuit, fondant sur les défenseurs avec des cris stridents.

En haut de la pyramide, Thot avait toujours l'air d'un assistant de labo un brin crasseux avec sa blouse ouverte sur un tee-shirt, son jean délavé, sa barbe d'un jour et ses cheveux en pétard. Mais si tu l'avais vu combattre... Tandis qu'il balançait autour de lui des hiéroglyphes qui explosaient comme des grenades, sa petite troupe de babouins et d'ibis affrontait directement l'ennemi. Ceux-là bombardaient les démons accrochés au flanc de la pyramide de ballons de basket ; ceux-ci se faufilaient entre les jambes des monstres à terre afin de planter leur bec dans les parties les plus sensibles de leur anatomie.

La scène était encore plus terrifiante au niveau de la Douât. Les démons apparaissaient reliés par des traits d'énergie qui dessinaient la silhouette d'un immense serpent rouge, enroulé autour de la base de la pyramide. Au sommet de celle-ci, un géant à tête d'ibis vêtu d'un simple pagne blanc décochait des éclairs aveuglants.

– Quel souk ! a commenté Walt à mes côtés. Comment se fait-il que les mortels ne remarquent rien ?

Des images entrevues à la télé quelques jours plus tôt me sont alors revenues à l'esprit : une succession de tempêtes avait provoqué une crue du Mississippi, entraînant le déplacement de plusieurs centaines de personnes à Memphis même. Si les magiciens voyaient ce qui se passait en réalité, les mortels encore présents dans la ville devaient croire à un orage particulièrement violent.

– Je vais aider Thot, ai-je annoncé. Toi, reste ici.

– Pas question, m'a rétorqué Walt. Bastet m'a interdit d'utiliser la magie, sauf cas de force majeure. C'en est un, on dirait.

Sadie allait me tuer s'il lui arrivait quelque chose. D'un autre côté, je savais qu'il ne renoncerait pas. Il pouvait se montrer aussi têtu que ma sœur. Alors j'ai cédé.

À peine un an plus tôt, dans les mêmes circonstances, je me serais fait aussi petit que possible. Même la bataille qu'on avait livrée contre Seth et sa pyramide rouge ne pouvait se comparer au fait de plonger sur une armée de démons avec un grand malade et un griffon caractériel pour tout soutien. Mais il était arrivé tant de choses entre-temps qu'à présent, ce genre de folie relevait pour moi de la routine.

Avec un cri perçant, Crack a surgi de la nuit et rasé le flanc droit de la pyramide, avalant les démons les plus petits et déchiquetant les autres avec ses ailes aussi tranchantes que des rasoirs. Les survivants étaient broyés sous la coque de notre bateau.

Walt et moi avons sauté de celui-ci et nous sommes rétablis de justesse sur la pente glissante. Walt a lancé une amulette, faisant apparaître un sphinx doré à corps de lion et tête de femme. Je n'ai jamais été très fan des sphinx, et notre mésaventure au musée de Dallas avait encore renforcé mes préventions, mais celui-ci était dans notre camp.

Walt a bondi sur son dos avant de se jeter dans la mêlée. Avec un grondement féroce, le sphinx a taillé en pièces un démon reptilien. Plusieurs monstres ont détalé. On ne pouvait pas leur en tenir rigueur : l'énorme lion était en lui-même effrayant, mais sa tête rugissante coiffée d'une couronne étincelante, ses yeux vert émeraude, ses lèvres trop rouges dévoilant des crocs acérés dépassaient en épouvante tout ce que tu peux imaginer.

Ayant récupéré mon khépesh dans la Douât, j'ai invoqué le pouvoir d'Horus. L'avatar du dieu guerrier, un géant à tête de faucon, s'est formé autour de moi.

Je me suis avancé, brandissant mon glaive en direction des démons les plus proches, et la lame immense de l'avatar les a balayés telles des quilles. Ça tombait bien, car deux d'entre eux possédaient justement une quille en guise de tête.

Grâce à notre intervention, les babouins et les ibis étaient en train de regagner du terrain. Crack décrivait des cercles autour de la pyramide, fauchant les démons ailés ou les assommant avec le bateau qu'il tirait toujours.

Cependant, Thot bombardait ses adversaires de hiéroglyphes.

– Gonfler ! s'est-il écrié.

Le hiéroglyphe correspondant a décrit une courbe à travers l'espace, laissant derrière lui un sillage lumineux, avant de s'écraser contre la poitrine d'un démon. Celui-ci a brusquement enflé comme une baudruche et dévalé le flanc de la pyramide en hurlant.

– Aplatir !

Un autre démon s'est étalé sur le sol où il a pris l'aspect d'un paillasson monstrueux.

– Colique !

La malheureuse victime de ce nouveau sort s'est pliée en deux, le teint verdâtre.

De mon côté, je poursuivais mon avancée, réduisant en poussière les ennemis qui se dressaient en travers de ma route. Tout baignait jusqu'à ce qu'un démon ailé pique sur moi en mode kamikaze. Touché à la poitrine, je suis tombé en arrière contre la pyramide. Le choc m'a déconcentré ; mon armure magique s'est dissoute. J'aurais dévalé la pente si mon agresseur ne m'avait retenu en me serrant le cou d'une poigne de fer.

– Carter Kane ! a-t-il fait d'une voix sifflante. Ton entêtement causera ta perte !

Son visage n'était que muscles et tendons, comme celui d'un écorché anatomique. Il avait des yeux rouges dépourvus de paupières et un rictus féroce dévoilait ses crocs.

– Toi ! me suis-je exclamé.

Le démon a gloussé, enfonçant un peu plus ses griffes dans mon cou.

Face de Cauchemar, ex-lieutenant de Seth et porte-voix d'Apophis... On croyait l'avoir tué à Washington, mais il avait survécu, et ses yeux rouges, sa voix râpeuse indiquaient qu'il était toujours possédé par le serpent.

Depuis notre dernière rencontre, il s'était doté d'une paire d'ailes de chauve-souris géante. Ses pieds de poulet m'immobilisaient tandis que ses mains serraient ma gorge.

– J'aurais pu te tuer à plusieurs reprises, a-t-il dit, me soufflant son haleine aigre au visage. Seulement, tu m'intéresses, Carter.

J'ai tenté de me défendre, mais mon corps refusait de m'obéir. Mon épée pesait une tonne.

Soudain le fracas de la bataille s'est estompé. Crack a traversé le ciel, agitant ses ailes avec une telle mollesse que j'arrivais à les distinguer. Un hiéroglyphe a explosé au ralenti ; ses couleurs se sont diluées dans l'espace comme de l'encre dans l'eau. Apophis cherchait à m'attirer dans la Douât.

– Je perçois ton désarroi, a repris le démon. C'est un combat perdu d'avance, tu le sais. Pourquoi t'obstiner ?

Un paysage de collines mouvantes et de geysers incandescents s'est imposé à mon esprit. Des démons ailés tournoyaient dans un ciel couleur soufre. Des fantômes poussaient des plaintes désespérées, luttant en vain contre la force invisible qui les entraînait vers un bloc de ténèbres posé sur l'horizon, tel un trou noir. Sa force d'attraction était telle qu'il pliait les collines et les colonnes de flammes. Même les démons volants avaient du mal à lui résister.

Soudain j'ai remarqué une silhouette presque translucide, réfugiée au pied d'un piton rocheux. Mes yeux se sont emplis de larmes quand j'ai reconnu ma mère. Elle tendait une main secourable aux spectres qui la dépassaient en hurlant, s'efforçant de les retenir, mais elle ne parvenait à en sauver aucun.

Puis ce décor d'apocalypse a cédé la place au désert qui s'étend aux portes du Caire, écrasé de soleil. Le sable s'est soulevé ; un immense serpent rouge s'est dressé vers le ciel et n'a fait qu'une bouchée du soleil, plongeant le monde dans l'obscurité. Le givre a envahi les dunes, de profondes crevasses se sont ouvertes dans le sol, engloutissant le sable. En l'espace de quelques secondes, le paysage s'est décomposé. Un raz-de-marée surgi du Nil a submergé la ville et le désert, balayant les pyramides millénaires. Quand la vague s'est retirée, un océan bouillonnant s'étendait sous le ciel vide d'étoiles.

– Aucun dieu ne te sauvera, Carter, a dit Apophis, presque avec compassion. Le sort du monde est scellé depuis le début des temps. Si tu capitules, je promets de t'épargner ainsi que ceux que tu aimes. Tu ne sombreras pas dans l'océan du chaos. Tu seras maître de ton destin !

J'ai distingué une île, une minuscule tache de verdure pareille à une oasis. Ma famille et moi aurions pu survivre sur cet îlot. Il nous aurait suffi d'imaginer une chose pour l'obtenir aussitôt. La mort aurait perdu toute signification.

– Tout ce que je te demande en échange, a ajouté Apophis, c'est un gage de bonne volonté. Livre-moi Rê. Je sais que tu le hais. Sénile, faible, inutile, il incarne toutes les tares de votre monde. Livre-le-moi, et je t'épargnerai. Dis-moi, les dieux ont-ils été aussi honnêtes avec toi ?

Soudain le visage grimaçant de Face de Cauchemar s'est crispé ; le symbole du verbe « dessécher » s'est imprimé sur son front, et le démon s'est désintégré.

J'ai pris une longue inspiration brûlante.

Thot se dressait devant moi, les traits tirés par la fatigue. Ses yeux kaléidoscopiques évoquaient deux portails ouverts sur un monde inconnu.

Il m'a tendu une main et m'a aidé à me relever.

Tous les démons avaient disparu. Walt se tenait au sommet de la pyramide avec les ibis et les babouins qui chevauchaient le sphinx doré comme s'il s'agissait d'une attraction foraine. Crack tournait lourdement au-dessus du champ de bataille, l'air repu et heureux.

– Vous n'auriez pas dû venir, a dit Thot d'un ton désapprobateur, brossant un peu de poussière de démon de son tee-shirt illustré d'un cœur enflammé. C'était trop risqué, surtout pour Walt.

– Surtout, ne dites pas merci pour le coup de main, ai-je ironisé.

Thot a eu un geste évasif.

– Tu veux parler des démons ? Il en viendra de nouveaux juste avant le lever du jour. Ça fait une semaine qu'ils attaquent toutes les six heures. Très agaçant, je te l'accorde.

– Toutes les six heures ?

Je me suis représenté Thot affrontant une armée comme celle qu'on venait de vaincre plusieurs fois par jour depuis une semaine. Même un dieu ne pouvait posséder une telle résistance !

– Où sont vos semblables ? ai-je demandé. Ils devraient vous aider, non ?

Il a plissé le nez comme s'il se trouvait dans le voisinage immédiat d'un démon affecté de coliques.

– Je vous suggère d'entrer, a-t-il dit enfin. Nous avons beaucoup à nous dire.

Pas de doute, Thot s'y entendait pour aménager l'intérieur d'une pyramide.

Il avait conservé le terrain de basket afin que ses babouins puissent pratiquer leur sport favori. Des suites de hiéroglyphes clignotaient sur l'écran géant qui pendait du plafond, épelant des encouragements en égyptien ancien ainsi qu'un score : THOT 25 – DÉMONS 0.

Sur les gradins, les sièges avaient été remplacés par des rangées de bureaux supportant des ordinateurs, comme dans le centre de contrôle d'une base spatiale, ou de tables carrelées encombrées de becs Bunsen, de fioles d'où s'échappait de la fumée, de bocaux remplis d'organes conservés dans l'alcool et d'autres bizarreries. Les gradins supérieurs accueillaient une bibliothèque au moins aussi vaste que celle du Premier Nome, et derrière le panneau de gauche se dressait un tableau blanc haut comme une maison de deux étages, entièrement couvert d'équations et de hiéroglyphes.

Des tentures noires brodées de symboles dorés pendaient des poutres au lieu des banderoles et noms de joueurs légendaires habituels.

Les tribunes abritaient les appartements privés de Thot, dotés de tout le nécessaire permettant au plus loufoque des dieux de s'adonner simultanément à une dizaine d'activités : cuisine entièrement équipée, canapés et fauteuils en peluche, piles de livres, seaux de Lego et de Kapla, téléviseurs à écran plat diffusant documentaires et bulletins d'informations, véritable forêt de guitares électriques et d'amplis...

Les babouins ont conduit Crack au vestiaire afin de le panser et l'étriller. Surtout, je les sentais inquiets à l'idée qu'il puisse dévorer les ibis en les prenant pour des dindes.

Thot nous a étudiés d'un œil critique, Walt et moi, avant de lâcher :

– Vous avez besoin de repos. Ensuite, je vous préparerai quelque chose à manger.

– On n'a pas le temps, ai-je rétorqué. On doit...

Thot m'a interrompu :

– Carter Kane, Apophis t'a presque étranglé et entraîné dans la Douât après t'avoir coupé d'Horus, la source de ton pouvoir. Tu n'iras nulle part avant d'avoir dormi.

Je m'apprêtais à protester quand Thot a pressé une main sur mon front. Aussitôt, la fatigue m'a submergé.

– Repose-toi, a-t-il dit d'un ton insistant.

Je me suis écroulé sur le canapé le plus proche.

J'ignore combien de temps j'ai dormi, mais en ouvrant les yeux, j'ai aperçu Walt et Thot en grande conversation.

– Personne n'a jamais fait une chose pareille, disait le dieu de la connaissance. Et le temps presse...

Me voyant me redresser, il s'est tu.

– Ah ! Carter. Tu es réveillé.

– Qu'est-ce que j'ai manqué ? ai-je demandé.

– Rien, a répondu Thot d'un ton un peu trop enjoué. Viens manger.

Des tranches de poitrine de bœuf, des saucisses, des côtelettes, du pain de maïs s'étalaient sur le comptoir de la cuisine au pied d'un distributeur automatique de thé glacé. Thot avait un jour assimilé le barbecue à une forme de magie. Dans un sens, il avait raison. L'odeur de la viande grillée a momentanément chassé mes préoccupations.

J'ai englouti un sandwich à la poitrine de bœuf ainsi que deux verres de thé tandis que Walt touchait à peine à sa côtelette.

Pendant notre repas, Thot a empoigné une Gibson et plaqué un accord qui a fait trembler le sol de la Pyramid Arena. Il avait progressé depuis la dernière fois où je l'avais entendu jouer. Les sons qu'il tirait à présent de sa guitare méritaient le nom de musique. Auparavant, on aurait dit les cris d'une chèvre de montagne martyrisée.

– Trop cool, ai-je remarqué, indiquant ce qui m'entourait avec mon morceau de pain.

Thot a ri.

– Mieux que mon dernier QG, pas vrai ?

La première fois où notre route avait croisé celle du dieu de la connaissance, il se planquait sur un campus universitaire et nous avait mis à l'épreuve, ma sœur et moi, en nous envoyant saccager la maison d'Elvis Presley – une longue histoire. Je préférais de beaucoup déguster un barbecue en tribune.

Puis j'ai repensé aux images que m'avait montrées Face de Cauchemar – ma mère en danger, les ténèbres dévorant les âmes des morts, le monde submergé par l'océan du chaos, à l'exception d'un minuscule îlot – et j'ai perdu tout appétit.

– Parlez-nous un peu de ces attaques de démons, ai-je dit, repoussant mon assiette. Et d'abord, qu'est-ce que vous racontiez à Walt avant mon réveil ?

Mon ami fixait délibérément sa côtelette à peine entamée.

Thot a égrené quelques notes de guitare avant de répondre.

– Par où commencer ? Les premières attaques remontent à une semaine. Je n'ai pas de contacts réguliers avec les autres dieux. S'ils ne sont pas venus à mon secours, j'imagine que c'est parce qu'ils affrontent le même problème. Diviser pour régner, ce pourrait être la devise d'Apophis. Et même si mes frères et sœurs pouvaient m'aider... Eh bien, ils ont actuellement d'autres priorités. Je te rappelle que Rê est de retour.

Il m'a adressé un regard noir, comme si j'étais une équation qui lui résistait, avant d'ajouter :

– Le dieu-soleil a besoin d'être accompagné et protégé lors de son voyage nocturne. Les dieux y consacrent une grande partie de leurs forces.

Mon sentiment de culpabilité s'est encore accru. Comme si j'avais eu besoin de ça... En plus, je ne trouvais pas très fair-play de la part de Thot de se montrer aussi critique à mon égard. Il nous avait soutenus, plus ou moins, dans notre projet de ramener Rê. Mais peut-être la semaine qu'il venait de vivre l'avait-elle fait changer d'avis...

– Vous pourriez déménager, ai-je suggéré.

Il a secoué la tête.

– Peut-être ne vois-tu pas aussi profond dans la Douât, mais le pouvoir d'Apophis encercle la pyramide. Je suis coincé ici.

J'ai levé les yeux vers le plafond. Soudain il m'a donné l'impression de s'abaisser vers nous.

– Ça veut dire... qu'on l'est aussi ?

Thot a balayé la question de la main.

– Vous devriez passer entre les mailles du filet. Celui-ci est conçu pour attraper un dieu. Walt et toi n'êtes pas assez importants pour qu'il vous retienne.

« Tu m'intéresses, Carter », avait dit Apophis. « Si tu capitules, je promets de t'épargner. »

J'ai repris :

– Combien de temps pensez-vous tenir ?

Thot a brossé la manche de sa blouse. Le mot « temps » s'est détaché du fouillis d'inscriptions en une dizaine de langues qui la recouvrait. Il l'a rattrapé avant qu'il ne touche le sol, et il s'est transformé dans sa main en une montre à gousset en or.

– Voyons... Considérant la rapidité avec laquelle les systèmes de défense de la pyramide s'affaiblissent et la quantité d'énergie que me coûte chaque nouvelle attaque, je pense pouvoir tenir encore deux jours, ce qui nous amène à l'équinoxe d'automne. Ha ! Vous parlez d'un hasard...

– Qu'est-ce qui se passera alors ? a demandé Walt.

– Alors, mes défenses céderont, mes serviteurs mourront et je suppose que ce sera la fin du monde. Apophis me précipitera dans un abîme, à moins qu'il ne disperse mon essence à travers l'univers. « La physique de la destruction des dieux »... Un bon thème pour un article.

Il a griffonné quelques mots sur sa guitare.

Walt l'a relancé :

– Thot, répétez à Carter ce que vous m'avez dit tout à l'heure, sur les raisons des attaques dont vous êtes la cible.

– Je pensais que c'était évident. Apophis cherche à me distraire pour m'empêcher de vous aider. Car vous êtes venus pour ça ? Pour que je vous renseigne sur l'ombre du serpent ?

La surprise m'a laissé sans voix durant quelques secondes.

– Comment le savez-vous ?

Thot a joué un riff de Jimi Hendrix avant de reposer sa guitare.

– Je suis le dieu de la connaissance, a-t-il dit. Je savais que tôt ou tard, vous arriveriez à la conclusion que votre seul espoir de l'emporter sur Apophis consistait à exécrer son ombre.

– Ça pourrait fonctionner ?

– En théorie, oui.

– Pourquoi ne pas nous l'avoir dit spontanément ?

– La connaissance ne s'offre pas. Elle se recherche et s'acquiert. En tant que professeur, tu devrais le savoir.

J'avais à la fois envie de l'étrangler et de le serrer sur mon cœur.

– Mais je recherche la connaissance, je suis prêt à tout pour l'acquérir ! Alors, comment vaincre Apophis ?

Thot m'a souri, et la rotation de ses iris multicolores s'est accélérée.

– C'est une bonne question, a-t-il affirmé. Malheureusement, je ne peux pas y répondre.

Je me suis tourné vers Walt.

– Tu le pulvérises ou je m'en charge ?

– Allons, allons, a repris Thot d'un ton grondeur. Je peux te guider, mais c'est à toi de relier les potelets...

– Les pointillés.

– Tu es sur la bonne voie. On peut utiliser son shut pour détruire un dieu, même Apophis. Comme toutes les créatures intelligentes, celui-ci possède une ombre, mais il la tient cachée sous bonne garde.

– Où est-elle ? Et que doit-on en faire ?

Thot a écarté les bras.

– Je ne connais pas la réponse à la seconde question. Quant à la première, je n'ai pas le droit d'y répondre.

Walt a repoussé son assiette, disant :

– Crois-moi, Carter, j'ai tenté de lui tirer les vers du nez. Mais on ne peut pas dire qu'il se soit montré très coopératif.

Je me suis de nouveau adressé à Thot :

– Vous nous mettez à l'épreuve, c'est ça ? Vous voulez quoi, qu'on fasse encore exploser la maison d'Elvis ?

– C'est tentant, mais non. Comprends-moi bien : je commettrais un crime grave en indiquant à un mortel l'emplacement d'une ombre immortelle, même celle d'Apophis. Déjà que les autres dieux me considèrent comme un traître... Au fil des siècles, j'ai divulgué de trop nombreux secrets aux hommes. Je vous ai enseigné l'écriture, la magie, et j'ai fondé la Maison de vie.

– C'est pourquoi les magiciens vous honorent toujours, lui ai-je rappelé. Alors, vous pouvez nous aider cette fois encore.

– En procurant aux hommes une arme contre les dieux ? Tu imagines bien que mes frères et sœurs y trouveraient à redire.

J'ai serré les poings, revoyant l'âme de ma mère cramponnée à un rocher. Le bloc de ténèbres qui menaçait de la consumer ne pouvait être que l'ombre d'Apophis. Celui-ci m'avait montré ces images afin de me décourager. Plus il devenait puissant, plus son ombre se renforçait.

À l'évidence, elle se trouvait quelque part dans la Douât, mais je n'en étais pas plus avancé. Autant chercher un minuscule îlot dans l'océan Pacifique.

– Vous pouvez aussi ne pas nous aider et laisser Apophis détruire le monde, ai-je lancé d'un ton accusateur.

– C'est pour ça que j'ai accepté de te parler, figure-toi, m'a-t-il rétorqué. Il existe un moyen qui te permettrait de retrouver l'ombre du serpent. Il y a très longtemps – j'étais encore jeune et naïf, à l'époque –, j'ai écrit un livre que j'ai intitulé *Le Livre de Thot*.

– Très accrocheur, a marmonné Walt.

– C'était aussi mon avis. Il répertoriait toutes les formes et les déguisements que pouvaient revêtir les dieux, ainsi que d'autres secrets tout aussi embarrassants pour eux.

– L'endroit où ils planquent leur ombre, par exemple ?

– Pas de commentaire, je te prie. Ce livre n'était pas destiné à tomber entre les mains des hommes, mais un magicien particulièrement habile est parvenu à le dérober.

– Et maintenant, où est-il ? Laissez-moi deviner : vous ne pouvez pas nous le dire.

– Sincèrement, je l'ignore. Le voleur l'a caché. Par chance, il est mort avant d'avoir pu en tirer pleinement avantage, mais il s'en est inspiré pour concevoir un certain nombre de sorts, dont celui qui permet d'exécrer une ombre. Il a noté ses réflexions dans une version spéciale de *L'Art de vaincre Apophis*.

– Ce magicien, il s'appelait Setné ?

– Oui. Ses spéculations étaient purement théoriques, bien sûr. Même moi, je n'ai jamais détenu un tel savoir. Et comme tu le sais, toutes les copies du document en question ont été détruites.

– Donc, c'est sans espoir.

– Pas du tout. Tu pourrais interroger Setné. C'est lui qui a rédigé le sort et caché *Le Livre de Thot*, lequel indique – ou pas – l'emplacement de l'ombre d'Apophis. Peut-être acceptera-t-il de vous aider.

– Je le croyais mort depuis des millénaires ?

– En effet, a acquiescé Thot avec un grand sourire. Et ce n'est pas le seul obstacle.

Selon notre hôte, Setné avait été très célèbre en son temps ; un mélange de Robin des Bois, Merlin et Attila. Plus j'en découvrais sur lui et moins j'avais envie de le rencontrer.

– C'était un magicien brillant, a expliqué Thot, mais aussi une crapule, un traître, un voleur et un menteur pathologique. Il s'enorgueillissait d'avoir dérobé quantité de livres précieux en plus du mien. Il s'est aventuré dans la Douât, a combattu des monstres, vaincu des dieux, violé des sépultures sacrées. Il est l'auteur de malédictions réputées irréversibles et a exhumé des secrets qui n'auraient jamais dû l'être. Une sorte de génie du mal, quoi.

– À vous écouter, on dirait que vous l'admiriez, a remarqué Walt.

Le dieu lui a adressé un sourire oblique.

– Disons que j'appréciais sa soif de savoir tout en désapprouvant ses méthodes. Il n'aurait reculé devant rien pour percer les secrets de l'univers. Car voyez-vous, il voulait être un dieu – pas seulement l'œil d'un dieu, mais un immortel à part entière.

– Ce qui est impossible, ai-je supposé.

– Difficile, oui. Impossible, non. Imhotep, le premier magicien, est devenu un dieu après sa mort. En parlant d'Imhotep, ça fait des millénaires que je n'ai pas eu de ses nouvelles. Je me demande ce qu'il devient. Je devrais le googliser...

– Je vous en prie, restez concentré, est intervenu Walt comme Thot dirigeait son regard vers ses ordinateurs.

– Tu as raison. Pour en revenir à notre discussion, je ne peux pas prendre le risque de divulguer à des mortels un sort susceptible de détruire une entité divine. Mais peut-être

Setné accepterait-il de vous l'enseigner et de vous conduire à l'ombre d'Apophis.

– Sauf que Setné est mort, ai-je objecté. On en revient toujours au même point.

Walt s'est brusquement redressé.

– À moins que... Vous nous avez suggéré de chercher Setné dans le monde souterrain. Mais s'il était aussi infect que vous le décrivez, Osiris aurait dû le condamner, non ? Ammout aurait dévoré son cœur, effaçant toute trace de lui.

– En principe, oui. Mais Setné était un cas à part. Il pouvait se montrer très... persuasif. À plusieurs reprises, Osiris l'a voué au néant, mais il s'est toujours tiré d'affaire en exploitant, disons, les failles du système. Il obtenait une révision de la sentence, négociait une peine plus légère, quand il ne s'évadait pas simplement. C'est ainsi qu'il a survécu – son âme, du moins.

Les yeux kaléidoscopiques de Thot se sont posés sur moi.

– Mais depuis que ton père, Carter, règne sur le monde souterrain, il a entrepris d'y restaurer l'ordre en réprimant plus durement les âmes rebelles. Dans quatorze heures, au coucher du soleil, Setné se présentera devant lui afin d'être rejugé. Et cette fois...

– Cette fois, il ne s'en tirera pas aussi facilement.

Il m'a semblé que les mains de Face de Cauchemar se refermaient de nouveau autour de ma gorge. Papa était juste mais sévère. De son vivant, il ne supportait pas de me voir avec la chemise hors du pantalon ! Si Setné était bien la crapule que Thot nous avait dépeinte, il ne lui témoignerait aucune pitié et balancerait son cœur à Ammout comme s'il s'agissait d'un biscuit pour chien.

Pourtant, les yeux de Walt brillaient d'excitation. Ça faisait longtemps que je ne l'avais pas vu aussi plein d'énergie.

– On ira trouver ton père, a-t-il dit. On le suppliera de repousser le procès de Setné, ou de lui accorder une remise de peine en échange de son aide. Les lois de l'autre monde permettent ce genre d'accord.

– Comment se fait-il que tu sois aussi bien renseigné ?

J'ai aussitôt regretté ma question. Il s'était probablement préparé à affronter le tribunal des morts. « Le temps presse », lui avait dit Thot. Était-ce de ça qu'ils parlaient tous les deux pendant mon sommeil ?

– Pardon, ai-je marmonné.

– Y a pas de mal. En tout cas, ça vaut la peine d'essayer. Si on arrive à persuader ton père d'épargner Setné...

– C'est drôle, non ? a gloussé Thot. Setné risque d'échapper une fois encore au châtiment parce qu'il est le seul à pouvoir sauver le monde grâce à ses penchants criminels...

– Hilarant, en effet.

Le sandwich au bœuf me pesait sur l'estomac.

J'ai récapitulé :

– Pour résumer, vous nous suggérez d'obtenir de mon père la grâce d'un magicien psychopathe mort depuis des millénaires, afin qu'il nous conduise à l'ombre d'Apophis et nous dise comment le détruire... En espérant qu'il ne va pas s'enfuir, nous tuer ou nous trahir.

Thot a approuvé avec enthousiasme.

– Je sais, il faudrait être fou pour se lancer dans cette entreprise.

– Alors, je dois être fou, ai-je soupiré.

– Bravo ! a applaudi Thot. Une dernière chose : pour aboutir, tu auras besoin de l'aide de Walt. Seulement, le temps lui est compté. Sa seule chance...

Walt l'a interrompu :

– C’est bon, je lui dirai moi-même.

Je m’apprêtais à lui demander des éclaircissements quand le buzzer qui indique habituellement la fin d’un match a retenti.

– L’aube approche, a remarqué Thot. Vous feriez bien de partir avant l’arrivée des démons. Bonne chance. Et transmettez mes amitiés à Setné... Si vous survivez jusque-là.

CARTER

8. Sadie fait le pot de fleurs

Le voyage de retour n'a pas été une partie de plaisir.

Cramponnés au bord de la barque, on claquait des dents, Walt et moi, avec des mouvements saccadés des yeux. La couleur du brouillard avait viré au rouge sang, et les murmures des fantômes exprimaient à présent la révolte.

Crack a émergé de la Douât plus tôt que je ne m'y attendais. Notre bateau traçait un sillage de vapeur dans le ciel tandis que notre griffon survolait lourdement les chantiers navals du New Jersey. Dans le lointain, les gratte-ciel de Manhattan brillaient comme de l'or au soleil.

On n'avait pas échangé un mot depuis notre départ de Memphis. La Douât n'encourage pas les bavardages. Walt a brusquement déclaré, l'air penaud :

– Je crois que je te dois des explications.

Je mentirais en disant que la conversation qu'il avait eue avec Thot ne m'intéressait pas. En même temps, j'estimais que ça ne me regardait pas. Depuis que Sadie avait exploré les moindres recoins de mon cerveau grâce à mon nom secret, j'étais devenu encore plus respectueux de l'intimité d'autrui.

– Tu ne me dois rien, Walt. Il s'agit de toi...

– Ça te concerne aussi. Je... je n'en ai plus pour très longtemps.

Le port de New York s'étendait en contrebas. J'ai baissé les yeux vers la statue de la Liberté comme on la dépassait. Depuis des mois, je voyais l'état de santé de notre ami se dégrader. Toutefois, je ne m'étais pas résigné à le voir partir. Soudain la prédiction d'Apophis m'est revenue à l'esprit : Walt ne vivrait pas assez longtemps pour assister à la destruction du monde.

– Tu en es sûr ? ai-je dit. Il y a peut-être...

– Anubis me l'a confirmé. Il m'accorde jusqu'à demain soir, au mieux.

Encore un ultimatum... On avait jusqu'au soir pour tenter de sauver l'âme d'un magicien maléfique. Le lendemain, au coucher du soleil, Walt mourrait. Et l'aube suivante, si on vivait assez longtemps pour la voir, marquerait le début de l'Apocalypse.

Je n'aime pas qu'on me contrarie. Plus un défi paraît impossible, plus je m'entête. Mais il me semblait entendre Apophis m'abreuver de sarcasmes : *Tu n'es pas du genre à renoncer, c'est ça ? Et si je charge un peu plus la barque ? Toujours partant, gamin ?*

Furieux, j'ai donné un coup de pied dans la coque et ravalé un cri de douleur.

Walt a sursauté.

– Carter ? Ça...

– Non, ça ne va pas !

Je n'étais pas en colère contre lui, mais contre la malédiction qui le rongeait, et aussi contre moi : mes parents s'étaient sacrifiés pour nous offrir, à ma sœur et moi, une chance de sauver le monde. À Dallas, plusieurs dizaines d'excellents magiciens avaient trouvé la mort pour avoir tenté de m'aider. Et à présent, on allait perdre Walt.

Il comptait beaucoup aux yeux de Sadie, c'est vrai. Mais ne t'imagine pas qu'il m'importait moins qu'à elle. Walt s'était naturellement imposé comme mon bras droit, et tous les novices le respectaient. Sa présence suffisait à désamorcer les conflits, et sa voix se révélait prépondérante quand il s'agissait de trancher un débat. Je pouvais lui confier n'importe quel secret, même ceux que je cachais à mon oncle – notre projet de créer une statue d'Apophis afin de l'exécrer, par exemple. S'il nous quittait...

– Tu ne vas pas mourir, ai-je affirmé. Je ne le permettrai pas.

Les pensées se bousculaient dans mon esprit : et si Anubis avait menti à Walt en prétendant sa mort imminente afin de l'éloigner de Sadie ? Peu probable : ma sœur n'en valait pas la peine.

(Je voulais juste m'assurer que tu écoutais toujours, Sadie.)

Peut-être Walt allait-il déjouer tous les pronostics. Certains malades survivent miraculeusement à des cancers. Pourquoi pas à une malédiction antique ? À moins de le placer en animation suspendue, comme Iskandar l'avait fait avec Zia, le temps de trouver un antidote ? Certes, sa famille cherchait un remède depuis des siècles, et Jaz, notre guérisseuse en chef, avait déjà tout tenté, en vain. Mais peut-être avait-on négligé une piste...

La voix de Walt s'est immiscée dans mes réflexions :

– Tu veux bien me laisser terminer ? Il faut qu'on dresse des plans.

– Comment peux-tu rester aussi calme ?

Walt a porté la main à l'anneau qu'il portait en pendentif, le jumeau de celui qu'il avait offert à Sadie.

– Ça fait des années que je vis avec cette malédiction. Je ne la laisserai pas me détourner de ma mission. D'une manière ou d'une autre, je vous aiderai à vaincre Apophis.

– Mais comment ? Tu viens de dire que...

– Anubis a eu une idée. Il m'a aidé à mieux comprendre mes pouvoirs.

Mon regard s'est posé sur les mains de Walt. À plusieurs reprises, je l'avais vu réduire des objets en cendres en les touchant, comme le criosphinx du musée de Dallas. Ce pouvoir ne lui venait pas de ses amulettes, et plus son état empirait, moins il semblait le contrôler – tu comprendras que j'hésitais à lui en taper cinq.

– Anubis croit savoir pourquoi j'ai développé cette aptitude, a-t-il poursuivi. Et ce n'est pas tout. Il pense pouvoir prolonger mon existence.

Dans mon soulagement, j'ai laissé échapper un rire tremblant.

– Pourquoi tu ne l'as pas dit plus tôt ? Il peut te guérir ?

– Non. Et l'opération comporte des risques. Personne ne l'a jamais tentée jusqu'ici.

– C'est de ça que tu discutais avec Thot ?

Walt a acquiescé.

– Même si le plan d'Anubis fonctionne, il pourrait entraîner, disons, des effets secondaires. Je ne crois pas que ça te plairait... et à Sadie non plus.

Malheureusement pour moi, j'ai beaucoup d'imagination. Je me suis aussitôt représenté Walt sous les traits d'un mort-vivant, momie décharnée, fantôme à corps d'oiseau ou démon difforme. Les « effets secondaires » de la magie égyptienne peuvent être spectaculaires.

– Tout ce qu'on souhaite, ai-je dit, m'efforçant de cacher mes craintes, c'est que tu vives. Ne t'occupe pas de Sadie.

Mais j'ai lu dans ses yeux que l'avis de ma sœur lui importait plus que le mien. M'enfin, qu'est-ce qu'ils lui trouvent tous ?

(Pas la peine de me frapper, Sadie. Je donne mon avis, c'est tout.)

Alors que Walt pliait et dépliait les doigts, il m'a semblé voir une vapeur grise s'élever de ses mains, comme si le fait d'évoquer son mystérieux pouvoir avait suffi à l'activer.

– Je ne prendrai ma décision qu'au moment de rendre mon dernier souffle, a-t-il déclaré. D'abord, je voudrais en parler avec Sadie, et lui expliquer...

Il a posé une main à plat sur le bord de la barque. Erreur : les roseaux tressés ont immédiatement viré au gris cendreux.

J'ai hurlé :

– Walt, stop !

Il a ôté sa main, trop tard. La coque est tombée en poussière.

Vite, on a empoigné les cordes. Par bonheur, Walt a veillé à ne pas les désintégrer. Ballottés par le vent qui nous jetait l'un contre l'autre, on a survolé Manhattan suspendus sous le ventre du griffon.

– Ce serait bien que tu apprennes à contrôler ton pouvoir ! ai-je crié à Walt.

– Pardon !

J'ignore comment on a réussi à atteindre Brooklyn sans lâcher prise. Bastet nous a regardés atterrir sur le toit du manoir.

– Pourquoi vous vous balancez au bout de ces cordes ? a-t-elle demandé, perplexe.

– Parce que ça nous amuse, ai-je marmonné. Quelles nouvelles ?

– Coucooouuu ! a fait une voix grêle.

Rê, le dieu-soleil, a surgi de derrière une cheminée. Il nous a adressé un sourire édenté et s'est mis à sautiller autour du toit en répétant : « Wombat, wombat, wombat. Cracker, cracker, cracker ! » Puis il a plongé une main à l'intérieur de son pagne et en a tiré des miettes de biscuits salés qu'il a jetées en l'air, comme des confettis. Tu trouves ça dégoûtant ? Ça l'était, je confirme.

Bastet a brusquement dégainé ses poignards. Un simple réflexe, sans doute, même si elle donnait l'impression de vouloir tailler en pièces le premier qui aurait le malheur de lui tomber sous la main. À contrecœur, elle a fait disparaître les lames effilées à l'intérieur de ses manches.

– Quelles nouvelles ? a-t-elle répété. Je fais encore du baby-sitting, cette fois pour le compte de ton oncle Amos, et l'ouchebti de ta sœur vous attend à l'intérieur. On y va ?

Sadie et ses ouchebtis mériteraient qu'on leur consacre un chapitre entier.

Ma sœur n'a aucun talent pour la statuaire magique, ce qui ne l'empêche pas de s'obstiner. Elle s'est mis en tête de créer un double idéal d'elle-même, qui s'exprimerait avec sa voix et accomplirait toutes les corvées à sa place, tel un robot téléguidé. Les premiers prototypes avaient tous explosé ou échappé à son contrôle, terrifiant les initiés et Khéops. Le dernier en date, une sorte de salière géante pourvue d'un œil unique, avait failli m'assommer alors qu'il volait autour de la maison en criant « Ex-ter-mi-ner ! »

Sa nouvelle tentative semblait issue du cauchemar d'un jardinier.

Sadie, qui n'a jamais brillé par ses talents artistiques, avait façonné une silhouette vaguement humaine à l'aide de pots de fleurs en terre cuite maintenus par de la ficelle et du ruban adhésif renforcé. La tête était constituée d'un pot retourné sur lequel elle avait dessiné un smiley au marqueur noir.

– Pas trop tôt ! s'est exclamée la créature à notre entrée.

Sa bouche ne remuait pas, mais la voix de Sadie résonnait à l'intérieur du pot comme si elle était coincée dedans. Cette pensée m'a arraché un sourire.

– Carter, je te vois. Oh ! Salut, Walt.

Le monstre s'est redressé avec des bruits de vaisselle, puis il a levé maladroitement un bras afin de rectifier sa coiffure virtuelle. Même bricolée avec des pots de fleurs et du ruban adhésif, Sadie reste Sadie.

Elle nous a mis au courant de l'attaque imminente contre le Premier Nome et de l'alliance entre Jacobi et Apophis. Rien que des nouvelles réjouissantes, quoi.

En retour, je lui ai relaté notre visite chez Thot ainsi que les visions que m'avait inspirées Apophis à propos de notre mère – ici, le monstre en pots de fleurs a frissonné – et de la fin du monde. Ces dernières n'ont pas paru l'étonner. Je ne lui ai pas dit que le serpent avait proposé de m'épargner si je lui livrais Rê – difficile, avec le vieux fou qui braillait ses chansons absurdes derrière la porte. En revanche, je lui ai longuement parlé du défunt Setné, dont le procès devait s'ouvrir le soir même.

– Don Vito, a dit Sadie.

– Pardon ?

– Tout indique que c'est lui, Setné, qui a surgi du mur devant moi, à Dallas. Il m'a avertie qu'on aurait besoin de son aide pour décrypter le sort d'exécration de l'ombre, et qu'on devrait faire jouer « nos relations » pour le tirer d'affaire, ce soir avant le coucher du soleil. On va devoir convaincre papa de le libérer.

– J'ai mentionné le fait que Thot nous l'a dépeint comme un meurtrier psychopathe ?

– Faire ami-ami avec les meurtriers psychopathes, c'est notre spécialité, non ?

Le pot qui lui servait de tête a pivoté vers Walt.

– Tu viens avec nous, j'espère ?

Sa voix exprimait une note de reproche. Apparemment, elle en voulait toujours à notre ami d'avoir séché le bal du lycée – et l'évanouissement collectif qui s'était ensuivi.

– Je serai là, a promis Walt. Je me sens mieux.

Il a jeté un coup d'œil dans ma direction, mais je n'avais pas l'intention de le contredire. Quoi qu'il ait pu comploter avec Anubis, je préférais qu'il attende pour en parler à Sadie. J'avais à peu près autant envie de me trouver mêlé à leurs histoires de cœur que de plonger la main dans un robot mixeur.

Ma sœur a repris :

– Vous deux, partez devant. On vous rejoindra à la salle du jugement avant le coucher du soleil. Ça nous laissera le temps de terminer ce qu'on a commencé.

– Terminer quoi ? me suis-je enquis, méfiant. Et d'abord, c'est qui, « on » ?

Pas facile de déchiffrer l'expression d'un pot de fleurs, mais j'ai perçu une hésitation chez Sadie.

– Tu n'es plus au Premier Nome, ai-je supposé. Qu'est-ce que tu fabriques ?

– Je suis en route pour aller voir Bès.

Sadie rendait visite à notre ami le dieu nain presque chaque semaine, et je n'y voyais aucun inconvénient. Mais pourquoi maintenant ?

– Hum, tu te rends compte qu'on est pressés ?

– C'est important, a-t-elle insisté. Il m'est venu une idée qui pourrait nous servir pour la suite de notre mission. Zia est avec moi.

– Zia ?

Mon cœur s'est emballé. Si j'avais été un pot de fleurs, j'aurais probablement tenté de rectifier ma coiffure.

– C'est pour ça que Bastet veille sur Rê ? ai-je ajouté. Qu'est-ce que vous...

– T'inquiète, je prends bien soin de ta copine. Au cas où tu t'interrogerais, elle ne m'a pas parlé de toi, et je n'ai pas la moindre idée de ses sentiments à ton égard.

Je me suis retenu de coller mon poing dans la figure en terre cuite de Sadie bis.

– Hé ! Je t'ai rien demandé...

– Pour ce soir, inutile de te mettre sur ton trente et un. C'est pas un rencard, je te rappelle. Mais pour une fois, pense à te brosser les dents.

– Je vais te tuer !

– Moi aussi, je t'aime, grand frère. À plus !

Sur ces paroles, l'ouchebti s'est effrité, laissant sur le sol un tas d'éclats de poterie surmonté d'un masque en terre cuite souriant.

Walt et moi avons retrouvé Bastet à l'extérieur de ma chambre. On s'est accoudés à la balustrade dominant la salle commune tandis que Rê gambadait le long de la galerie en ânonnant des comptines en égyptien ancien.

Nos initiés se préparaient à partir en cours. Julian fourrageait dans son sac, une saucisse plantée dans la bouche. Felix et Sean se disputaient un bouquin de maths. La petite Shelby poursuivait les deux autres Razmoket en brandissant une poignée de crayons qui jetaient des étincelles irisées.

J'ai été élevé comme un enfant unique, mais depuis six mois, j'avais l'impression d'avoir une douzaine de frères et sœurs. Malgré l'agitation perpétuelle, cette ambiance me plaisait, ce qui rendait ma décision d'autant plus difficile.

– Je n'aime pas ça, a dit Bastet quand je lui ai fait part de notre intention de nous rendre à la salle du jugement.

– T'as un meilleur plan ? a demandé Walt.

– En fait, non. Les plans, ce n'est pas mon fort. Mais si la moitié des choses que j'ai entendues à propos de Setné sont vraies...

– On n'aura pas d'autre chance, ai-je plaidé.

Elle a fait la grimace.

– Vous êtes sûrs de ne pas vouloir que je vous accompagne ? Je pourrais confier Rê à Nout ou Shou...

– Non, ai-je répondu. Amos aura besoin de toute l'aide possible. Il ne dispose pas de forces suffisantes pour repousser à la fois Apophis et les rebelles.

Bastet a acquiescé.

– Je ne peux pas pénétrer dans le Premier Nome, mais je patrouillerai à l'extérieur. Et si Apophis se montre, j'engagerai le combat.

– Attention, est intervenu Walt. Il sera au maximum de sa puissance.

Elle a relevé le menton d'un air de défi.

– J'ai déjà affronté le serpent, Walt Stone. Je le connais mieux que quiconque. Je dois bien ça à la famille de Carter... et au seigneur Rê.

– Minou, minou !

Rê venait de surgir derrière nous. Il a gratouillé la tête de Bastet avant de s'éloigner en répétant : « Miaou ! Miaou ! »

Le voir faire des bonds de cabri me donnait envie de hurler et de lui balancer tout ce qui me tomberait sous la main. On avait risqué nos vies pour réveiller le dieu-soleil dans l'espoir de faire jeu égal avec Apophis, et on avait ramené quoi ? Un troll ridé et chauve qui s'exhibait en pagne par tous les temps.

« Livre-moi Rê », avait dit Apophis. « Je sais que tu le hais. »

Malgré mes efforts, je ne parvenais pas à chasser de mon esprit l'image de l'îlot perdu au milieu de l'océan du chaos – un paradis particulier, où ceux que j'aimais vivraient en sécurité. Ce n'était qu'une illusion, bien sûr. Le serpent ne tiendrait pas sa promesse, je le savais. Mais je comprenais que Jacobi et Kwai aient pu se laisser séduire.

En outre, Apophis avait touché un point sensible : j'en voulais à Rê de sa faiblesse. D'ailleurs, Horus partageait mon avis.

Sa voix résonnait dans ma tête : *On n'a pas besoin de ce vieil imbécile. Je ne prétends pas qu'il faille le donner à Apophis, mais on devrait l'écarter et garder le trône des dieux pour nous.*

J'étais tenté, je l'avoue. Ça paraissait tellement évident...

Mais si Apophis tenait tant à ce que je lui livre Rê, ça voulait dire que celui-ci représentait un atout précieux pour nous. Il ne me restait plus qu'à découvrir en quoi.

La voix de Bastet m'a tiré de mes réflexions.

– Carter ? Je sais que tu t'inquiètes pour moi, mais ce n'est pas pour rien que tes parents m'ont tirée de l'abîme. Ta mère a vu que j'allais jouer un rôle décisif dans la bataille finale. S'il le faut, je lutterai jusqu'à la mort.

J'ai hésité. Bastet nous avait déjà tant donné... Son combat contre Sobek, le dieu-crocodile, avait failli la détruire. Elle avait persuadé son ami Bès de nous aider, pour le voir ensuite réduit à l'état de légume. Elle avait contribué à rétablir le pouvoir de son ancien maître, Rê, et lui servait à présent de baby-sitter. Il m'en coûtait de lui demander d'affronter de nouveau Apophis, mais elle avait raison. Elle connaissait notre ennemi mieux que quiconque – hormis Rê, peut-être, quand il avait encore toute sa tête.

– C'est d'accord, ai-je dit enfin. Mais ton aide ne suffira pas. Amos a également besoin de magiciens.

– Lesquels ? a objecté Walt. Depuis le désastre de Dallas, il ne nous reste plus beaucoup d'amis. On peut toujours compter sur São Paulo et Vancouver, mais ça m'étonnerait qu'ils disposent d'effectifs nombreux. Et leur priorité, c'est de protéger leurs propres nomes.

– Ce qu'il faut à Amos, ce sont des magiciens qui maîtrisent la voie des dieux. Il aura besoin de nous tous.

Walt a laissé un silence, le temps de s'imprégner de ma réponse, puis il a demandé :

– Tu suggères d'abandonner le manoir ?

En bas, les Razmoket poussaient des cris excités tandis que Shelby s'efforçait de les marquer avec ses crayons magiques. Perché sur la cheminée, Khéops dévorait des Cheerios en regardant Tucker s'exercer au lancer franc contre la statue de Thot. Jaz était occupée à bander la tête d'Alyssa (sans doute avait-elle été agressée par le cône exterminateur de Sadie, qui errait toujours à travers la maison). Indifférente à l'agitation, Cléo lisait, assise sur un canapé.

Pour certains, notre QG était la seule vraie maison qu'ils avaient jamais connue. Sadie et moi avions promis de veiller sur eux et de leur apprendre à maîtriser leurs pouvoirs. Pourtant, je m'apprêtais à les jeter dans la pire bataille de tous les temps alors que leur formation n'était même pas achevée.

– Ils ne sont pas prêts, a dit Bastet, exprimant tout haut mes pensées.

– Ils n'ont pas le choix, et nous non plus, lui ai-je rétorqué. Si le Premier Nome tombe, c'en sera terminé. Apophis va nous attaquer sur le sol égyptien, à la source même de la magie. Nous devons serrer les rangs autour du chef lecteur.

– Notre ultime combat, a murmuré Walt, promenant un regard plein de tristesse sur la salle commune – peut-être se demandait-il s'il vivrait assez longtemps pour y prendre part.

Il a ajouté :

– On l'annonce aux autres ?

– Pas encore. Laissons-les profiter de leur dernière journée de lycée. À leur retour, je compte sur toi, Bastet, pour les conduire en Égypte. Sers-toi de la magie, sers-toi de Crack, mais emmène-les tous. Si tout se passe comme prévu, Sadie et moi, on vous rejoindra avant le début de l'offensive des rebelles.

– « Si tout se passe comme prévu », a répété Bastet. Ce serait bien la première fois ! Et lui ? a-t-elle poursuivi, désignant le dieu-soleil qui mastiquait la poignée de porte de la chambre de Sadie. Si Apophis attaque dans deux jours...

– Il doit continuer à accomplir son périple nocturne. L'équilibre de la création en dépend. Mais au matin de l'équinoxe, il devra affronter Apophis en Égypte.

– Quoi, dans son état ? Et dans cette tenue ?

– Ça paraît débile, je sais. Mais Apophis le considère comme une menace. J'espère que dans le feu de l'action, il reprendra ses esprits et redeviendra... ce qu'il était.

Walt et Bastet n'ont rien dit, mais j'ai lu sur leur visage qu'ils n'y croyaient pas. Moi-même, je doutais que Rê se montre aussi pugnace face à Apophis qu'avec la poignée de porte de Sadie. Malgré tout, je trouvais réconfortant d'avoir un plan. Ça valait mieux que de rester les bras croisés à broyer du noir.

J'ai repris, m'adressant à Bastet :

– Tu vas mettre ces quelques heures à profit pour réunir armes, papyrus, amulettes, tout ce qui pourra vous servir. Puis tu avertiras Amos de votre arrivée. Pendant ce temps, Walt et moi, on va retrouver Sadie au pays des morts.

– Prends garde à Setné. Dis-toi qu'il est dix fois pire que tout ce que tu imagines.

– On a vaincu Seth, je te rappelle.

Bastet a secoué la tête.

– Seth est un dieu, il ne change pas. Même le dieu du chaos demeure prévisible. Tandis que Setné... Il est à la fois puissant et aussi imprévisible que peuvent l'être les hommes. Promets-moi de ne pas lui accorder ta confiance.

– Facile !

– On fait comment pour rejoindre le pays des morts ? a demandé Walt. Les portails ne sont pas fiables, on laisse Crack ici, et on n'a plus de bateau...

– J'ai pensé à un autre moyen, ai-je répondu, tentant de me convaincre que c'était une bonne idée. Je vais faire appel à une vieille connaissance.

SADIE

9. *Bataille de lave et boules de feu*

Pour te dire à quel point ma vie craignait, j'étais devenue une habituée d'un hospice pour dieux séniles.

Lors de notre première visite, Carter et moi, on avait d'abord dû descendre la rivière de la Nuit et plonger dans un lac de lave. Depuis, j'avais découvert qu'Isis avait le pouvoir de m'ouvrir la porte des Arpents du Soleil, comme celle de quantité d'autres endroits à l'intérieur de la Douât. Mais ce jour-là, j'aurais presque préféré traverser un océan de flammes à la nage que d'avoir affaire à elle.

Après ma conversation par ouchebti interposé avec mon frère, j'ai rejoint Zia au sommet d'une falaise calcaire surplombant le Nil. Il était déjà midi en Égypte. Il m'avait fallu plus longtemps que je ne l'aurais cru pour surmonter le décalage horaire. Après m'être changée, avoir déjeuné sur le pouce et parlé une dernière fois stratégie avec Amos, j'avais gagné la surface avec Zia. On se trouvait à présent devant les ruines d'un temple dédié à Isis, juste au sud du Caire. Le lieu idéal pour invoquer la déesse, mais on n'avait pas beaucoup de temps.

Zia avait gardé sa tenue de combat, pantalon de camouflage et débardeur kaki. Elle portait son bâton dans le dos et sa baguette accrochée à sa ceinture. Je l'avais trouvée en train de vérifier une fois de plus le contenu de son sac.

– Qu'est-ce qu'a dit Carter ? a-t-elle demandé.

(Rassuré, cher frère ? Eh oui, je m'étais éloignée avant de te contacter, si bien que Zia n'avait entendu aucune des vannes que je t'avais balancées. Même moi, j'ai une conscience !)

Je lui ai rapporté notre conversation, sans évoquer le danger qui menaçait l'âme de notre mère. Anubis, le premier, m'avait informée de ce problème, mais l'image de maman luttant contre l'ombre du serpent, cramponnée à un rocher dans la Douât, s'était logée dans ma poitrine comme une balle de revolver. Si j'y touchais, elle risquait de s'enfoncer dans mon cœur et de me tuer.

En revanche, je lui ai confié notre intention de solliciter l'aide de cette chère vieille crapule, Don Vito.

– Setné ? s'est-elle exclamée, horrifiée. On parle bien du même ? Carter se rend compte que...

– Ouaip !

– C'est une suggestion de Thot ?

– Ouaip !

– Et tu approuves ce plan ?

– Ouaip !

Zia a contemplé un instant le Nil. Peut-être pensait-elle à son village natal, qui se dressait au bord du fleuve avant que les serviteurs d'Apophis ne le détruisent. À moins qu'elle n'ait imaginé sa patrie submergée par l'océan du chaos.

Je m'attendais à ce qu'elle juge notre plan complètement fou, voire à ce qu'elle me plante là pour regagner le Premier Nome. Mais à force de fréquenter les Kane, la pauvre avait dû se résigner et comprendre qu'on ne pouvait accoucher que de plans aussi cinglés que nous.

– Bien, a-t-elle dit. Comment fait-on pour se rendre à cette... maison de retraite pour dieux ?

– Une seconde.

J'ai fermé les yeux, me suis concentrée.

Hou ! Hou ! Y a quelqu'un ?

L'image d'une femme à l'allure royale s'est imprimée dans mon esprit. Isis... Elle était vêtue d'une robe blanche vaporeuse et ses ailes miroitaient comme la surface d'un lac au soleil.

J'aurais donné n'importe quoi pour pouvoir l'étrangler.

Tiens, voilà ma copine ! ai-je pensé. *Tu sais, celle qui se permet de choisir mes fréquentations ?*

Elle a osé jouer l'étonnement :

Tu veux parler d'Anubis ?

À ton avis ?

J'aurais dû en rester là, surtout que j'avais besoin de son aide. Mais la voir se pavaner devant moi avec ses airs princiers et ses ailes chatoyantes a attisé ma colère.

Tu ne manques pas de culot ! ai-je attaqué. *Comploter derrière mon dos pour m'éloigner d'Anubis... Non mais, de quoi je me mêle ?*

À ma grande surprise, elle a conservé son calme.

Il y a des choses que tu ignores, Sadie. Il existe des règles...

Des règles ? Le monde est au bord de la destruction, et tout ce qui t'intéresse, c'est de savoir avec qui je sors ?

Les deux questions sont liées. En ne respectant pas les traditions, tu affaiblis Maât et contribues à renforcer le chaos. Les interactions entre mortels et immortels ne sont autorisées que dans un nombre limité de cas. En outre, tu ne dois pas te laisser distraire. Considère que je t'ai fait une faveur.

Une faveur *? Si tu veux vraiment m'aider, alors transporte-nous jusqu'à la quatrième maison – La Maison du Repos, Les Arpents du*

Soleil, appelle-la comme tu voudras. Et après, tu me feras le plaisir de t'occuper de tes oignons !

Tu vas peut-être me juger grossière, mais Isis avait franchi la ligne jaune. Et pourquoi prendre des pincettes avec quelqu'un qui squatte votre cerveau ? À force, elle avait appris à me connaître !

Elle a soupiré.

Sadie, l'intimité avec les dieux entraîne des risques. Tu le sais. Ton oncle est encore marqué par son expérience avec Seth. Même ton amie Zia doit lutter...

Lutter contre quoi ?

Si tu fusionnes de nouveau avec moi, tout s'éclairera. Il est plus que temps de joindre nos forces.

Tout ça pour en arriver là... Chaque fois que je faisais appel à elle, Isis tentait de me convaincre de lui ouvrir entièrement mon esprit. Et immanquablement, je refusais.

À t'entendre, ai-je argumenté, *l'intimité avec les dieux entraîne des risques. Pourtant, tu es impatiente de fusionner avec moi. Merci de te soucier autant de ma sécurité !*

Dans notre cas, c'est différent. Tu as besoin de ma force.

J'étais tentée, je l'avoue. Devenir l'Œil d'Isis m'aurait évité la peur, le doute. Rien n'aurait pu m'arrêter. On devient facilement accro à un tel pouvoir, et c'était bien là le problème.

Isis pouvait jouer les bonnes copines à l'occasion, mais elle servait d'abord ses propres intérêts, lesquels ne coïncidaient pas toujours avec ceux de l'humanité, ni avec les miens.

Sa loyauté envers son fils, Horus, constituait son unique moteur. Elle était prête à tout pour le voir occuper le trône des dieux. En plus d'être ambitieuse, elle se montrait volontiers rancunière et envieuse envers quiconque possédait des pouvoirs supérieurs aux siens.

Quand elle prétendait que tout s'éclairerait si je lui ouvrais mon esprit, elle voulait dire en réalité que je verrais alors les choses à sa manière. Il deviendrait difficile de démêler mes pensées des siennes. Qui sait ? Je finirais peut-être même par me persuader qu'elle avait bien agi en éloignant Anubis. (Quelle horreur !)

D'un autre côté, elle avait raison au moins sur un point : tôt ou tard, il nous faudrait unir nos forces. Sans ça, je n'avais aucune chance face à Apophis.

Mais ce moment n'était pas encore venu. J'entendais rester Sadie Kane le plus longtemps possible – rien que moi, avec mes immenses qualités, sans passagère divine.

Bientôt, ai-je promis à Isis. *Mais d'abord, j'ai des trucs à faire, et pour ça, je dois être sûre de mes décisions. Pour en revenir à La Maison du Rep...*

Isis avait un talent indéniable pour exprimer à la fois la déception et la réprobation. Comme mère, elle devait être redoutable. J'aurais presque plaint Horus.

Tu es ma mortelle préférée, ma magicienne d'élection, a-t-elle plaidé. *Pourtant, tu ne me fais toujours pas confiance.*

Je n'ai pas pris la peine de la contredire : elle était bien placée pour connaître mes sentiments.

Elle a haussé les épaules, apparemment résignée.

Comme tu voudras. Mais sache que la voie des dieux est la seule possible, pour tous les Kane comme pour celle-ci, a-t-elle ajouté avec un mouvement de tête en direction de Zia. *Elle doit l'apprendre de toute urgence. Et il t'appartient de la guider, Sadie.*

Ça veut dire quoi ?

Ce que les dieux peuvent être agaçants, à toujours s'exprimer par énigmes !

Zia étant plus expérimentée que moi, je voyais mal en quoi

je pouvais la guider. En plus, sa spécialité était l'élément feu. Si elle tolérait les Kane, elle n'avait jamais manifesté le moindre intérêt pour la voie des dieux.

Bonne chance, a repris Isis. *J'attendrai que tu me rappelles.*

Son image s'est brouillée avant de disparaître. Quand j'ai ouvert les yeux, un rectangle de ténèbres de la taille d'une porte se découpait devant moi.

– Sadie ? a fait la voix de Zia. Tu es restée longtemps silencieuse. Je commençais à m'inquiéter.

Je me suis forcée à sourire.

– Isis est un vrai moulin à paroles. Maintenant, en route ! Prochain arrêt, la quatrième maison.

Pour être franche, je n'ai pas bien saisi la différence entre les portails qu'invoquent les magiciens à partir d'artefacts et les portes créées par les dieux. Peut-être ces derniers utilisent-ils un réseau sans fil de pointe, à moins qu'ils ne visent mieux.

En tout cas, le portail d'Isis fonctionnait mieux que celui que j'avais fait apparaître pour me rendre au Caire. Il nous a débarquées pile dans le hall des Arpents du Soleil.

Zia a regardé autour d'elle d'un air perplexe.

– Où sont tous les gens ? a-t-elle demandé.

Bonne question. Les palmiers en pots, les baies vitrées avec vue sur le lac de feu, les affiches illustrées de portraits de vieillards souriants et de slogans du style VOS PLUS BEAUX MILLÉNAIRES SONT À VENIR, punaisées sur les rangées de colonnes, indiquaient qu'on avait atterri au bon endroit. En revanche, il n'y avait personne pour accueillir les visiteurs. Regroupées dans un coin de la salle, des potences à perfusion paraissaient tenir un conciliabule. Les canapés étaient vides. Sur les tables basses, plusieurs parties d'échecs et de senet – je hais ce jeu ! – demeuraient en suspens.

Tandis que je contemplais un fauteuil roulant, me demandant où se trouvait son occupant, il s'est brusquement embrasé. Quelques secondes plus tard, il n'en restait qu'un petit tas de cuir calciné et d'acier à moitié fondu.

À mes côtés, Zia tenait une boule de feu aveuglante dans sa main. Elle avait le regard affolé d'un animal pris au piège.

– T'as perdu la tête ? ai-je hurlé. Qu'est-ce qui...

Elle a lancé une deuxième boule de feu en direction du comptoir d'accueil. Un vase a explosé, projetant des pétales de marguerite enflammés et des éclats de poterie.

– Zia !

Elle ne semblait pas m'entendre. Elle a fait apparaître une autre boule de feu.

J'aurais dû courir me mettre à l'abri. Je n'étais pas disposée à mourir pour de vieux canapés rembourrés avec des noyaux de pêche. Pourtant je me suis jetée sur elle et lui ai agrippé le poignet.

– Zia, stop !

Elle a fixé sur moi un regard flamboyant de colère. J'exagère à peine : ses iris étaient devenus deux disques de feu orangé. Terrifiant. Toutefois, je n'ai pas cédé à la panique. Au cours de l'année écoulée, j'étais allée de surprise en surprise : j'avais appris que ma chatte était en réalité une déesse, vu mon frère se transformer en faucon et des manchots surgir de la cheminée du manoir en plusieurs occasions.

– Tu ne peux pas brûler toute la baraque, ai-je dit d'un ton ferme. Enfin, qu'est-ce qui te prend ?

Elle a cessé de lutter ; une expression confuse s'est peinte sur son visage et ses yeux ont retrouvé leur aspect habituel.

Soudain elle a avisé les débris du fauteuil roulant et les éclats du vase sur le tapis.

– C'est moi qui ai... ?

– Euthanasié ces pauvres fleurs ? Oui.

La boule s'est éteinte dans sa main – tant mieux, car je commençais à rôtir.

– Désolée, a-t-elle bredouillé. Je... je pensais me contrôler.

J'ai lâché son poignet.

– Ça t'arrive souvent de balancer des boules de feu au hasard ?

Elle jetait des regards effarés autour d'elle.

– N-non. Enfin, peut-être. J'ai eu des absences ces derniers temps. Quand je reviens à moi, je n'ai aucun souvenir de ce que j'ai pu faire.

– Comme en ce moment ?

Elle a acquiescé.

– Amos... Au début, il a cru à une conséquence de mon séjour prolongé dans une tombe.

Ah ! Le fameux épisode de la tombe... Zia était restée plusieurs mois enfermée dans un sarcophage liquide tandis que son ouchebti jouait son rôle à l'extérieur. Le chef lecteur Iskandar pensait ainsi la protéger – de Seth ? d'Apophis ? On n'en savait rien au juste. Ce qui est sûr, c'est qu'on aurait pu attendre un peu plus de jugeote de la part d'un soi-disant puits de sagesse deux fois millénaire. Plongée dans un sommeil artificiel, Zia avait été assaillie de visions horribles concernant la destruction de son village et celle du monde par Apophis. De quoi provoquer un méchant syndrome post-traumatique.

– « Au début », tu as dit ? Pourquoi, il a changé d'avis ?

Zia regardait toujours le fauteuil roulant fondu. La lumière qui pénétrait par les baies vitrées colorait ses cheveux en rouille.

– C'est ici qu'il était, l'ai-je entendue murmurer. Il y a passé des milliers d'années, impuissant...

Il m'a fallu un moment pour comprendre.

– Tu veux parler de Rê ?

– Il était seul, abandonné de tous. Après son abdication forcée, il avait perdu le goût de vivre. C'est pour ça qu'il s'est éloigné de notre monde.

J'ai remarqué, écrasant du pied une marguerite qui achevait de se consumer sur le tapis :

– Pourtant, il avait l'air content quand on l'a réveillé. Il n'arrêtait pas de sourire et de chanter...

Zia s'est approchée des fenêtres, comme irrésistiblement attirée par le paysage d'apocalypse qu'elles dévoilaient.

– Son esprit est toujours en sommeil. J'ai passé beaucoup de temps auprès de lui, Sadie. Je l'ai observé dans son sommeil. Je l'ai entendu gémir et marmonner. Ce corps de vieillard n'est qu'une cage. Le véritable Rê est enfermé à l'intérieur.

Elle commençait à m'inquiéter sérieusement. Les boules de feu, passe encore. Mais l'écouter délirer, très peu pour moi.

J'ai tenté de la ramener à la raison :

– C'est normal que tu te sentes des affinités avec Rê. Le feu est votre spécialité commune, en quelque sorte. Et puis, vous avez l'un et l'autre vécu l'enfermement, toi dans une tombe, lui dans un hospice. Ça explique sans doute le trou noir que tu viens de connaître : cet endroit aura ravivé un traumatisme.

Moi et ma psychologie à deux balles... D'un autre côté, j'avais assez étudié mes deux meilleures copines barjos, Liz et Emma, pour risquer un diagnostic.

Mais l'expression de Zia, perdue dans la contemplation du lac de feu, m'a fait douter du succès de ma thérapie.

– Amos sait ce que je traverse, a-t-elle dit. Il a tenté sur moi un sort censé m'éviter ces absences, mais c'est de pire en pire. Plus je passe de temps en la compagnie de Rê et plus j'ai l'esprit confus. Quand j'invoque le feu à présent, j'ai du mal à le contrôler. Je mets trop d'énergie même dans les sorts les plus simples, ceux que je pratique depuis des années. Si ça m'arrivait pendant un de ces trous noirs...

Je comprenais sa peur. Un magicien qui maîtrise mal son pouvoir risque d'épuiser sa force vitale, avec toutes les conséquences douloureuses que tu imagines.

« Elle doit apprendre la voie des dieux de toute urgence », avait dit Isis. « Et il t'appartient de la guider. »

Une pensée désagréable se frayait un chemin dans mon esprit. J'ai revu l'enthousiasme de Rê quand il avait rencontré Zia – ou « Zinnia », comme il l'appelait –, son insistance à vouloir lui offrir son dernier scarabée... Et à présent, notre amie poussait l'empathie avec le vieillard divin jusqu'à tenter d'incendier l'hospice où il avait végété durant d'interminables millénaires.

Tout ça n'annonçait rien de bon. Mais comment pouvais-je guider Zia quand je n'avais pas la moindre idée de ce qui lui arrivait ?

Les avertissements d'Isis résonnaient encore en moi : la voie des dieux était la seule possible pour les Kane. Amos était encore marqué par son expérience avec Seth, et Zia luttait...

J'ai pris une profonde inspiration avant de me lancer :

– Tu as dit qu'Amos savait ce que tu traversais. C'est pour ça qu'il a demandé à Bastet de s'occuper de Rê aujourd'hui ? Pour t'éloigner de lui ?

– Je... je suppose.

J'ai ensuite posé la question qui me brûlait les lèvres :

– Dans votre salle d'état-major, il a dit qu'il allait devoir employer « d'autres moyens » pour combattre nos ennemis. Seth... Il ne lui aurait pas causé des problèmes dernièrement ?

Zia a détourné le regard.

– Je lui ai promis de...

– Par tous les dieux ! Ne me dis pas que mon oncle essaie de canaliser le pouvoir de Seth, après ce que celui-ci lui a fait subir ?

Elle n'a pas répondu, ce qui constituait en soi une réponse.

– Jamais il n'arrivera à le contrôler ! me suis-je écriée. Et si les rebelles apprennent que le chef lecteur fricote avec le dieu du mal, comme ils le soupçonnaient...

– Seth est aussi le lieutenant de Rê. Il l'a défendu contre Apophis.

Je n'en croyais pas mes oreilles.

– Comme si ça justifiait quoi que ce soit ! Et maintenant, Amos pense que tu as un problème avec Rê, c'est ça ? Il croit qu'il tente de...

J'ai désigné la tête de Zia.

– Sadie, je t'en prie !

Je m'en suis voulu de la harceler ainsi. Elle avait l'air encore plus désemparée que moi. Mais j'étais inquiète de la voir perdre le contrôle de son pouvoir à quelques heures de la bataille finale. Pire encore, l'idée qu'Amos ait pu laisser Seth, ce monstre, s'introduire dans son esprit – et de son plein gré, encore ! – me nouait l'estomac à la manière d'un tyet.

Il me semblait entendre notre vieil ennemi Michel Desjardins ricaner : *Voilà ce qu'on récolte à frayer avec les dieux, Sadie Kane ! C'est pour ça qu'on a interdit cette forme de magie.*

J'ai filé un coup de pied aux débris fondus du fauteuil. Une roue tordue a fait entendre un grincement.

– On discutera de ça une autre fois, ai-je décidé. Le temps nous presse. Bon, où sont passés tous les pensionnaires ?

– Là, a répondu Zia, indiquant une des fenêtres. Sur la plage.

On a rejoint la plage de sable noir qui bordait le lac de feu. Personnellement, ce n'était pas l'endroit que j'aurais choisi pour y passer mes vacances, mais les pensionnaires de l'hospice avaient l'air d'apprécier. Certains se prélassaient sur des transats, abrités par des parasols aux couleurs vives, d'autres somnolaient sur des serviettes ou dans leurs fauteuils roulants.

Une déesse à tête d'oiseau, vêtue d'un maillot une pièce qui dévoilait ses chairs flétries, construisait une pyramide en sable. Deux vieillards – des dieux mineurs du feu, sans doute –, plongés jusqu'à la taille dans le lac bouillonnant, s'éclaboussaient de lave en riant aux éclats.

Leur infirmière, Taouret, nous a adressé un grand sourire.

– Sadie ! Tu arrives bien tôt, cette semaine. Et tu as amené une amie...

En temps normal, j'aurais pris mes jambes à mon cou si un hippopotame femelle avait couru vers moi pour me serrer dans ses bras, mais j'étais habituée aux manières de Taouret.

Si elle avait échangé ses chaussures à talons hauts contre des tongs, elle avait conservé sa blouse blanche. Elle était maquillée avec un certain goût, du moins pour un hippo, et sa chevelure luxuriante, fixée par des épingles, était recouverte d'une coiffe amidonnée. Sa blouse bâillait sur un ventre énorme, indice d'une grossesse permanente – logique, pour une déesse de la fertilité – ou d'un trop fort penchant pour les cupcakes.

Elle m'a pressée contre sa poitrine sans m'écraser, et je lui en ai été reconnaissante. Son parfum de lilas me rappelait ma grand-mère, et la légère odeur de soufre qui flottait sur ses vêtements, mon grand-père.

– Taouret, ai-je dit, je te présente Zia Rashid.

L'infirmière s'est rembrunie.

– Ah ! a-t-elle lâché.

Je ne l'avais jamais vue aussi gênée. Avait-elle deviné que ma compagne venait de faire fondre un de ses fauteuils et de carboniser ses marguerites ?

Comme le silence se prolongeait, elle est parvenue à esquisser un sourire.

– Bonjour, Zia, a-t-elle dit. Je te prie de m'excuser, mais tu ressembles tellement à... Peu importe ! Es-tu également une amie de Bès ?

– Hum, pas vraiment, a avoué Zia. Enfin, je suppose, mais...

– On est en mission, ai-je expliqué. Le temps se gâte là-haut.

J'ai parlé à Taouret des magiciens rebelles, de l'attaque imminente d'Apophis, de notre projet de découvrir l'ombre du serpent afin de la piétiner jusqu'à ce que mort s'ensuive.

Taouret a pressé ses mains boudinées l'une contre l'autre.

– L'Apocalypse aura lieu demain, dis-tu ? On avait prévu une soirée loto vendredi... Mes pauvres chéris vont être déçus !

Elle a dirigé son regard vers ses pensionnaires qui bavaient dans leur sommeil, dévoraient le sable noir ou tentaient de converser avec la lave, puis elle a soupiré :

– Mieux vaut ne rien leur dire. Ça fait des millénaires qu'ils se morfondent ici, oubliés des hommes. Maintenant, ils vont disparaître avec le reste de la création. Ils n'ont pas mérité ça.

Je me suis retenue de lui rétorquer que personne n'avait mérité ça – ni mes amis, ni ma famille, ni cette fille brillante appelée Sadie Kane, qui avait toute la vie devant elle... Mais Taouret était tellement généreuse que je craignais de lui paraître égoïste. Elle ne semblait pas se soucier de son propre sort, uniquement des dieux sur le déclin dont elle avait la charge.

– On n'a pas dit notre dernier mot, ai-je rappelé.

Son ventre a vibré telle une montagne de gelée.

– Mais, votre plan... Il est irréalisable !

– Pas plus que de réveiller le dieu du soleil.

– Je l'admets, vous avez déjà accompli l'impossible. Toutefois...

Elle a jeté un regard furtif à Zia, comme si sa présence la rendait nerveuse, avant d'achever :

– J'imagine que vous savez ce que vous faites. En quoi puis-je vous aider ?

– On pourrait voir Bès ? ai-je demandé.

– Bien sûr. Mais je crains que son état n'ait pas évolué.

Elle nous a guidées à travers la plage. Au fil de mes visites, j'avais fini par connaître la plupart des vieillards. J'ai repéré Heket, la déesse-grenouille, perchée sur un parasol qu'elle confondait peut-être avec une feuille de nénuphar. Par instants, elle dardait la langue comme pour attraper une mouche, à supposer qu'il y ait des mouches dans la Douât.

Plus loin, j'ai reconnu le dieu à tête d'oie, Gengen Wer, dont le nom signifie – je te jure que c'est vrai – « le grand faiseur de bruit ». Le jour où Taouret m'avait dit ça, j'avais failli recracher mon thé. Sa Majesté Tintamarre Ier se baladait sur le sable d'une démarche dandinante, réveillant ses compagnons avec ses cris discordants.

À chacune de mes visites, la composition du groupe changeait. Certains vieillards disparaissaient quand d'autres surgissaient – dieux tutélaires de villes à présent effacées des cartes, dont le culte n'avait duré que quelques siècles, ou tellement âgés qu'ils avaient oublié jusqu'à leur nom. La plupart des civilisations lèguent à la postérité des débris de poteries, des monuments ou des œuvres d'art. L'Égypte, elle, nous a laissé des divinités par centaines.

Parvenues à la hauteur des deux vieux qui s'éclaboussaient de lave, on a constaté que l'un frappait l'autre avec un ankh en couinant :

– C'est mon pudding, pas le tien !

– Oh ! Non, a soupiré Taouret. Celui qui étreint la flamme et le Brûlant de jambe sont encore en train de se chamailler.

Je me suis retenue d'éclater de rire.

– « Le Brûlant de jambe » ? Vous parlez d'un nom pour un dieu !

Taouret scrutait la surface du lac. Elle semblait se demander comment rejoindre les deux vieillards sans risquer l'incinération.

– Les pauvres siégeaient dans la salle du jugement, a-t-elle expliqué. À l'origine, ils étaient quarante-deux et chacun jugeait un crime différent. Pour Celui qui étreint la flamme, c'était le vol. On dirait que ça l'a rendu paranoïaque : il accuse toujours le Brûlant de jambe de lui avoir volé son pudding. Je vais devoir mettre un terme à cette dispute.

– Je m'en occupe, a déclaré Zia.

Taouret s'est crispée.

– Toi... ?

– Je ne crains pas le feu, a repris Zia. Vous deux, continuez. Je vous rejoindrai.

Peut-être préférait-elle barboter dans la lave que de voir Bès dans son état présent, ce que je pouvais comprendre : le pauvre offrait un spectacle pitoyable.

Zia s'est approchée du rivage et a pénétré dans le lac avec l'assurance d'une Pamela Anderson ignifugée tandis que Taouret et moi poursuivions en direction du quai auquel était amarrée la barque de Rê lors de ma première visite.

Bès était assis à l'extrémité de l'embarcadère, dans un fauteuil relax en cuir que Taouret avait dû transporter là à son intention. Il portait une chemise hawaïenne bleu et rouge et un bermuda kaki propres. Son visage s'était émacié depuis le printemps dernier, mais à part ça, il n'avait pas changé. Toujours la même barbe rêche, la même tignasse hirsute, la même tête de bouledogue, à la fois grotesque et attendrissante.

Mais depuis qu'on lui avait dérobé son nom secret, son âme n'était plus là. Il fixait le lac d'un air vacant et n'a pas réagi quand je me suis agenouillée près de lui et ai saisi sa main velue.

J'ai repensé à la première fois où il m'avait sauvé la vie. Il m'avait conduite au pont de Waterloo à bord d'une limousine pleine de détritus avant de mettre en fuite les deux divinités qui me pourchassaient. Il me semblait encore le voir bondir sur le toit de la voiture, vêtu d'un simple slip bleu moulant, et crier « BOUH ! »

– Cher Bès, ai-je murmuré, on fera tout notre possible pour t'aider. Je te le promets.

Je lui ai raconté tout ce qui s'était passé depuis ma dernière visite. Je savais qu'il ne m'entendait pas, mais ça me réconfortait de lui parler.

J'ai entendu Taouret renifler derrière moi. Je savais qu'elle aimait Bès depuis toujours, et que celui-ci n'avait pas tout le temps répondu à ses sentiments. Il n'aurait pu rêver meilleure infirmière.

– Oh ! Sadie, a-t-elle soupiré, essuyant une larme, j'aimerais tant te croire... Mais comment pourrais-tu aider Bès ?

– Le type dont je t'ai causé, Setné... Il a découvert comment exécrer un ennemi en utilisant son ombre. Si le shut est en quelque sorte la copie de sauvegarde de l'âme, et s'il y a moyen de renverser le sort...

– Tu penses que vous pourriez ramener Bès grâce à son ombre ?

– Exactement.

Ça paraissait dément, je sais, mais je me raccrochais à cette idée. Le fait d'avoir exposé mon plan à Taouret, qui était encore plus attachée que moi à Bès, avait encore renforcé ma résolution. Et qui sait ? Si on arrivait à ramener Bès, peut-être pourrait-on employer le même sort pour rendre ses forces à Rê ? Mais d'abord, je voulais tenir la promesse que j'avais faite au dieu nain.

– La difficulté, ai-je repris, c'est de localiser l'ombre de Bès. J'espérais que tu pourrais nous y aider. D'après ce que j'ai compris, les dieux ont l'habitude de cacher la leur, pas vrai ?

Gênée, Taouret se balançait d'un pied sur l'autre, faisant craquer les planches du débarcadère sous son poids.

– Hum, oui, a-t-elle répondu du bout des lèvres.

J'ai enchaîné :

– L'ombre et le nom secret, c'est un peu pareil, non ? Évidemment, je ne peux pas demander à Bès où il a caché la sienne. Mais j'ai pensé que la personne qui le connaît le mieux le saurait peut-être...

Crois-moi, ça fait tout drôle de voir rougir un hippo. Malgré sa masse, Taouret m'est soudain apparue aussi délicate qu'une gazelle.

– Je... j'ai vu son ombre une fois, a-t-elle avoué. Je crois qu'on n'a jamais été aussi proches qu'à ce moment-là. On était assis sur un mur du temple de Saïs...

– Saïs ?

– Une ville du delta du Nil. C'était là que résidait une de nos amies – Neith, la déesse de la chasse. Elle nous invitait souvent, Bès et moi. On lui servait de rabatteurs...

Je me suis représenté Bès et Taouret sillonnant les marais main dans la main, et criant « BOUH ! » de concert pour faire lever une volée de cailles...

La déesse-hippopotame a poursuivi :

– Un soir, après le dîner, lui et moi, on est allés s'asseoir sur un mur du temple de Neith afin d'admirer le clair de lune sur le fleuve...

Le regard qu'elle posait sur Bès exprimait une telle adoration que je me suis vue assise sur ce même mur en compagnie d'Anubis... Non, de Walt... Non... Aaargh ! Ma vie était un enfer.

J'ai poussé un soupir découragé.

– Continue, je t'en prie.

– On se tenait par la main, parlant de tout et de rien, quand soudain, à la lumière des torches, j'ai vu son ombre se refléter sur le mur en terre crue. Normalement, nous autres dieux, on évite de garder notre ombre à proximité. Il fallait que Bès m'accorde toute sa confiance pour me révéler ainsi la sienne. Quand je l'ai interrogé, il a ri. « C'est l'endroit idéal pour mon ombre », m'a-t-il dit. « Je crois que je vais la laisser ici. Je sais qu'elle y sera toujours heureuse, même quand moi je ne le serai pas. »

C'était si beau et à la fois si triste que j'en ai eu les larmes aux yeux.

Cependant, Celui qui étreint la flamme poussait toujours des cris stridents, accusant son compagnon de lui avoir volé son pudding. Zia s'efforçait de séparer les deux vieillards, qui l'aspergeaient de lave. Étrangement, ça ne semblait pas l'affecter.

Je me suis retournée vers Taouret :

– Cette nuit, à Saïs... C'était il y a combien de temps ?

– Quelques milliers d'années.

Mon cœur s'est serré.

– Il y a une chance pour que l'ombre de Bès s'y trouve toujours ?

Elle a haussé les épaules.

– La ville a été détruite il y a des siècles. Le temple n'existe plus. Les paysans ont démoli les bâtiments antiques et utilisé les briques en terre comme engrais. Une grande partie du site est retournée à l'état de marais.

La poisse ! Je n'ai jamais été très fan des ruines égyptiennes. Je l'avoue, j'ai déjà été tentée de faire exploser un temple ou deux, mais j'aurais bien voulu que celui-ci ait survécu. Si je les avais tenus, j'aurais volontiers étranglé ces fichus paysans.

J'ai soupiré :

– Alors, c'est sans espoir.

– Il y a toujours de l'espoir, a affirmé Taouret. Tu pourrais fouiller le secteur en appelant l'ombre de Bès. Tu es son amie ; si elle est toujours là, il y a des chances pour qu'elle t'apparaisse. Si Neith est également restée dans les parages, elle pourrait t'apporter son concours... à moins qu'elle ne te considère comme du gibier.

J'ai préféré ne pas m'attarder sur cette possibilité.

– Ça vaut la peine d'essayer, ai-je décidé. Si on parvient à trouver cette ombre et à décrypter le sort...

– Mais tu disposes de si peu de temps... Ta priorité, c'est d'arrêter Apophis. Comment pourrais-tu aider Bès en plus ?

Je me suis penchée vers le dieu nain pour déposer un baiser sur son front cabossé.

– Je lui ai fait une promesse, ai-je dit. Et on aura besoin de lui pour vaincre le serpent.

Je me doutais qu'il ne suffirait pas que Bès crie « BOUH ! » pour qu'Apophis détale, même s'il était réellement terrifiant en slip. Je n'étais même pas certaine que la présence d'un dieu supplémentaire fasse la différence dans la bataille qu'on s'apprêtait à livrer. J'étais encore moins sûre de pouvoir régénérer Rê. Mais si le monde s'achevait le lendemain, je préférais mourir sachant que j'aurais tout tenté pour sauver mon ami.

De toutes les divinités que j'avais rencontrées, Taouret était assurément la plus susceptible de comprendre mes motivations.

Elle a placé les mains sur les épaules de Bès dans un geste protecteur avant de déclarer :

– Dans ce cas, Sadie Kane, je souhaite que tu réussisses dans ton entreprise – pour Bès, et pour nous tous.

Quand je me suis éloignée, elle se tenait toujours derrière Bès, comme s'ils admiraient un coucher de soleil ensemble.

J'ai retrouvé Zia sur la plage, occupée à brosser la cendre de ses cheveux. À part quelques marques de brûlures sur son pantalon, elle avait l'air indemne.

Elle m'a désigné les deux vieillards, Celui qui étreint la flamme et le Brûlant de jambe, qui jouaient de nouveau gentiment dans la lave.

– Ils ne sont pas méchants, a-t-elle dit. Ils ont juste besoin d'attention.

– Comme un animal de compagnie... ou mon frère.

Zia a daigné sourire.

– Tu as obtenu le renseignement que tu souhaitais ? a-t-elle demandé.

– Je crois, oui. Mais d'abord, nous devons nous rendre à la salle du jugement. Le procès de Setné va bientôt s'ouvrir.

– On fait comment pour aller là-bas ? On emprunte une autre porte ?

Mon regard a balayé la surface du lac. D'après mes souvenirs, la salle du jugement se trouvait sur une île, quelque part sur celui-ci. Malheureusement, la géographie de l'autre monde est trompeuse. Cette île pouvait se situer à un niveau différent de la Douât, ou le lac s'étendre sur des milliards de kilomètres. L'idée d'en longer le rivage ne m'enchantait pas plus que celle de m'y aventurer à la nage. Mais j'avais encore moins envie de discuter de nouveau avec Isis.

C'est alors que j'ai distingué quelque chose sur les flots incandescents – la silhouette familière d'un bateau à vapeur venant vers nous. Ses deux cheminées crachaient une fumée scintillante et ses roues à aube brassaient la lave.

Mon frère – béni soit-il ! – était complètement fou.

– Le problème est résolu, ai-je dit à Zia. Carter va nous y conduire.

10. Mon père, ce héros si bleu...

À l'approche du quai, Carter et Walt se sont mis à agiter la main dans notre direction depuis la proue de *La Reine d'Égypte*. À leurs côtés, le capitaine Lames Dacier était très élégant dans son uniforme blanc, si l'on oublie la double hache tachée de sang qui lui tenait lieu de tête.

– Un démon ! s'est exclamée Zia.

– Bien vu.

– Tu crois que c'est prudent de... ?

Devant mon expression ironique, elle a achevé :

– Non, bien sûr. J'oubliais que je voyageais avec des Kane.

L'équipage magique s'activait sur le pont, fixant les amarres et abaissant la passerelle.

Carter avait l'air fatigué. Son jean et sa chemise chiffonnée présentaient des traces de sauce barbecue. Ses cheveux mouillés étaient plaqués d'un seul côté, comme s'il s'était endormi sous la douche. Walt avait bien meilleure allure, même – surtout – en short et débardeur. Il a fait l'effort de me sourire, même si son visage exprimait la douleur. Il m'a semblé que mon anneau shen devenait brûlant contre ma gorge, mais peut-être était-ce ma propre température corporelle qui montait en flèche.

Zia et moi avons gravi la passerelle, et le capitaine Dacier a incliné devant nous une lame assez tranchante pour couper une pastèque en deux.

– Bienvenue à bord, lady Kane, a-t-il dit d'une voix vibrante, aux intonations métalliques.

– Merci. Je peux te dire un mot, Carter ?

– Ouch ! a protesté celui-ci tandis que je le tirais par l'oreille vers la cabine.

Je sais, ce n'était pas très sympa de faire ça devant Zia, mais celle-ci devait savoir comment il convient de traiter mon frère.

Walt et Zia nous ont suivis à l'intérieur. Comme lors de notre première visite, la longue table en acajou de la salle à manger était recouverte de victuailles. La lumière du lustre rehaussait les couleurs des fresques murales, les dorures des colonnes et les détails des moulures au plafond.

– T'as perdu la tête ? ai-je grondé, lâchant l'oreille de Carter.

– Ouch ! a-t-il répété. C'est quoi, ton problème ?

– Mon problème, ai-je répondu, baissant la voix, c'est que tu as encore invoqué ce bateau et son capitaine, un démon qui, nous a dit Bastet, n'hésiterait pas à tous nous massacrer...

– Il est lié par un sort, m'a objecté Carter. Et il s'est très bien comporté la dernière fois.

– La dernière fois, Bastet nous accompagnait. Si tu crois que je vais me fier aveuglément à un démon appelé Lames Dacier qui...

– Hum ! a fait Walt.

Le capitaine est entré, baissant la tête pour éviter de fendre le chambranle.

– Lord et lady Kane, nous devrions atteindre la salle du jugement d'ici une vingtaine de minutes, a-t-il annoncé.

– Merci, a dit Carter, se frottant l'oreille. Nous vous rejoindrons sur le pont dans un moment.

– Bien, a repris le démon. Quels seront vos ordres une fois à destination ?

Je me suis crispée, espérant que Carter avait anticipé cette question. Selon Bastet, mieux valait donner des instructions précises aux démons pour les garder sous contrôle.

– Vous nous attendrez à l'extérieur de la salle du jugement, a répondu mon frère. Et à notre retour, vous nous emmènerez là où on vous le demandera.

– Il en sera fait selon vos désirs.

J'ai cru percevoir une note de déception dans la voix de Lames Dacier, mais peut-être l'ai-je imaginée.

Sitôt le capitaine sorti, Zia s'est tournée vers Carter :

– Pour une fois, je suis d'accord avec Sadie. Comment peux-tu faire confiance à cette... créature ? Et où as-tu trouvé ce bateau ?

– Il appartenait à nos parents, a répondu mon frère.

Lui et moi avons échangé un regard et décidé tacitement de ne pas en dire davantage. Nos parents avaient remonté la Tamise jusqu'à l'aiguille de Cléopâtre à bord de ce bateau, la nuit où maman avait trouvé la mort en délivrant Bastet de la Douât. Papa s'était ensuite retiré dans cette même salle à manger pour la pleurer, avec une déesse-chatte et un démon à tête de hache pour unique compagnie.

Lames Dacier avait accepté de nous servir à notre tour. Mais même s'il nous avait obéi jusque-là, je me méfiais de lui et n'aimais pas me trouver sous sa responsabilité.

D'un autre côté, on avait besoin d'un moyen de transport, et je mourais de faim et de soif. Sans aucun doute, les vingt minutes qui nous séparaient de notre destination passeraient plus vite avec un verre de Ribena glacé et une assiette de poulet tandoori accompagnée d'un naan.

On a fait un point sur la situation tout en dînant. Dieu sait s'il y avait matière à discussion, mais ça n'expliquait pas la tension qui régnait autour de la table, presque aussi tangible que le smog qui plane en permanence au-dessus du Caire.

Ça faisait des mois que Carter n'avait pas vu Zia en vrai. Il évitait de la regarder tandis qu'elle s'écartait imperceptiblement de lui quand il lui parlait, visiblement gênée – mais peut-être craignait-elle juste d'être victime d'une nouvelle absence et de le bombarder de boules de feu. Pour ma part, j'étais partagée entre le plaisir que me causait la présence de Walt et l'inquiétude que m'inspirait son état. Je le revoyais dans la Douât, entouré de bandelettes, et me demandais ce qu'Anubis avait tenté de me dire à son sujet. Lui faisait de gros efforts pour me dissimuler sa souffrance, mais sa main tremblait quand il portait son sandwich au beurre de cacahouète à sa bouche.

Carter m'a mise au courant de l'évacuation imminente de notre QG, confié à la surveillance de Bastet. Mon cœur s'est serré à l'idée que la petite Shelby, la douce Cléo, ce cher idiot de Felix et tous nos amis allaient devoir livrer un combat impossible pour défendre le Premier Nome. Mais Carter avait raison : on n'avait pas d'autre choix.

Mon frère laissait de nombreux blancs dans son récit, comme pour inciter Walt à prendre la parole, mais celui-ci restait muet. Il était évident qu'il cachait quelque chose. Je me suis promis de le cuisiner à la première occasion.

À mon tour, j'ai relaté à Carter notre visite aux Arpents du Soleil et lui ai fait part de mes soupçons concernant Amos et Seth. Zia ne m'a pas démentie, et mon frère a mal réagi à cette nouvelle. Il a passé plusieurs minutes à arpenter la pièce en proférant des gros mots avant de pouvoir articuler :

– On ne peut pas le laisser faire. Il va se détruire !

J'ai acquiescé.

– Je sais. Mais le meilleur service qu'on puisse lui rendre, c'est d'avancer.

Je n'ai fait aucune allusion aux « absences » de Zia. Dans l'état où se trouvait mon frère, je ne crois pas qu'il aurait supporté cette nouvelle révélation. En revanche, je lui ai rapporté les confidences de Taouret sur l'emplacement possible de l'ombre de Bès.

– Les ruines de Saïs, a-t-il dit, songeur. Il me semble avoir entendu papa mentionner ce nom. Si je me rappelle bien, il ne reste pas grand-chose de la ville. Mais même si on retrouve l'ombre de Bès, on n'aura pas le temps de s'en occuper. La priorité, c'est d'arrêter Apophis.

– J'ai fait une promesse, ai-je insisté. Et on a besoin de Bès. Considère ça comme une répétition générale. Sauver son ombre nous offrira une chance de pratiquer cette sorte de magie avant de l'essayer sur Apophis – à l'envers, bien sûr. Ça pourrait même nous apprendre comment régénérer Rê.

– Mais...

Walt est intervenu :

– Sadie a raison.

De Carter ou de moi, je ne saurais dire lequel était le plus étonné.

– Même avec l'aide de Setné, a enchaîné Walt, ce ne sera pas simple de piéger une ombre à l'intérieur d'une statue. Ça me rassurerait de tester d'abord le sort sur une cible amicale. Comme ça, je pourrai vous faire une démonstration avant... qu'il soit trop tard pour moi.

– Walt ! me suis-je écriée. Je t'en prie, ne parle pas comme ça !

– Quand vous vous trouverez face à Apophis, a-t-il poursuivi, vous n'aurez pas de seconde chance. C'est pourquoi il vaudrait mieux vous entraîner.

« Quand vous vous trouverez face à Apophis »... Avec quelle sérénité il avait prononcé cette phrase ! Pourtant sa signification était évidente : il ne serait plus là quand ce moment arriverait.

Carter a poussé sa part de pizza sur le bord de son assiette avant de déclarer :

– Je ne vois pas comment on pourrait faire tout ça en si peu de temps. Sadie, je sais que tu attaches une importance toute personnelle à cette mission, mais...

Zia l'a interrompu avec douceur :

– Si c'est le cas, elle doit aller au bout de son projet. Toi-même, Carter, tu t'es absenté au milieu d'une crise pour accomplir une tâche qui t'importait particulièrement... Et tu as réussi ! Parfois, a-t-elle ajouté, posant une main sur celle de mon frère, il faut savoir écouter son cœur.

Carter donnait l'impression d'avoir une balle de golf coincée dans la gorge. Avant qu'il ait pu répondre, la cloche du bord a retenti et la voix de Lames Dacier a jailli d'un haut-parleur placé dans un coin de la salle, accompagnée de crachotements :

– Nobles seigneurs et gentes dames, nous avons atteint notre destination.

Le temple noir était tel que dans mon souvenir. Après en avoir gravi les marches, on s'est avancés entre deux rangées de colonnes qui s'enfonçaient dans la pénombre. Des représentations du monde des morts scintillaient faiblement sur le sol et les colonnes, en noir sur fond noir. Malgré les torches de roseau disposées à intervalles réguliers, les vapeurs du lac empêchaient d'y voir au-delà de quelques mètres.

Au bout d'un moment, l'air a commencé à bruisser de murmures. À plusieurs reprises, j'ai aperçu du coin de l'œil un groupe de fantômes qui se confondaient presque avec la brume. Certains sanglotaient et déchiraient leurs vêtements dans leur désespoir. D'autres, les bras chargés de rouleaux de papyrus, paraissaient plus tangibles et presque déterminés.

– Des solliciteurs, a expliqué Walt. Ils ont apporté leur dossier afin d'obtenir une audience avec Osiris. Celui-ci est resté si longtemps absent qu'il a dû accumuler le retard dans le traitement des requêtes.

Le regard de Walt avait retrouvé sa vivacité et sa démarche était alerte. Dans son état, j'avais craint que cette visite au pays des morts ne lui soit pénible. En réalité, il semblait beaucoup plus à l'aise que nous.

– Comment tu sais tout ça ? ai-je demandé.

Il a hésité avant de répondre :

– C'était juste une supposition...

– Et ceux qui ont les mains vides ?

– Des réfugiés, qui espèrent trouver ici une protection.

Contre quoi ? J'ai préféré ne pas poser la question. J'ai repensé au fantôme que j'avais vu disparaître dans le sol, aspiré par une sorte de brouillard noir, pendant le bal du lycée, et à la vision qu'avait eue Carter de notre mère blottie au pied d'un rocher, quelque part dans la Douât, et luttant contre le pouvoir d'attraction des ténèbres massées à l'horizon...

J'ai accéléré le pas, mais Zia m'a tirée par le bras.

– Là ! a-t-elle murmuré.

Le brouillard s'est dissipé devant nous, dévoilant une double porte en obsidienne. Un chacal de la taille d'un lévrier montait la garde devant. Il avait une épaisse fourrure noire, des oreilles pointues, un museau entre celui d'un loup et d'un renard. Ses yeux dorés étincelaient dans la pénombre.

Il a grondé en nous voyant. Ça ne m'a pas effrayée. Je manque peut-être d'objectivité, mais je trouve les chacals mignons, même si les Égyptiens leur prêtaient l'habitude de déterrer les cadavres.

– C'est juste Anubis, ai-je dit, le cœur rempli d'espoir.

– Non, ce n'est pas lui, a affirmé Walt.

– Bien sûr que si ! Regarde...

– Sadie, non ! s'est écrié Carter tandis que je me dirigeais vers le gardien à quatre pattes.

Le gentil toutou a montré les crocs, les babines dégoulinant de bave, et son magnifique regard jaune m'a délivré un avertissement sans ambiguïté : « Un pas de plus et je t'arrache la tête. »

Je me suis figée.

– T'as raison, Walt. Ce n'est pas Anubis. Ou alors, il s'est levé du pied gauche.

– Il devrait nous attendre ici, comme la dernière fois, a remarqué Carter. Qu'est-ce qu'il fiche ?

– Il doit être occupé ailleurs, a supposé Walt. C'est pour ça qu'il nous a envoyé un de ses serviteurs.

À nouveau, il paraissait si sûr de ce qu'il avançait que j'ai ressenti une pointe de jalousie. On aurait dit que Walt et Anubis passaient plus de temps à papoter ensemble qu'en ma compagnie. Résultat, Walt était devenu un expert de l'au-delà tandis que je ne pouvais même pas rencontrer Anubis sans encourir les foudres de son chaperon, Shou. Quelle injustice !

Zia est apparue à mes côtés, serrant son bâton dans ses mains.

– Et maintenant, on fait quoi ? a-t-elle demandé. On est censés le vaincre pour pouvoir passer ?

Je l'ai imaginée balançant une de ses boules de feu destructrices de marguerites sur le chacal, et celui-ci faisant irruption dans le tribunal présidé par mon père, la queue en flammes, en poussant des glapissements aigus. On ne pouvait rêver meilleure entrée !

– Surtout pas, a dit Walt. Il fait juste son travail. Tout ce qu'il veut savoir, c'est ce qui nous amène.

– Si jamais tu te trompes..., a commencé Carter.

Walt s'est lentement approché du chacal, levant les mains pour prouver ses intentions pacifiques, puis il s'est présenté :

– Je m'appelle Walt Stone. Voici Carter et Sadie Kane, ainsi que Zia...

– Rashid, a complété celle-ci.

– Nous avons à faire dans la salle du jugement, a ajouté Walt.

Le chacal a émis un nouveau grondement, moins hostile que curieux.

– Nous souhaitons témoigner au procès de Setné. Nous possédons des éléments susceptibles d'influencer ses juges.

– Tu nous avais caché que t'avais un diplôme d'avocat, lui a soufflé Carter.

Je lui ai fait signe de la boucler. Le plan de Walt avait l'air de fonctionner. Le chacal a penché la tête de côté, comme s'il réfléchissait, puis il s'est éloigné d'un pas élastique avant de se fondre dans l'obscurité. Les portes ont pivoté sans bruit.

– Bien joué, Walt ! me suis-je écriée. Comment as-tu... ?

Il s'est alors retourné vers moi, et mon cœur a fait un bond.

Durant une seconde, il m'avait semblé reconnaître… Mais non, mon imagination et la confusion qui régnait dans mes sentiments me jouaient des tours.

– Hum, comment as-tu trouvé les arguments pour le convaincre ? ai-je achevé, troublée.

Walt a haussé les épaules.

– J'ai dit ça au hasard.

À peine ouvertes, les portes ont commencé à se refermer.

– Vite ! a crié Carter.

Sans plus réfléchir, on a foncé tête baissée dans la salle du jugement.

Le jour de la rentrée, le professeur principal de ma classe, à l'Académie de Brooklyn, nous avait demandé de remplir une fiche indiquant les coordonnées et la profession de nos parents, au cas où ils auraient voulu participer à la journée des métiers. Étant étrangère au système scolaire américain, je ne connaissais pas cette tradition. Quand la prof m'avait expliqué de quoi il en retournait, j'avais failli éclater de rire.

Je suis sûre que mon père adorerait venir présenter son métier à la classe, madame Laird, avais-je pensé. *Le problème, voyez-vous, c'est qu'il est mort… Plus exactement, il est un dieu ressuscité. Il juge les défunts et jette les cœurs des condamnés à son monstre de poche pour qu'il les dévore. Oh ! J'oubliais : il est tout bleu… Il devrait produire une forte impression sur les élèves qui aspirent à devenir eux-mêmes des dieux égyptiens.*

La salle du jugement avait changé depuis ma précédente visite. Comme elle a tendance à refléter les pensées d'Osiris, le plus souvent, elle imite plus ou moins notre maison de Los Angeles, à l'époque heureuse où on formait tous les quatre une famille.

Ce jour-là, toutefois, la vaste salle circulaire présentait un aspect cent pour cent égyptien, sans doute parce que papa était en service. Ses colonnes étaient sculptées en fleur de lotus ; des braseros magiques inondaient les murs d'une étrange clarté bleu-vert. Au centre se dressait une balance en métal noir avec d'immenses plateaux en or.

Agenouillé au pied de la balance, un fantôme en costume à rayures déchiffrait un papyrus à voix haute. Il avait l'air nerveux, et je n'ai pas tardé à comprendre pourquoi : deux démons à têtes de cobra l'encadraient et brandissaient des piques acérées au-dessus de lui.

Papa trônait sur une estrade dorée, un assistant tout bleu debout à ses côtés. C'était toujours déstabilisant de le voir dans la Douât, car il semblait deux personnes à la fois. En surface, il avait conservé son apparence humaine – celle d'un bel homme musclé au teint foncé, au crâne rasé, avec un bouc soigneusement taillé, vêtu d'un élégant costume en soie et d'un pardessus sombre, comme un businessman sur le point d'embarquer à bord de son jet privé. Mais à un autre niveau de réalité, il se présentait sous les traits d'Osiris, le dieu des morts, et portait la tenue traditionnelle des pharaons – pagne en lin brodé, sandales, la poitrine barrée de larges colliers d'or et de corail. Sa peau avait la couleur d'un ciel d'été. Une crosse et un fléau, symboles de royauté, reposaient sur ses genoux.

Même si ça me faisait bizarre de voir mon père en bleu et en jupe, j'étais si heureuse de pouvoir l'approcher que j'ai failli en oublier le protocole.

– Papa ! ai-je crié en me précipitant vers lui.

(Carter me traite d'idiote. Mais papa est le roi de l'autre monde, non ? Alors, je ne comprends pas pourquoi je n'aurais pas le droit de lui dire bonjour.)

J'avais parcouru la moitié de la salle quand les démons à têtes de serpent ont croisé leurs piques pour me barrer la route.

– C'est bon, a dit papa, un peu surpris. Laissez-la passer.

Je me suis jetée à son cou, renversant la crosse et le fléau.

Il m'a serrée contre lui en riant, et pendant quelques secondes, j'ai eu l'impression d'être de nouveau une petite fille. Puis il m'a tenue à bout de bras, et j'ai vu combien il était fatigué. Il avait les yeux cernés, les traits tirés. Même l'aura puissante d'Osiris, qui l'entourait d'habitude comme une couronne solaire, clignotait faiblement.

– Qu'est-ce que tu fais là, ma chérie ? a-t-il demandé d'une voix tendue. Je travaille.

– Papa, c'est important ! ai-je répliqué, vexée.

Carter, Walt et Zia se sont approchés à leur tour. L'expression de mon père s'est assombrie.

– Je vois, a-t-il dit. Mais d'abord, laissez-moi juger ce cas. Placez-vous ici, à droite du trône. Et s'il vous plaît, ne m'interrompez pas.

– Seigneur, c'est contraire au règlement, a protesté son assistant, un vieillard bizarre, trop solide pour un fantôme, trop bleu pour un homme, et presque aussi décrépit que Rê.

Il portait en tout et pour tout un pagne, des sandales et une perruque noire trop large. J'imagine que ce casque de faux cheveux lustrés était censé lui donner un air viril, du moins selon les critères de l'Égypte ancienne, car avec ses yeux bordés de khôl et ses pommettes fardées, il évoquait plutôt un transformiste sur le retour grimé en Cléopâtre. Il serrait dans ses bras un énorme rouleau de papyrus. Un jour, j'ai visité une synagogue avec ma copine Liz. L'exemplaire de la Torah qui y était exposé aurait paru minuscule en comparaison.

– Tout va bien, Causeur de troubles, a assuré mon père. Nous pouvons poursuivre.

– Mais, seigneur...

Dans son émotion, le vieux (comment peut-on s'appeler « Causeur de troubles » ?) a relâché sa pression sur le papyrus qui s'est déroulé sur les marches tel un tapis.

– Zut, zut, zut ! a marmonné Causeur de troubles, tentant d'empêcher le rouleau de se dévider entièrement.

Réprimant un sourire, mon père s'est retourné vers le fantôme en costume rayé, toujours agenouillé au pied de la balance.

– Je te prie de m'excuser, Robert Windham. Tu peux poursuivre.

– B-bien, seigneur Osiris, a bredouillé le fantôme en s'inclinant.

S'étant replongé dans ses notes, il a énuméré une série de crimes – meurtre, vol, trafic de bétail – qu'il affirmait ne pas avoir commis.

– Il vient de notre époque, non ? ai-je soufflé à l'oreille de Walt. Qu'est-ce qu'il fiche ici ?

Une fois de plus, j'ai été étonnée de constater que Walt avait la réponse à ma question.

– Chacun voit l'au-delà différemment selon ses croyances. Peut-être a-t-il lu l'histoire du jugement des âmes quand il était gosse. Il faut croire qu'elle l'a fortement marqué.

– Et ceux qui ne croient en rien ?

Walt m'a adressé un regard plein de tristesse.

– C'est exactement ce qu'ils voient : rien.

– Chuuuut ! a fait Causeur de troubles, de l'autre côté du trône.

C'est une loi universelle : quand un adulte veut signifier à un gosse de se taire, immanquablement, il fait plus de bruit que lui.

Le fantôme de Robert Windham était presque arrivé au bout de sa liste :

– Je n'ai pas prononcé de faux témoignages contre mon prochain. Hum... Pardon, je n'arrive pas à lire la dernière ligne...

– Le poisson ! a aboyé Causeur de troubles. As-tu pêché des poissons dans un lac sacré ?

– Aucun risque, a répondu le mort. Je vivais au Kansas !

– Maintenant, a dit mon père en se levant, procédons à la pesée du cœur.

Un des démons a produit un paquet de la taille d'un poing d'enfant, enveloppé dans une étoffe de lin.

Carter a étouffé un cri à mes côtés.

– Quoi, son cœur est là-dedans ? a-t-il chuchoté.

– Chuuut ! a répété Causeur de troubles avec tant de véhémence qu'il a failli perdre sa perruque. Faites entrer Ammout !

Une trappe s'est ouverte dans le mur à l'opposé du trône, et Ammout a déboulé dans la salle. Le pauvre chou manquait un peu de coordination : si l'avant de son corps possédait la minceur et l'agilité d'un lion miniature, son arrière-train joufflu d'hippopotame ne manifestait pas la même aisance. Il dérapait sans cesse, se cognait aux colonnes et aux braseros. Chaque fois qu'il s'écrasait contre un obstacle, il secouait sa crinière et sa tête de crocodile en jappant.

(Carter ne peut pas s'empêcher de me corriger. Il dit qu'Ammout est une femelle. C'est possible, mais je l'ai toujours considéré comme un mâle. Je le trouve trop speed pour une fille, et la manière dont il marque son territoire... Bref.)

– Salut, mon bébé ! me suis-je exclamée. Viens vite, mon patapouf...

Ammout a couru vers moi et sauté dans mes bras, frottant son museau écailleux contre ma manche.

– Blasphème ! a protesté Causeur de troubles.

Dans son indignation, il a de nouveau laissé échapper le papyrus qui s'est enroulé autour de ses jambes.

– Sadie, a dit mon père d'un ton ferme, je te prierai de ne plus appeler la dévoreuse d'âmes « mon patapouf ».

– Pardon, ai-je murmuré, reposant Ammout.

Le démon a placé le cœur de Robert Windham sur un des plateaux de la balance. J'ai regretté qu'Anubis ne soit pas là pour accomplir cette tâche à sa place – il était beaucoup plus agréable à regarder qu'un monstre à tête de serpent.

La plume de vérité – par pitié, ne me lance pas sur le sujet – est apparue sur le second plateau. Après quelques oscillations, les deux plateaux se sont immobilisés au même niveau. Le fantôme en costume rayé a poussé une sorte de hoquet, visiblement soulagé, tandis qu'Ammout geignait, déçu.

– Impressionnant, a commenté mon père. Robert Windham, tu sembles avoir été un homme vertueux, pour un banquier.

– Vive la Croix-Rouge ! a exulté le fantôme. Je ne regrette pas tout le pognon que je leur ai filé !

– Bien, a dit sèchement papa. Tu peux rejoindre l'au-delà, à présent.

Une porte s'est ouverte à gauche de l'estrade. Les démons ont relevé Robert Windham.

– Merci ! a crié ce dernier tandis qu'ils l'escortaient vers la porte. Si jamais vous avez besoin de conseils financiers, seigneur Osiris, n'hésitez pas à m'appeler ! Je crois toujours en la viabilité à long terme du marché...

La porte s'est refermée derrière lui.

– Quel homme horrible ! a déclaré Causeur de troubles avec un grognement désapprobateur.

– Une âme moderne qui appréciait autant les traditions de l'Égypte ancienne ne peut être tout à fait mauvaise, lui a rétorqué mon père.

Puis il s'est tourné vers nous :

– Les enfants, je vous présente Causeur de troubles, mon conseiller et un des juges divins.

– Il cause quel genre de troubles ? ai-je demandé d'un air innocent. Digestifs ?

– Je n'apprécie guère qu'on plaisante avec mon nom, a ronchonné le vieillard. Ici, tout le monde me respecte. Sache que je juge les coléreux.

Malgré sa lassitude, une lueur amusée a traversé le regard de mon père.

– En effet, a-t-il dit, c'était le rôle traditionnel de Causeur de troubles. Maintenant qu'il ne reste plus que lui, il m'aide à examiner tous les cas. Autrefois, ils étaient quarante-deux juges divins, un pour chaque catégorie de crime, mais...

– Comme le Brûlant de jambe et Celui qui étreint la flamme, a remarqué Zia.

– D'où connais-tu leur nom ? a interrogé Causeur de troubles, stupéfait.

– On les a vus dans La Maison du Repos.

– Vous...

Le vieillard a failli laisser tomber son rouleau de papyrus sur ses pieds, puis il s'est adressé à mon père :

– Seigneur Osiris, il faut les sauver ! Mes frères...

– Nous en reparlerons plus tard, a promis papa. D'abord, je voudrais savoir ce qui amène mes enfants.

Avec Carter, on lui a exposé la situation chacun à notre

tour : les rebelles et leur alliance secrète avec Apophis, l'attaque imminente contre le Premier Nome, notre espoir de découvrir un sort d'exécration capable de stopper définitivement le serpent...

Papa a eu l'air à la fois surpris et inquiet d'apprendre que les défections dans les rangs du Premier Nome l'avaient fragilisé au point de nous obliger à envoyer nos initiés en renfort, et surtout que son frère jouait un jeu aussi dangereux avec Seth.

– Il ne peut pas faire ça ! s'est-il écrié. Quant aux magiciens qui l'ont abandonné... Leur comportement est inexcusable ! La Maison de vie doit se rallier au chef lecteur. Je vais aller trouver mon frère et...

Causeur de troubles l'a interrompu :

– Seigneur, vous n'êtes plus un magicien. Vous êtes Osiris.

– Tu as raison, a soupiré papa en se rasseyant. Les enfants, poursuivez, je vous prie.

Il était déjà au courant de certains des faits qu'on lui a rapportés, mais il a paru se voûter quand on a évoqué les âmes disparues, et la vision que Carter avait eue de maman, perdue dans les profondeurs de la Douât et luttant contre une mystérieuse puissance ténébreuse.

– J'ai cherché votre mère partout, nous a-t-il confié. Mais je ne peux rien contre cette force qui aspire les âmes, qu'il s'agisse de l'ombre du serpent, comme vous le pensez, ou d'autre chose. Je n'ai même pas réussi à la localiser ! Votre mère...

Sa voix s'est brisée. Je savais ce qu'il éprouvait. Pendant des années, il avait porté le poids de la mort de maman. Et à présent qu'un nouveau danger la menaçait, il se sentait tout aussi impuissant, même en tant qu'Osiris.

– On la trouvera, nous, ai-je promis. On a un plan. Tout est lié, papa.

On lui a alors dévoilé notre projet d'employer le shut d'Apophis pour une exécration grand format.

– C'est Anubis qui t'a parlé de ça ? a-t-il demandé, plissant les yeux. Il a révélé la nature du shut à une mortelle ?

Son aura bleutée s'était mise à crépiter. Je n'avais encore jamais eu peur de notre père, mais j'avoue que j'ai reculé.

– Il n'y avait pas qu'Anubis..., ai-je bredouillé.

Carter est venu à mon secours :

– Thot nous a aidés. Et le reste, on l'a deviné tout seuls.

– Thot ! a grondé notre père. C'est là un savoir dangereux, mes enfants. Beaucoup trop. Je ne vous laisserai pas...

– Papa ! ai-je crié.

Il a eu l'air choqué, mais ma patience était à bout. J'en avais marre d'entendre des dieux me dire : « Fais pas ci, fais ça. »

J'ai enchaîné :

– Ça ne peut être que l'ombre d'Apophis qui attire ces malheureuses âmes. Elle s'en nourrit, et son pouvoir se renforce en même temps que celui du serpent.

Au moment où je prononçais ces mots, leur signification m'est subitement apparue. C'était horrible, mais c'était la pure vérité.

– Nous devons la localiser et la capturer, ai-je insisté. Puis elle nous servira à bannir le serpent. C'est notre seule chance. On a déjà façonné la statue pour l'exécrer. Pas vrai, Carter ?

– On n'est pas sûrs que ça marche, a dit mon frère, montrant son sac à dos. Et le sort va probablement nous tuer. Mais on n'a pas le choix.

– Carter ! s'est exclamée Zia, horrifiée. Tu ne m'avais pas dit ça ! Vous avez façonné une statue du... de *lui* ? Tu comptes te sacrifier à...

– Non ! a protesté notre père, vibrant de colère.

Puis il s'est affaissé sur son trône et a enfoui son visage dans ses mains.

– Sadie a raison, a-t-il dit enfin. Une chance, si infime soit-elle, vaut mieux que rien. Mais s'il vous arrivait quelque chose...

Il s'est redressé, a pris une profonde inspiration.

– En quoi puis-je vous aider ? a-t-il demandé. Je suppose que vous n'êtes pas venus sans raison, mais je ne détiens pas la magie dont vous avez besoin.

– Eh bien, ai-je commencé, c'est un peu délicat...

Avant que je puisse poursuivre, un coup de gong a résonné à travers la salle et les deux portes d'obsidienne se sont écartées.

– Affaire suivante ! a annoncé Causeur de troubles.

– Pas maintenant ! s'est écrié papa. On ne peut pas la retarder ?

– Hélas non, seigneur. Il s'agit de... qui vous savez, a achevé le vieillard à voix basse.

– Par les douze portes de la nuit ! Les enfants, le jugement qui va suivre est extrêmement important.

– Je sais, ai-je dit. En fait...

– On reparlera de tout ça après. Et quoi qu'il arrive, je vous demande de ne pas adresser la parole à l'accusé. Évitez même de le regarder. Son âme est particulièrement...

Le gong a de nouveau retenti, et une troupe de démons est entrée, entourant l'accusé.

Le procès de Setné était sur le point de s'ouvrir.

La demi-douzaine de démons rouges, pourvus d'un couperet en guise de tête, qui escortaient l'accusé étaient impressionnants, mais moins que le dispositif de sécurité qui l'entourait. Des anneaux formés de hiéroglyphes incandescents – « Silence », « Annuler », « Affaiblir », « Immobiliser », « Même pas en rêve »… – tournoyaient autour de lui, l'empêchant de faire usage de la magie.

Des bandes de tissu rose entravaient les poignets de Setné, s'enroulaient autour de sa taille, de son cou et de ses chevilles, l'obligeant à faire des pas minuscules. Un profane aurait pu croire à un kit Hello Kitty spécial incarcération, mais j'avais fait l'expérience de la solidité de ces liens magiques.

– Les sept rubans d'Hathor, a murmuré Walt. J'aimerais bien savoir les fabriquer.

– J'en possède un jeu, a dit Zia, s'attirant un regard admiratif de Walt. Le problème, c'est qu'il faut très longtemps pour les recharger. Les miens ne seront de nouveau opérationnels qu'en décembre.

Les démons à tête de guillotine se sont déployés de part et d'autre de l'accusé. À première vue, celui-ci avait l'air inoffensif. En tout cas, rien dans son apparence extérieure ne semblait justifier cet excès de précautions. Il était plutôt petit – pas autant que Bès, certes, mais quand même –, avec des membres grêles, et si maigre qu'on aurait pu jouer du xylophone sur ses côtes. Pourtant, il affichait le sourire confiant du type qui possède le monde, ce qui réclame un certain culot quand on porte un pagne et des rubans roses pour tout vêtement.

C'était bien l'homme que j'avais vu à deux reprises – d'abord son visage, incrusté dans le mur du musée de Dallas, puis sous les traits du prêtre sacrifiant un taureau, dans la section Moyen Empire de la salle des temps. J'avais immédiatement reconnu son nez en bec d'aigle, ses paupières lourdes, le pli cruel de sa bouche. Alors que la plupart des prêtres antiques se rasaient le crâne, son épaisse chevelure brune plaquée par la Gomina lui donnait l'allure d'un voyou des années 1950. Si je l'avais croisé à Piccadilly Circus – surtout dans cette tenue ! –, j'aurais fait un écart pour l'éviter, m'attendant à ce qu'il me tende un prospectus ou me propose des billets de concerts au marché noir. Louche, inquiétant ? Assurément. Mais dangereux ? Pas vraiment.

Les démons l'ont forcé à s'agenouiller. Il a promené un regard plein d'ironie autour de lui, nous dévisageant à tour de rôle. Moi, je m'efforçais de garder les yeux baissés. Il m'a adressé un clin d'œil complice, et j'ai eu l'impression qu'il lisait dans mes pensées et s'amusait de mon embarras.

Il s'est tourné vers le trône et a dit :

– Seigneur Osiris, vraiment... Il ne fallait pas vous donner tant de peine pour moi.

Mon père n'a pas répondu. Le visage fermé, il a fait un signe à Causeur de troubles. Le vieillard a survolé son papyrus du regard, cherchant la bonne ligne.

– Setné, également connu comme le prince Khâemouaset...

– Ouah ! Ça faisait un bail qu'on ne m'avait pas appelé comme ça. Dis donc, ça ne me rajeunit pas...

J'ai eu du mal à me retenir de sourire.

– Tu es accusé de crimes odieux ! a tonné Causeur de troubles, vexé. Tu as blasphémé contre les dieux quatre mille quatre-vingt-douze fois !

– Quatre-vingt-onze, a rectifié Setné. Ce que j'ai dit à propos du seigneur Horus, c'était pour rire. Pas vrai, vieux frère ? a-t-il ajouté avec un clin d'œil à l'adresse de Carter.

Causeur de troubles a poursuivi :

– Tu t'es servi de la magie pour accomplir tes méfaits, dont vingt-trois meurtres...

– Légitime défense !

Setné a tenté d'écarter les bras, mais ses liens l'en ont empêché.

– ... plus un commis contre rémunération.

– C'était un cas de légitime défense pour mon employeur.

– Tu as comploté contre trois pharaons et tenté de renverser la Maison de vie à six reprises. Plus grave encore, tu as pillé des tombeaux pour y dérober des livres de magie.

Setné a éclaté de rire. Il m'a lancé un regard qui signifiait : « Ne me dis pas que tu crois ces salades ? » Puis il a pris la parole :

– Écoute, Causeur de troubles – c'est bien ton nom ? Tu m'as l'air d'un type intelligent, et séduisant avec ça. Je parie que tu croules sous le boulot, et ça m'étonnerait qu'on t'estime à ta juste valeur. Tu as sûrement mieux à faire que d'exhumer ces vieilles histoires. Qui plus est, j'ai déjà répondu à ces accusations au cours de mes précédents procès.

Déstabilisé, Causeur de troubles a redressé sa perruque pour se donner une contenance, puis il s'est tourné vers mon père :

– Qu'en dites-vous, seigneur ? On le laisse partir ?

– Certainement pas ! a répliqué papa. Le prisonnier dénature la magie la plus sacrée afin de t'influencer. Malgré ses liens, il reste dangereux.

Setné a feint d'examiner ses ongles.

– Seigneur Osiris, vous me voyez flatté. Mais franchement, ces accusations...

– Silence !

Papa a tendu une main vers le prisonnier. L'éclat des hiéroglyphes qui tournoyaient autour de lui s'est intensifié tandis que les rubans d'Hathor se resserraient. Un rictus haineux a remplacé le sourire satisfait de Setné. J'ai lu dans son regard qu'il brûlait de tous nous tuer.

– Papa, arrête ! me suis-je écriée.

Mon père s'est rembruni, visiblement mécontent d'avoir été interrompu. Puis il a claqué des doigts, et les liens se sont relâchés. Setné respirait avec difficulté.

– Khâemouaset, fils de Ramsès, a repris mon père d'un ton posé, tu as été condamné au néant à plusieurs reprises. La première fois, tu as su gagner l'indulgence du tribunal en proposant de mettre ta magie au service au pharaon...

– C'est vrai, a acquiescé Setné d'une voix éraillée.

Il s'efforçait de donner le change, mais la douleur crispait ses traits.

– Ce serait un crime de détruire un homme aussi habile que moi, a-t-il plaidé.

– Tu as réussi à prendre la fuite, a poursuivi mon père. Tu as tué tes gardes et passé les trois siècles suivants à semer le chaos à travers l'Égypte.

– Chaos, chaos, il ne faut pas exagérer ! Je me suis un peu amusé, c'est tout.

– Tu as de nouveau été capturé et condamné, à trois reprises. Et chaque fois, tu t'es débrouillé pour retrouver la liberté, profitant de l'absence des dieux pour agir à ta guise, commettre tes méfaits et terroriser les mortels.

– Vous me faites un procès injuste, a protesté le prisonnier. Pour commencer, vous m'avez manqué. Sans rire, ces derniers millénaires m'ont paru horriblement longs sans les dieux. Quant à mes soi-disant crimes... Je n'étais pas le dernier à m'éclater sous la Révolution française. Quelle fête c'était ! L'archiduc François-Ferdinand ? Un casse-pieds de premier plan ! Si vous l'aviez connu, vous l'auriez assassiné à ma place.

– Suffit ! Je ne tolérerai pas plus longtemps l'existence

d'une crapule telle que toi, même à l'état de fantôme. Cette fois, aucune de tes ruses ne te sauvera.

Ammout s'est mis à pousser des jappements excités. Tour à tour, les couperets qui servaient de tête aux gardes se sont abattus avec des claquements secs imitant des applaudissements.

– Silence ! Silence ! criait Causeur de troubles au milieu du vacarme.

D'abord impassible, l'accusé est parti d'un grand rire.

La stupeur de mon père a rapidement cédé la place à la fureur. Il s'apprêtait à resserrer les rubans d'Hathor quand Setné a déclaré :

– Vous vous trompez, seigneur Osiris. Je ne suis pas encore au bout du rouleau. Demandez à vos enfants, et à leurs amis. Ces gosses ont besoin de moi.

– Assez de mensonges, a grondé notre père. Ton cœur va être pesé, une fois de plus, puis Ammout le dévo...

– Papa ! ai-je crié. Il a raison. On a besoin de son aide.

Quand mon père s'est tourné vers moi, j'ai vu la colère et le chagrin s'affronter dans son regard. Il avait perdu sa femme une seconde fois. Il était impuissant à aider son frère. Le monde des hommes s'apprêtait à livrer bataille pour sa survie, et ses enfants se trouvaient en première ligne. Pour se sentir utile, il fallait qu'il exerce sa justice sur cette âme perdue.

J'ai insisté :

– Papa, je t'en prie, écoute-moi. Ça ne va pas te plaire, je le sais, mais si on est là, c'est pour Setné. Tu sais, le plan dont on t'a parlé ? Eh bien, lui seul possède les connaissances nécessaires à son exécution.

Carter a renchéri :

– Sadie a raison. Je t'en prie, papa... Confie-nous sa garde. Sans lui, on n'arrivera pas à vaincre Apophis.

Un courant d'air glacé a balayé la salle. Les flammes des braseros ont vacillé. Ammout s'est mis à geindre, les pattes croisées sur son museau. Même les démons à tête de guillotine ont montré des signes de nervosité.

– Hors de question, nous a asséné notre père. Setné vous influence avec sa magie. C'est un serviteur du chaos.

Setné est alors intervenu, d'un ton étonnamment humble et respectueux :

– Seigneur, on peut me reprocher bien des choses, mais pas de servir le serpent. Je ne veux pas qu'il détruise le monde. J'aurais tout à y perdre. Écoutez cette jeune fille vous exposer son plan.

Des phrases se sont formées dans mon esprit, et j'ai compris que c'était Setné qui me les soufflait. J'ai tenté de résister, mais malheureusement, il m'ordonnait de faire la chose que j'aime le plus au monde : parler. Alors j'ai ouvert les vannes. Tout y est passé, ma tentative pour sauver la dernière copie de *L'Art de vaincre Apophis*, ma rencontre avec Setné, à Dallas, la découverte du coffre à ombre qui nous avait inspiré l'idée d'utiliser le shut du serpent contre lui, mon espoir de régénérer Bès...

– Impossible, a décrété notre père. Même si votre projet était réalisable, on ne peut pas se fier à Setné. Je ne lui rendrai pas la liberté, surtout pas pour lui confier mes enfants. Il vous tuerait à la première occasion.

– On n'est plus des gosses, a protesté Carter. On sait ce qu'on fait.

Le visage de mon père exprimait une angoisse insupportable. Refoulant mes larmes, je me suis approchée du trône et lui ai pris la main.

– Papa, je sais que tu nous aimes et que tu cherches juste

à nous protéger. Mais tu as pris des risques immenses pour nous offrir une chance de sauver le monde. Eh bien, on n'y arrivera pas sans Setné.

– Elle a raison, a dit celui-ci d'un ton qui laissait croire que la perspective d'une remise de peine le désolait. C'est aussi le seul moyen d'éviter la destruction des âmes défuntes, dont celle de votre épouse...

Le visage de papa a viré du bleu ciel à l'indigo, et il a agrippé les accoudoirs de son trône comme s'il avait voulu les arracher. Je me demandais si Setné n'y était pas allé un peu fort, mais il s'est détendu et la colère dans son regard a cédé la place à une sombre résolution.

– Gardes ! a-t-il dit. Donnez la plume de vérité à l'accusé, afin qu'il la tienne pendant qu'il s'expliquera. S'il ment, il sera immédiatement consumé.

Un démon a ramassé la plume sur un des plateaux de la balance et l'a placée dans la main de Setné, qui n'avait pas l'air plus impressionné que ça.

– Bien ! a-t-il commencé. Les gosses ont raison, j'ai conçu un sort pour exécrer les ombres. En théorie, ce sort pourrait détruire un dieu, même aussi puissant qu'Apophis. Je ne l'ai jamais testé – malheureusement, je suis mort avant d'en avoir eu le temps. Non que j'aie jamais eu l'intention de tuer les dieux... Je comptais juste les faire chanter, pour les forcer à accomplir toutes mes volontés.

– Faire chanter les dieux ! a grondé notre père.

Setné a eu un sourire contrit.

– J'étais jeune et stupide, a-t-il plaidé. Pour en revenir au sort, je l'ai consigné dans plusieurs copies de *L'Art de vaincre Apophis*...

– ... Qui ont toutes été détruites, a glissé Walt.

– Exact. Mais le brouillon figure toujours dans la marge du *Livre de Thot* que j'ai... volé. Vous voyez ? Je joue cartes sur table. Je peux vous garantir qu'Apophis n'a pas mis la main dessus. Je l'ai trop bien caché. Je vous montrerai où. Le livre vous mènera à l'ombre d'Apophis. Il vous indiquera comment la capturer et l'exécrer.

– Tout ça, tu ne peux pas nous le dire de vive voix ? a demandé Carter.

– Je ne demanderais pas mieux, mon jeune maître... L'ennui, c'est que je n'ai pas appris le livre par cœur, et ça fait plusieurs milliers d'années que j'ai rédigé ce sort. Si je commettais ne serait-ce qu'une erreur en vous le dictant... Croyez-moi, il vaut mieux ne pas prendre ce risque. Mais je peux vous conduire à lui. Une fois sur place, nous...

Zia a réagi au quart de tour :

– « Nous » ? Tu es obligé de nous accompagner ? Tu ne peux pas simplement nous dire où se trouve le livre ?

Setné a souri.

– Eh non, poupée ! Il n'y a que moi qui puisse le récupérer, à cause des pièges – tu sais ce que c'est... Et puis, vous aurez besoin de moi pour déchiffrer mes notes. C'est un sort très complexe. Mais ne te fais pas de mouron : pour avoir la paix, tu n'auras qu'à t'assurer que mes liens restent en place. Tu es Zia, c'est ça ? Les rubans d'Hathor n'ont aucun secret pour toi.

– Comment sais-tu... ?

– Si je ne suis pas sage, tu n'auras qu'à me ficeler comme un paquet. Mais sois tranquille, je n'ai pas l'intention de m'enfuir – pas avant de vous avoir conduits au livre et à l'ombre d'Apophis. Personne ne connaît les profondeurs de la Douât aussi bien que moi. Vous ne pouviez pas rêver d'un meilleur guide !

La plume de vérité n'a pas réagi, Setné ne s'est pas enflammé. J'en ai déduit qu'il ne mentait pas.

– On est à quatre contre un, a remarqué Carter.

– Tu oublies que la dernière fois, il a réussi à tuer ses gardiens, lui a objecté Walt.

– On sera plus prudents qu'eux. À nous tous, on devrait pouvoir le contrôler.

– Carter a raison, a approuvé Setné. Vous serez à quatre contre un. Mais, j'y pense... Sadie, tu n'as pas un truc à faire de ton côté ? Retrouver l'ombre de Bès, par exemple ? Une bonne idée, d'ailleurs.

– Ah oui ? ai-je dit, pleine d'espoir.

– Pour sûr, poupée. Mais le temps nous est compté... Surtout à ton ami Walt.

Soudain son sourire m'est devenu insupportable. S'il n'avait pas été déjà mort, je crois que je l'aurais tué.

– Continue, ai-je dit, les dents serrées.

– Ne le prends pas mal, Walt Stone, mais tu ne vivras pas assez longtemps pour récupérer *Le Livre de Thot*, retrouver l'ombre d'Apophis et l'exécrer. Mais celle de Bès devrait être plus simple à trouver. En plus, elle vous donnera l'occasion de tester le sort. Si vous réussissez, tant mieux ! Sinon... Au pire, ça fera un nain en moins.

Je brûlais de lui coller mon poing dans la figure, mais il m'a fait signe de patienter.

– À mon avis, a-t-il repris, on ferait bien de se séparer. Carter et Zia, vous rechercherez *Le Livre de Thot* avec moi. Pendant ce temps, Sadie et Walt fouilleront les ruines de Saïs pour retrouver l'ombre de Bès. Je vous ferai un topo sur la manière de la capturer, mais la formule est purement théorique. En pratique, vous aurez besoin des talents de Walt. Si ça se passe mal, il devra improviser. S'il réussit, Sadie saura attraper une ombre. Après, si Walt meurt – désolé, mais il y a peu de chances qu'il survive au sort –, elle n'aura qu'à nous rejoindre dans la Douât, pour traquer l'ombre du serpent. Comme ça, tout le monde sera content !

J'avais à la fois envie de hurler et de pleurer. Si j'ai gardé mon calme, c'était uniquement pour ne pas donner satisfaction à Setné.

Celui-ci s'est ensuite tourné vers mon père :

– Qu'est-ce que vous dites de ça, seigneur Osiris ? Si mon plan fonctionne, on aura ramené votre femme, vaincu Apophis, rendu son âme à Bès et sauvé le monde. Qui dit mieux ? Tout ce que je demande en échange, c'est qu'à mon retour, ce tribunal tienne compte du rôle que j'aurai joué dans cette belle entreprise avant de me condamner. Ça paraît juste, non ?

On n'entendait que les crépitements des braseros.

Causeur de troubles a fini par rompre le silence :

– Votre décision, seigneur Osiris ?

Papa m'a regardée. À son expression, j'ai compris qu'il détestait ce plan, mais Setné avait touché un point sensible en lui offrant une chance de sauver notre mère. De même, cette vieille crapule m'avait fait miroiter une dernière journée seule avec Walt, ce que je désirais plus que tout au monde, ainsi que la possibilité de rendre son âme à Bès, qui figurait juste après dans la liste de mes priorités. Quant à Carter et Zia, il les avait appâtés en les rapprochant et leur promettant un moyen de sauver le monde.

À présent qu'on avait mordu à l'hameçon, il n'avait plus qu'à remonter ses lignes et à nous pêcher comme des poissons dans un lac sacré.

– On doit faire ce qu'il dit, papa, ai-je affirmé.

Notre père a baissé la tête.

– Je sais, a-t-il soupiré. Puisse Maât nous protéger tous.

– Je sens qu'on va bien se marrer, a exulté Setné. Maintenant, au travail ! La fin du monde n'attendra pas.

11. Hâpy Hour

C'était toujours pareil : Sadie et Walt partaient à la recherche d'une ombre amie tandis que Zia et moi devions nous coltiner un meurtrier psychopathe censé nous conduire à une planque truffée de pièges et de magie interdite. À ton avis, qui avait décroché le gros lot ?

La Reine d'Égypte s'est matérialisée au beau milieu du Nil dans un jaillissement d'écume, telle une baleine bondissant hors de l'eau. Ses roues brassaient les eaux bleues du fleuve, ses cheminées recrachaient une fumée scintillante dans le ciel du désert. Après la pénombre de la Douât, la lumière du jour m'a momentanément aveuglé. Constatant qu'on faisait route vers le nord, j'en ai conclu qu'on avait émergé au sud de Memphis.

On devinait les berges marécageuses et plantées de palmiers à travers la brume d'humidité. De rares maisons parsemaient le paysage. Un pick-up bringuebalant roulait sur la route en bordure du fleuve. Un voilier glissait sur l'eau à bâbord. Nul ne nous prêtait attention.

Je n'aurais su dire où on avait atterri précisément – ç'aurait pu être n'importe où le long du Nil. D'après la position du soleil, la matinée touchait à sa fin. On avait mangé et dormi au royaume de mon père, sachant qu'on n'oserait plus fermer l'œil une fois en charge de Setné. Je n'avais pas eu l'impression de me reposer beaucoup. Pourtant, à l'évidence, on avait passé plus de temps que je ne le croyais sous terre. La journée s'écoulait. Le lendemain, à l'aube, les rebelles attaqueraient le Premier Nome, et Apophis détruirait le monde.

Zia se tenait à mes côtés, à la proue du bateau. Elle portait à présent un débardeur à imprimé camouflage et un pantalon kaki glissé dans une paire de bottes. Rien de très sexy a priori, pourtant elle était superbe. Mieux encore, elle était là en personne – ni ouchebti ni reflet à la surface d'un bol divinatoire. Par moments, la brise apportait à mes narines le parfum citronné de son shampoing. Nos avant-bras se frôlaient quand on se penchait par-dessus la rambarde, mais ça ne semblait pas la gêner. Sa peau était chaude, comme si elle avait la fièvre.

– À quoi tu penses ? l'ai-je interrogée.

Vus de près, les éclats verts et noirs dans ses yeux d'ambre créaient un effet presque hypnotique.

– Je pensais à Rê, a-t-elle répondu. Je me demandais qui s'occupait de lui aujourd'hui.

– Je suis sûr qu'il va bien.

Je l'avoue, j'étais un peu déçu. Pour ma part, je pensais à la manière dont elle m'avait pris la main, la veille, dans la salle à manger. « Parfois », avait-elle dit, « il faut savoir écouter son cœur... » Cette journée était peut-être la dernière qu'il nous restait à vivre. C'était le moment ou jamais de dire à Zia ce que j'éprouvais pour elle. Enfin, je me doutais qu'elle le savait, mais je n'en avais pas la certitude... Tu parles d'un casse-tête !

J'ai décidé de me lancer :

– Zia...

À cet instant, Setné a surgi à nos côtés.

– Ah ! s'est-il exclamé. C'est mieux comme ça, non ?

À la lumière du jour, on aurait pu le croire constitué de chair et de sang. Mais quand il a tourné sur lui-même pour qu'on l'admire, les contours de son visage et de ses mains se sont brouillés. Je l'avais autorisé à passer des vêtements – j'avais même insisté. Mais je ne m'attendais pas à une tenue aussi extravagante.

Peut-être pour faire honneur à sa réputation de mauvais garçon, il avait opté pour un costume noir aux épaules rembourrées, un tee-shirt rouge, un jean slim et une paire de chaussures de sport d'un blanc éblouissant. Il portait autour du cou une épaisse chaîne en or faite de nœuds d'Isis entrelacés, et à chaque petit doigt, une chevalière incrustée du symbole du pouvoir – *was* – en diamants. Avec ses cheveux plaqués et ses yeux soulignés de khôl, il était la parfaite incarnation du mafieux antique.

Alors seulement, j'ai remarqué qu'il manquait quelque chose à sa panoplie : les rubans d'Hathor.

Je l'avoue, j'ai paniqué. Puis j'ai crié le mot que Zia m'avait enseigné :

– *Tas* !

Le hiéroglyphe signifiant « attacher » a flamboyé devant le visage de Setné :

Les rubans d'Hathor sont apparus autour de son cou, ses poignets, sa poitrine, sa taille et ses chevilles. Puis ils se sont allongés avec une rapidité stupéfiante, l'enfermant dans un cocon rose, aussi serré que des bandelettes, qui ne laissait voir que ses yeux.

– Mmm-mmm, a-t-il protesté.

J'ai claqué des doigts. Les liens ont retrouvé leur taille normale.

– Pourquoi tu as fait ça ? m'a lancé Setné d'un ton accusateur.

– Je ne voyais plus les rubans.

– Tu ne...

Il a éclaté de rire.

– Oh ! Carter, Carter... C'était juste une illusion, mon vieux ! En réalité, je ne peux pas me débarrasser de ces fichus trucs.

Il m'a tendu ses poignets. Les rubans se sont évanouis pour réapparaître aussitôt.

– Tu vois ? Si je les cache, c'est parce que le rose n'irait pas avec mon costume.

– Rien ne peut aller avec ce déguisement ! a répliqué Zia.

Setné lui a jeté un regard agacé.

– Pas la peine d'être désagréable, poupée. Déstressez, tous les deux. Vous avez vu : il suffit d'un mot pour me transformer en momie. Vous n'avez rien à craindre.

Il était tellement persuasif... On n'avait rien à craindre de lui. Il ne demandait qu'à coopérer. Il fallait que je déstresse...

Prudence ! a fait la voix d'Horus, dans un recoin de mon esprit.

J'ai dressé un barrage mental et découvert un nuage de symboles à peine esquissés flottant autour de moi. J'ai fait le vœu qu'ils disparaissent ; ils se sont éteints en grésillant comme des moustiques à l'intérieur d'un piège électrique.

– Laisse tomber les hiéroglyphes magiques, Setné. Je « déstresserai » quand on en aura terminé et que je t'aurai remis à mon père. On va où, au juste ?

Le visage de Setné exprimait la stupeur. Il s'est dépêché d'y plaquer un sourire.

– Pas de problème, mon vieux. Je suis content de constater que la voie des dieux n'a aucun secret pour toi. Qu'est-ce que tu fiches là, Horus ?

– Réponds à la question, espèce de larve, a grondé Zia, exaspérée, ou je noierai ton sourire dans le feu.

Elle a tendu le bras. Une frange de flammes bordait ses doigts.

Je l'avais déjà vue en colère, mais la méthode paraissait un peu trop brutale, même pour elle.

Setné ne s'est pas laissé démonter. Il a sorti d'une de ses poches un peigne blanc bizarre – on aurait dit qu'il était fait avec des os humains – et l'a passé dans ses cheveux gominés.

– Pauvre gamine, a-t-il dit. Le vieux ne te laisse pas en paix, hein ? T'as des bouffées de chaleur ? J'ai vu des gens dans ta situation mourir de combustion spontanée. Ce n'était pas joli, joli.

Apparemment, ses paroles avaient touché un point sensible. Le regard de Zia s'est empli de haine, mais elle a serré le poing, étouffant les flammes.

– Espèce de...

– Relax, poupée. Je m'inquiète pour toi, c'est tout. Pour répondre à ta question, Carter, on va au sud du Caire, sur le site de Memphis.

Je me demandais ce que Setné avait voulu dire au sujet de Zia, mais ce n'était pas le moment d'interroger celle-ci. Je n'avais pas envie qu'elle me colle une main enflammée dans la figure.

J'ai tenté de rassembler mes connaissances à propos de Memphis. Les ruines de cette ancienne capitale égyptienne, me suis-je rappelé, sont enfouies en partie sous Le Caire et en partie dans le désert, au sud de la ville. Mon père m'avait probablement emmené dans le secteur à une ou deux reprises, mais je n'en gardais pas de souvenir précis. Au bout de quelques années, tous les chantiers archéologiques finissent par se ressembler.

– Où, exactement ? ai-je demandé. Memphis était une capitale importante.

– Tu peux le dire ! a dit en soupirant Setné. J'ai passé de sacrés moments dans l'allée des Joueurs... Mais, bref. Moins tu en sauras, mieux ça vaudra. Ce serait embêtant que notre ami reptile glane des infos dans ton esprit, tu ne crois pas ? En parlant de ça, c'est un miracle qu'il n'ait pas encore deviné tes plans et envoyé un affreux monstre pour t'empêcher de les réaliser. T'as intérêt à renforcer tes barrières mentales. On lit dans tes pensées comme dans un livre. Quant à ta copine...

Setné s'est penché vers moi avec un sourire complice.

– ... tu n'aimerais pas savoir ce qu'elle pense de toi ?

Zia maîtrisait les rubans d'Hathor mieux que moi. Celui qui entourait le cou de notre prisonnier s'est instantanément resserré et transformé en un ravissant collier rose relié à une laisse pour chien. Setné a suffoqué et porté les mains à sa gorge tandis que Zia empoignait l'extrémité de la laisse.

– Toi et moi, a-t-elle annoncé, on va aller trouver le capitaine. Si tu veux respirer de nouveau un jour, t'as intérêt à lui dire exactement où tu nous conduis. Compris ?

Sans attendre une réponse qu'il aurait été bien en peine de lui donner, elle l'a entraîné vers la cabine de pilotage comme un caniche récalcitrant.

À la seconde où ils s'engouffraient à l'intérieur, un rire a résonné à mes oreilles.

– Eh bien, a fait une voix familière, y a pas intérêt à la contrarier, dis donc !

Les réflexes d'Horus ont pris le dessus. Avant de comprendre ce qui m'arrivait, j'ai fait apparaître mon khépesh et appuyé sa lame recourbée sur la gorge du visiteur.

– C'est comme ça qu'on accueille un vieil ami ? a protesté Seth.

Nonchalamment appuyé à la rambarde, le dieu du mal était vêtu d'un costume trois pièces noir et coiffé d'un chapeau de feutre assorti, le tout formant un contraste saisissant avec son visage rouge. La dernière fois que je l'avais vu, il avait le crâne rasé. À présent, il arborait de fines tresses décorées de rubis, et ses yeux de jais étincelaient derrière de petites lunettes rondes. Avec un frisson d'horreur, j'ai compris qu'il avait adopté le style d'Amos.

– Arrête ça ! me suis-je écrié, appuyant un peu plus la lame sur sa gorge. Je t'interdis de te moquer de mon oncle !

– Me moquer ? a réagi Seth, affectant l'indignation. Mais, mon garçon, l'imitation est la forme la plus sincère de la flatterie ! Maintenant, par pitié, est-ce qu'on pourrait discuter comme deux entités demi-divines civilisées ?

Il a éloigné la lame de son cou, et j'ai abaissé mon khépesh. Le premier mouvement de surprise passé, je dois avouer que j'étais curieux de connaître la raison de sa venue.

– Qu'est-ce que tu fiches ici ? l'ai-je interrogé.

– Le monde va s'achever demain. Qui sait ? J'avais peut-être envie de te dire au revoir. Bye-bye ! a-t-il chantonné, agitant la main. À moins que je ne sois venu te donner des explications et un avertissement.

J'ai jeté un coup d'œil vers la cabine. Zia n'était pas visible. Aucune alarme n'avait retenti, nul à bord ne semblait avoir remarqué que le dieu du mal venait de se matérialiser sur le pont.

Seth a suivi la direction de mon regard.

– Comment trouves-tu Setné ? a-t-il demandé. J'adore ce type.

– Ça ne m'étonne pas. C'est de toi qu'il tient son nom ?

– Naaan... Setné n'est qu'un pseudonyme. Son vrai nom est Khâemouaset – tu comprends pourquoi il se fait appeler Setné. J'espère qu'il ne va pas te liquider tout de suite. C'est vraiment un charmant compagnon... jusqu'au moment où il te poignarde dans le dos.

– C'est ça que tu voulais me dire ?

Seth a ajusté ses lunettes avant de répondre :

– Non, non. Ce qu'il y a entre Amos et moi... Ce n'est pas ce que tu crois.

– Tu veux dire que tu l'as déjà possédé une fois, que tu as failli le détruire et que tu t'apprêtes à recommencer ?

– Tu as raison sur les deux premiers points. Mais pas sur le dernier. C'est lui qui m'a appelé. Je n'aurais jamais pu m'introduire dans son esprit s'il ne partageait pas certaines de mes qualités. Amos me comprend, lui.

– Moi aussi, je te comprends. Je sais que tu ne penses qu'à faire le mal.

Il a éclaté de rire.

– T'as trouvé ça tout seul ? Je suis le dieu du mal, je te rappelle. Mais pas seulement. À force de me côtoyer, Amos a fini par le comprendre. Je partage son amour du jazz et de l'improvisation : une dose de chaos dans l'ordre... C'est ça qui nous réunit, lui et moi. Et je reste un dieu, Carter. Considère-moi comme un loyal opposant.

– Loyal, toi ?

– D'accord, j'ai l'ambition de régner sur le monde. Et je n'hésiterai pas à détruire quiconque se dressera sur mon chemin, c'est entendu. Mais le serpent va trop loin. Tout ce qu'il veut, c'est réduire la création à une espèce de soupe primordiale. Sans intérêt ! Si la bataille doit se jouer entre lui et Rê, alors je choisis ce dernier, sans hésiter. C'est pourquoi Amos et moi avons conclu un accord : il apprend la voie de Seth, et en échange, je lui apporte mon aide.

Je brûlais de lui trancher la tête, mais mes bras tremblaient si fort que je craignais de ne pas en avoir la force. En plus, je ne crois pas que ça lui aurait fait beaucoup de mal. Horus m'avait enseigné que les dieux se remettaient aussi facilement d'une décapitation que nous d'une crise d'éternuements.

– Tu espères me faire croire que tu vas coopérer avec Amos ? ai-je demandé. Sans tenter de le dominer ?

– En tout cas, j'essaierai. Mais tu devrais faire davantage confiance à ton oncle. Il est plus fort que tu ne le penses. À ton avis, qui m'a envoyé ici pour t'expliquer tout ça ?

J'aurais aimé croire qu'Amos contrôlait la situation, mais c'était Seth qui l'affirmait. Il me rappelait beaucoup Setné, ce qui n'était pas bon signe en soi.

– Maintenant que tu t'es acquitté de ta mission, tu peux partir, lui ai-je dit.

– D'accord. Mais il me semble qu'il y avait autre chose... Ah oui ! L'avertissement.

– Oui ?

– D'habitude, quand je me collette avec Horus, c'est moi qui essaie de te tuer. Pas cette fois. Apophis n'arrête pas de me copier, mais comme je l'ai dit, l'imitation est une forme de flatterie.

Il a ôté son chapeau et s'est incliné, faisant scintiller les rubis piqués dans ses tresses.

– Qu'est-ce que tu... ?

Soudain le bateau a tangué et geint comme s'il avait heurté un banc de sable. La cloche d'alarme a retenti dans la cabine de pilotage. Les sphères de feu qui formaient l'équipage sillonnaient le pont en tous sens, paniquées.

– Qu'est-ce qui se passe ? ai-je hurlé, me cramponnant à la rambarde.

– Oh ! Ce doit être l'hippopotame géant, a lâché Seth d'un ton désinvolte. Bonne chance !

Il s'est fondu dans un nuage de brume rouge sang tandis qu'une forme monstrueuse crevait la surface du Nil.

On imagine mal qu'un hippopotame puisse inspirer la terreur. Quand quelqu'un crie « Attention, un hippo ! » sur la plage, ça ne produit pas le même effet que « Requin en vue ! » Pourtant... Quand *La Reine d'Égypte* s'est inclinée à quarante-cinq degrés et que j'ai vu le monstre émerger des profondeurs, j'ai failli apprendre comment on écrit « J'ai fait dans mon froc » en hiéroglyphes.

La créature était aussi énorme que notre bateau. Sa peau d'un gris violacé scintillait au soleil. Elle a surgi devant la proue et a fixé sur moi des yeux pleins de méchanceté en ouvrant une gueule aussi vaste qu'un hangar à avions. Ses canines inférieures étaient plus grandes que moi. Mon regard a plongé dans son gosier béant, et il m'a semblé voir un tunnel rose vif menant tout droit en enfer. Le monstre aurait pu me dévorer avec l'avant du bateau sans que je réagisse.

L'hippo a poussé un mugissement assourdissant. Imagine qu'on fasse vrombir le moteur d'une moto tout-terrain tout en soufflant dans une trompette... Maintenant, imagine qu'on amplifie vingt fois le résultat et qu'on te le balance au visage avec une haleine qui empeste la vase et le poisson pourri... Eh bien, voilà le cri de guerre de l'hippopotame géant.

– Un hippopotame ! a crié Zia dans mon dos – un peu tard, à mon avis.

Elle a couru vers moi, glissant à cause de l'inclinaison du pont. L'extrémité de son bâton rougeoyait. Le fantôme de Setné flottait derrière elle.

– Je le savais ! a-t-il déclaré avec un grand sourire. Je t'avais dit qu'Apophis allait t'envoyer un monstre !

– Puisque t'es si malin, comment on fait pour l'arrêter ? lui ai-je crié.

– BRRRAAHHHH !

L'hippo a donné un coup de tête dans la coque du bateau, et je suis tombé à la renverse contre la cabine.

Du coin de l'œil, j'ai vu le bâton de Zia cracher une gerbe de feu. Les flammes se sont engouffrées dans la narine gauche de l'hippo, le rendant furieux. Il a expiré de la fumée et heurté de nouveau le bateau, précipitant Zia dans le fleuve.

Je me suis relevé d'un bond et ai tenté d'invoquer mon avatar guerrier, mais les battements du sang à mes tempes m'empêchaient de me concentrer.

Setné s'est laissé flotter jusqu'à moi.

– Besoin d'un coup de main ? m'a-t-il demandé.

Son sourire ne m'inspirait pas confiance.

– Toi, reste où tu es ! lui ai-je ordonné.

Puis j'ai pointé l'index vers ses mains et crié :

– *Tas* !

Les rubans d'Hathor ont entravé ses poignets.

– Nooon, a-t-il protesté. Je vais faire comment pour me repeigner, maintenant ?

Un œil rond et noir de la taille d'une assiette graisseuse me fixait par-dessus le bastingage. Dans la cabine, Lames Dacier agitait la cloche, hurlant à l'équipage :

– Virez à bâbord ! À bâbord !

J'ai entendu Zia se débattre dans l'eau. Ça signifiait qu'elle était toujours en vie, mais je devais à tout prix éloigner le monstre d'elle. Empoignant mon épée, j'ai remonté le pont en courant et sauté sur la tête de l'hippopotame.

Ça n'en a pas l'air, mais c'est drôlement glissant, un hippo. J'ai tâtonné à la recherche d'une prise – pas évident, avec une épée à la main – et failli tomber à l'eau, puis mon bras s'est enroulé autour d'une oreille.

L'hippo a rugi et tenté de me décrocher. Tandis que je me balançais dans le vide, j'ai vu une barque de pêcheur glisser paisiblement à la surface du fleuve, comme s'il ne se passait rien d'anormal. À bord de *La Reine d'Égypte*, les sphères de feu s'agitaient autour d'une brèche dans la proue. Un court instant, j'ai aperçu Zia à une vingtaine de mètres en aval, puis sa tête a disparu sous l'eau. Rassemblant mes forces, j'ai plongé ma lame dans l'oreille de l'hippo.

– BRRRAAHHHH !

Le monstre a violemment secoué la tête. J'ai lâché prise et décrit une ellipse au-dessus du fleuve. Je me serais sans doute écrasé à sa surface si je ne m'étais transformé en faucon à la dernière seconde.

J'ai l'air de me la péter, je sais. *Comment je m'en suis tiré ? Oh ! En me transformant en faucon... La routine, quoi.* En fait, je n'avais pas beaucoup de mérite : le faucon est l'animal sacré d'Horus.

Soudain, au lieu de tomber, je me suis retrouvé à survoler le Nil. Ma vue était tellement perçante que je distinguais les mulots dans les roseaux, Zia qui se débattait dans l'eau et les poils rêches sur le mufle de l'hippo.

J'ai piqué sur l'œil du monstre, prêt à le labourer avec mes serres. Malheureusement, il était protégé par une sorte de membrane et une paupière épaisse. L'hippo a cligné des yeux, poussé un rugissement mécontent et tenté de me happer. Trop rapide pour lui, je suis allé me percher sur le toit du bateau afin de reprendre mon souffle. *La Reine d'Égypte* avait fait demi-tour et mis un peu de distance entre le monstre et elle, mais sa coque avait subi des dommages sérieux. Un panache de fumée se déployait dans son sillage, elle penchait toujours vers tribord et Lames Dacier actionnait sans cesse la cloche, ce qui était très énervant.

Zia, de son côté, parvenait à garder la tête hors de l'eau et le courant l'éloignait peu à peu de l'hippo. Elle paraissait hors de danger, pour le moment du moins. Elle a tenté de faire apparaître du feu – plutôt optimiste, compte tenu de sa situation.

L'hippo se retournait en tous sens, cherchant probablement l'oiseau qui avait essayé de lui crever l'œil. Du sang s'écoulait de son oreille mais mon épée avait disparu – sans doute reposait-elle au fond du fleuve. Enfin, le monstre a dirigé son attention sur le bateau.

Setné s'est brusquement matérialisé à mes côtés, les poignets toujours liés. Malgré ça, il semblait beaucoup s'amuser.

– Toujours pas décidé à demander de l'aide, mon gars ? Je ne peux pas jeter de sort moi-même parce que je suis mort et tout ça, mais je peux te souffler la formule.

Soudain l'hippo a chargé. À peine cinquante mètres le

séparaient de *La Reine d'Égypte*, et il se rapprochait rapidement. S'il heurtait la coque à cette vitesse, elle risquait de voler en éclats.

Le temps a paru se ralentir. J'ai tenté de me concentrer. La magie s'accommode mal aux émotions, et j'étais complètement paniqué. Je savais que je n'aurais pas de seconde chance. J'ai déployé mes ailes et pris mon essor. Juste avant d'atteindre ma cible, je me suis retransformé et laissé tomber comme une pierre en invoquant mon avatar.

En cas d'échec, j'aurais achevé ma vie comme une insignifiante tache de graisse sur le poitrail d'un hippopotame furieux. Mais quand j'ai touché la surface de l'eau, j'étais entouré d'une aura bleutée dessinant la silhouette d'un guerrier à tête de faucon de six mètres de haut. Comparé à mon adversaire, j'étais toujours minuscule. Toutefois, quand mon poing s'est écrasé sur son mufle, il n'a pu faire autrement que de me remarquer.

Au début, mon plan a parfaitement fonctionné. Oubliant le bateau, le monstre a déchaîné son agressivité contre moi. J'ai tenté de l'esquiver. Malheureusement, mon avatar avait autant de mal à se mouvoir dans l'eau que dans une piscine à balles.

La gueule de l'hippo s'est refermée autour de ma taille. Je me suis débattu, mais ses mâchoires m'emprisonnaient comme un étau. Ses canines menaçaient de transpercer mon aura, et j'avais perdu mon épée. Je n'avais que mes énormes poings bleus pour me défendre, et mes forces déclinaient rapidement.

– Carter ! a hurlé Zia.

Il me restait environ dix secondes à vivre. Ensuite mon avatar me lâcherait et le monstre m'avalerait tout rond, à moins qu'il ne me coupe en deux d'un coup de dent.

– Setné ! ai-je crié en direction du bateau. C'est quoi, ta formule ?

– Tiens donc ! Elle t'intéresse, maintenant ? Répète après moi : *Hâpy, u-ha ey pwah.*

Qu'est-ce que ça voulait dire ? Je n'en avais pas la moindre idée. Il pouvait très bien s'agir d'un sort d'autodestruction, ou d'une formule pour me transformer en gruyère. Mais je n'avais pas le choix.

– *Hâpy, u-ha ey pwah* ! ai-je répété.

Des hiéroglyphes d'un bleu intense se sont matérialisés au-dessus de la tête de l'hippo :

Comme ils s'inscrivaient devant mon regard, leur signification m'est apparue : « Hâpy, lève-toi et attaque. »

Je n'en étais pas plus avancé, mais au moins, ils avaient distrait l'hippo, qui m'a lâché. Mon avatar s'est décomposé. Je me suis enfoncé sous l'eau, privé de mes pouvoirs, dans l'ombre d'un hippopotame de seize tonnes.

Le monstre a englouti les hiéroglyphes, puis il a grogné en secouant la tête, comme s'il venait de gober un piment entier.

Super, ai-je pensé. *La magie du grand, du puissant Setné a fait apparaître un amuse-gueule pour hippopotame.*

– Attends ! m'a alors crié le fantôme depuis le bateau. Trois, deux, un...

Le Nil s'est mis à bouillonner. Une énorme masse d'algues brunes a surgi sous mes pieds, me soulevant vers le ciel. D'instinct, je m'y suis cramponné. J'ai alors compris que ce que j'avais pris pour des algues était en réalité des cheveux, et que je me trouvais sur la tête d'un géant. Celui-ci a continué à grandir, grandir, jusqu'à ce que l'hippopotame ait l'air d'un jouet auprès de lui. Je ne voyais pas grand-chose de lui, sinon que sa peau était d'un bleu plus soutenu que celle de mon père. Il avait les cheveux pleins de vase, un ventre proéminent, et portait en tout et pour tout un pagne en écailles de poisson.

L'hippo s'est rué vers lui, mais le géant a agrippé une de ses canines inférieures, le stoppant net. Le choc a été si violent que j'ai failli tomber.

– Ouais ! a tonné le géant bleu. Un lancer d'hippo ! Mon jeu préféré !

Il a balancé le bras pour lui donner de l'élan avant de projeter l'hippopotame vers la rive.

Je crois n'avoir jamais rien vu d'aussi étrange qu'un hippopotame géant volant à travers ciel. Le monstre se débattait furieusement et agitait ses pattes trapues. Il a fini sa course contre une falaise, provoquant un éboulement. Quand la poussière est retombée, il avait disparu sous les blocs de calcaire. Des voitures circulaient le long de la berge, des barques de pêcheurs glissaient paisiblement au fil de l'eau, donnant l'impression que les combats entre un géant bleu et un hippopotame n'avaient rien d'inhabituel sur cette portion du Nil.

– C'était drôle, a déclaré le géant. Mais qui m'a invoqué ?

– Moi ! ai-je crié. Ici !

Le géant s'est immobilisé. Il a levé une main et s'est tâté

la tête avec précaution. M'ayant trouvé, il m'a saisi entre le pouce et l'index et m'a délicatement déposé sur la berge.

Puis il a désigné Zia, qui s'efforçait de regagner la terre à la nage, et *La Reine d'Égypte*, qui gîtait dangereusement et recrachait toujours de la fumée par la poupe.

– Ce sont tes amis ? a-t-il demandé.

– Oui, ai-je acquiescé. Tu peux faire quelque chose pour eux ?

Le géant a souri.

– Je reviens tout de suite, a-t-il promis.

Quelques minutes plus tard, *La Reine d'Égypte* mouillait en lieu sûr et Zia, assise sur la berge, essorait ses cheveux.

Setné s'est approché, l'air satisfait, mais les poignets toujours entravés.

– J'espère que la prochaine fois tu me feras confiance, m'a-t-il lancé. Je te présente mon vieil ami Hâpy, a-t-il ajouté, désignant le géant de la tête.

Penché au-dessus de nous, celui-ci souriait comme s'il n'avait jamais été aussi heureux de sa longue existence.

– Salut ! a-t-il dit, agitant la main.

Il avait les pupilles complètement dilatées, des dents d'une blancheur étincelante, une masse de cheveux bruns et raides qui retombaient sur ses épaules, et sa peau miroitait en passant par toutes les nuances du bleu. Son ventre, beaucoup trop gros pour sa corpulence, débordait sur son pagne en écailles, comme s'il avait avalé un dirigeable ou était en fin de grossesse. C'était à coup sûr le plus grand, le plus gras, le plus bleu et le plus jovial des hippies que j'avais jamais rencontrés.

– Hâpy ? ai-je répété.

– Hâpy pip hourra ! a-t-il exulté. C'est moi, Hâpy qui chante, Hâpy qui rit, qui aime la vie. Et toi, tu aimes la vie ?

J'ai jeté à coup d'œil à Setné, que cet échange semblait beaucoup amuser.

– Hâpy est le dieu du Nil, a-t-il expliqué. Entre autres tâches, il assure aux hommes des récoltes abondantes et toutes sortes de bienfaits. C'est pour ça qu'il est aussi...

– *Happy* ? ai-je osé.

– C'est obligé qu'il soit si grand ? a demandé Zia, levant les yeux vers le géant.

Dans un éclat de rire, celui-ci a adopté une taille humaine normale, mais son visage a conservé son expression extatique, très déconcertante.

– Qu'est-ce que je peux faire pour vous, les enfants ? a-t-il interrogé en se frottant les mains. Il y avait longtemps qu'on ne m'avait pas invoqué. Depuis la construction de ce stupide barrage, à Assouan, le Nil n'entre plus en crue chaque année, et plus personne ne dépend de moi. Si je tenais les mortels qui ont fait ça, je les écraserais.

Il avait dit ça sans se départir de son sourire, de la même manière qu'il aurait proposé d'apporter des gâteaux maison aux mortels en question.

J'ai réfléchi. Ce n'est pas tous les jours qu'un dieu vous offre ses services, même un dieu sous amphètes.

– Eh bien, ai-je dit, je t'ai invoqué sur les conseils de Setné, afin de régler son compte à l'hippopotame, mais...

– Setné !

Hâpy a décoché une bourrade au fantôme.

– Je déteste ce type, a-t-il avoué avec un rire espiègle. Vraiment. C'est le seul magicien qui ait jamais découvert mon nom secret.

– Bah ! Ça ne m'a pas demandé beaucoup d'efforts, a prétendu Setné d'un air faussement modeste. Et je dois dire qu'à une ou deux reprises, tu as surgi pile au bon moment.

Le sourire de Hâpy s'est figé dans un rictus pénible.

– Ah ! ah ! Je rêve de t'arracher les bras et les jambes, Setné. Ce serait génial !

Le visage de Setné n'a trahi aucune inquiétude, toutefois il s'est légèrement écarté.

– En fait, ai-je repris, on a une quête à accomplir. On doit retrouver un livre de magie pour vaincre Apophis. On faisait route vers les ruines de Memphis, mais à présent, notre bateau est endommagé. Crois-tu que...

Hâpy s'est mis à applaudir.

– Oh ! J'oubliais... C'est demain la fin du monde !

J'ai échangé un coup d'œil inquiet avec Zia.

– Exact, ai-je acquiescé. Si Setné te disait précisément où nous conduire, tu voudrais bien t'en charger ? Et s'il refuse de parler, je t'autorise à lui arracher les bras et les jambes.

– Youpi ! s'est écrié le dieu du Nil.

Setné m'a fusillé du regard.

– On va au Sérapéum, le tombeau d'Apis, a-t-il lâché à contrecœur.

Hâpy s'est donné une claque sur la cuisse.

– J'aurais dû m'en douter ! C'est l'endroit idéal pour planquer un truc. Ça se trouve à l'intérieur des terres, mais je peux vous y transporter, si c'est là que vous souhaitez aller. Et autant que vous le sachiez, les serviteurs d'Apophis sont embusqués le long du fleuve. Vous n'aviez aucune chance d'atteindre Memphis sans mon aide. Ils vous auraient taillés en pièces avant !

Il paraissait sincèrement ravi de nous annoncer ça.

– Dans ce cas, a dit Zia, nous acceptons ton aide avec joie.

Je me suis tourné vers *La Reine d'Égypte*, dont le capitaine, appuyé au bastingage, attendait mes ordres.

– Vous allez rester ici et continuer à réparer le bateau, lui ai-je crié. Pendant ce temps, nous...

Hâpy m'a interrompu :

– Le bateau peut venir aussi, ça ne pose aucun problème.

Je me demandais comment il comptait déplacer *La Reine d'Égypte*, surtout sachant que Memphis se trouvait à l'écart du fleuve, mais je me suis retenu de le questionner.

– Oubliez ce que je viens de dire, ai-je repris à l'adresse de Lames Dacier. Vous nous accompagnez. Vous achèverez les réparations à Memphis, en attendant de nouvelles instructions.

Le capitaine a paru hésiter, puis il a incliné la double hache qui lui tenait lieu de tête.

– À vos ordres, lord Kane.

– Coool ! s'est exclamé Hâpy.

Il a ouvert la main. Deux billes noires légèrement visqueuses, comme des œufs de poisson, reposaient sur sa paume.

– Avalez ça, nous a-t-il dit. Il y en a un pour chacun.

Zia a plissé le nez et demandé :

– Qu'est-ce que c'est ?

– Deux « Hâpy Meals ». Ils vous emmèneront là où vous voulez aller, a promis le dieu du Nil.

J'ai jeté un coup d'œil à Setné, qui semblait avoir le plus grand mal à se retenir de rire.

– C'est son invention et ça se mange. D'où le nom, a-t-il daigné expliquer.

– Mangez ! a insisté Hâpy. Vous verrez.

Avec réticence, Zia et moi avons pris les Hâpy Meals. Le goût en était aussi atroce que je le redoutais. À peine avais-je avalé le mien que ma vision s'est troublée, comme si je me trouvais au fond de l'eau.

– Content de vous avoir connus ! a fait la voix du dieu, à la fois lointaine et brouillée. Vous vous rendez compte que vous foncez dans un piège, j'espère ? Bonne chance, en tout cas !

Tout est devenu bleu autour de moi, et je me suis liquéfié.

CARTER

12. *Taureau laser*

Crois-moi, ce n'est pas marrant de devenir liquide. Je ne pourrai plus jamais passer devant une vitrine annonçant LIQUIDATION TOTALE sans avoir aussitôt le mal de mer et l'impression que mes os se transforment en porridge.

Pardon de m'exprimer comme dans les messages de prévention qu'on entend à la radio, mais si quelqu'un vous propose un jour un Hâpy Meal, les enfants, surtout, dites non !

J'ai senti que je m'infiltrais à travers les berges du Nil. Je me déplaçais à une vitesse stupéfiante. Au contact du sable brûlant, je me suis évaporé en brume que le vent du désert a poussée vers l'ouest. Si je n'y voyais pas, je percevais les mouvements et la chaleur. Mes molécules s'agitaient sous l'action du soleil qui les dispersait.

La température a brutalement chuté. J'ai deviné que je me trouvais dans une caverne ou une salle souterraine. Sous l'effet de la condensation, je me suis écoulé sur le sol avant de me solidifier sous mon aspect habituel.

Je suis tombé à genoux et ai rendu mon petit déjeuner.

Debout à mes côtés, Zia se tenait l'estomac. Le soleil brillait d'un éclat aveuglant sur le désert. Un escalier en pierre s'enfonçait dans le sol et l'obscurité devant nous – sans doute l'entrée d'un tombeau.

– Quelle horreur ! a gémi Zia.

Je n'ai pu qu'acquiescer. Je comprenais mieux à présent le principe physique que mon père m'avait enseigné un jour : la matière existe sous trois formes – solide, liquide et gazeuse. Je venais d'expérimenter les trois en l'espace de quelques minutes, et je n'avais pas aimé.

Setné est apparu à l'entrée du tombeau et nous a souri.

– Alors ? a-t-il lancé. J'ai passé le test de confiance ?

Je ne me rappelais pas l'avoir débarrassé de ses liens, pourtant il avait les mains libres à nouveau. Ce détail m'aurait davantage inquiété si je ne m'étais pas senti aussi mal.

Alors que Zia et moi étions trempés et couverts de boue, lui arborait des vêtements propres et repassés de frais. Pas un de ses cheveux ne dépassait, et ses chaussures blanches étaient impeccables. Ça m'a tellement écœuré que j'ai titubé jusqu'à lui afin de lui vomir dessus. Malheureusement, j'avais l'estomac presque vide et il était immatériel.

– Hééé ! a-t-il protesté, ajustant sa veste et son collier en or. Tu pourrais me montrer un peu de respect. Je t'ai rendu service, je te signale.

– Tu m'as... ?

J'ai dégluti, m'efforçant en vain de chasser le goût atroce que j'avais dans la bouche.

– Ne me... Plus ja...

– Plus jamais Hâpy, a achevé Zia. Jamais, tu entends ?

– La balade était chouette, non ? Même votre bateau est arrivé entier !

J'ai regardé autour de moi, clignant les yeux à cause du soleil. Le paysage qui nous entourait évoquait la surface de

Mars, plate et rocailleuse. Puis j'ai aperçu, échoué au sommet d'une dune, un bateau à aubes en piètre état. Si sa proue n'était plus en feu, *La Reine d'Égypte* avait subi d'autres dommages durant son transport. Une partie du bastingage avait été brisée, une des cheminées penchait dangereusement. Une sorte de parachute fait d'écailles de poisson pendait du toit de la cabine.

– Par tous les dieux d'Égypte, a gémi Zia. Pourvu que ce ne soit pas le pagne de Hâpy !

Debout à la proue, Lames Dacier regardait dans notre direction, les bras croisés. Son expression était évidemment indéchiffrable, mais son attitude trahissait son exaspération.

– Vous pouvez réparer le bateau ? lui ai-je crié.

– Affirmatif, lord Kane. C'est l'affaire de quelques heures. Mais malheureusement, il semble que nous soyons échoués en plein désert.

– On s'occupera de ça plus tard. Faites réparer le bateau et attendez-nous. Nous vous donnerons de nouvelles instructions à notre retour.

– Vos désirs sont des ordres.

Il s'est retourné vers son équipage et lui a parlé dans une langue que je ne connaissais pas. Les sphères de feu se sont aussitôt activées.

– Vous voyez ? a dit Setné avec un sourire satisfait. Tout baigne !

– Mais le temps joue contre nous.

À la position du soleil, j'ai calculé qu'il était entre une et deux heures de l'après-midi. Il nous restait beaucoup à faire avant l'aube suivante et le début de l'Apocalypse.

– Où mène cet escalier ? ai-je demandé. C'est quoi, le Sérapéum ? Et pourquoi Hâpy a-t-il parlé d'un piège ?

– Des questions, toujours des questions, a soupiré Setné. Viens, et tu verras. Tu vas adorer cet endroit.

Setné se trompait : j'ai immédiatement détesté le Sérapéum. L'escalier menait à une vaste salle taillée dans la roche dorée. Le plafond voûté était si bas que je pouvais le toucher sans tendre les bras. Les ampoules nues qui projetaient des ombres autour de nous témoignaient du passage des archéologues. Des poutres métalliques étayaient les murs, mais les fissures de ceux-ci ne contribuaient pas à me rassurer. À vrai dire, je ne me suis jamais senti à l'aise dans les espaces clos.

Environ tous les dix mètres, des niches s'ouvraient de part et d'autre d'un large couloir central. Chacune accueillait un sarcophage de pierre massif.

Je venais de dépasser la quatrième quand je me suis arrêté.

– Ces trucs sont trop grands pour contenir un corps humain, ai-je remarqué. Il y a quoi dedans ?

– Des taureaux morts, a répondu Setné.

– Pardon ?

Le rire du fantôme a résonné à travers l'immense salle. Si celle-ci abritait quelque monstre endormi, il était sûrement réveillé à présent.

– Les chambres funéraires du taureau Apis, a-t-il déclaré, très fier, avec un geste circulaire du bras. C'est moi qui les ai créées, quand je n'étais encore que le prince Khâemouaset.

– Le taureau Apis, a répété Zia, promenant une main sur le couvercle de pierre blanche d'un sarcophage. Mes ancêtres croyaient qu'il était une incarnation mortelle d'Osiris.

– « Croyaient » ? C'*était* son incarnation, poupée... Du moins en certaines occasions, comme les fêtes. On ne rigolait pas avec Apis, à l'époque.

Il a flatté le flanc d'un tombeau comme s'il s'agissait d'une voiture d'occasion qu'il aurait tenté de nous vendre.

– Le gaillard qui est couché là-dedans... Croyez-le ou non, mais il a mené une vie de rêve. Nourriture à volonté, un harem de vaches à sa disposition, des offrandes, une cape dorée... Tout ce qu'on lui demandait en échange, c'était d'apparaître en public de temps en temps. À l'âge de vingt-cinq ans, on l'a égorgé en grande pompe, puis on l'a momifié comme un roi avant de le placer ici. Et un autre a pris sa place.

– Égorgé à vingt-cinq ans... Une vie de rêve, en effet.

Combien de taureaux momifiés reposaient le long de ce couloir ? Je n'avais aucune envie de m'y enfoncer pour le découvrir. Je préférais rester près de l'entrée, d'où j'apercevais la lumière du jour.

– Pourquoi appelle-t-on cet endroit le Séré...

– Sérapéum, a achevé Zia.

Une clarté dorée nimbait son visage – c'était sans doute la pierre blanche qui réfléchissait la lumière électrique, mais elle semblait rayonner.

– Iskandar m'a parlé de cet endroit, a-t-elle repris. Le taureau Apis était le vaisseau d'Osiris. Plus tard, on a fusionné leurs deux noms : Osiris-Apis. Les Grecs l'ont écourté en Sérapis...

– Les imbéciles ! a ricané Setné. Ils ont envahi notre terre, se sont approprié nos dieux... Jamais pu les blairer. Mais la gamine a raison. Cet endroit a pris le nom de Sérapéum, la demeure du dieu-taureau. Moi, je voulais l'appeler « le sanctuaire du génialissime Khâemouaset », mais mon père n'a pas voulu...

– Ton père ?

Setné a esquivé la question.

– Bref, c'est ici que j'ai caché *Le Livre de Thot* avant de mourir, sachant que personne ne viendrait l'y chercher. Il faudrait être fou à lier pour oser troubler le repos du dieu Apis.

Zia a lancé un regard inquisiteur au fantôme.

– Ne me dis pas que tu as enfermé le livre dans un de ces sarcophages, avec un taureau momifié, et que celui-ci va se réveiller si on le dérange ?

– Mieux que ça, poupée ! a répondu Setné avec un clin d'œil appuyé. Les archéologues n'ont exploré que cette partie du complexe, a-t-il poursuivi, désignant les ampoules électriques et les poutres métalliques. Moi, je vais vous offrir une visite guidée des coulisses.

Les catacombes semblaient s'étendre à l'infini. Les couloirs se ramifiaient dans différentes directions, tous remplis de sarcophages. Au terme d'une longue descente, on a emprunté un passage secret, protégé par un mur illusoire.

De l'autre côté de celui-ci, nulle ampoule électrique, nulle poutre pour soutenir le plafond lézardé. Zia a enflammé l'extrémité de son bâton et consumé un dais de toiles d'araignées. La poussière qui recouvrait le sol ne portait d'autres empreintes que les nôtres.

– On y est bientôt ? ai-je demandé.

Setné a gloussé.

– On se rapproche.

À sa suite, on s'est enfoncés plus profondément dans le dédale des couloirs. De temps en temps, il s'arrêtait afin de désactiver un piège de la voix ou d'une simple pression de la main. Parfois, il me demandait de le faire à sa place – étant mort, il ne pouvait plus exécuter certains sorts lui-même – et j'avais alors l'impression qu'il aurait adoré me voir échouer et mourir.

– Comment se fait-il que tu puisses toucher certaines choses et d'autres non ? me suis-je étonné.

– Ce n'est pas moi qui ai édicté les règles du monde des esprits, mon gars. Je peux toucher les pierres et les métaux précieux, mais pas ramasser des ordures ni tripoter des pointes enduites de poison. Je dois laisser ces basses besognes aux vivants.

Chaque désactivation faisait brièvement apparaître des hiéroglyphes cachés. Parfois, des trappes s'ouvraient devant nous, nous obligeant à les enjamber, ou une pluie de flèches s'abattait du plafond. Des portraits de divinités ou de pharaons se détachaient des murs, silhouettes fantomatiques aussitôt évanouies. Setné se faisait un devoir de commenter chaque étape.

– Ce sort-là, expliquait-il, fait pourrir tes pieds jusqu'à ce qu'ils tombent. Celui-ci provoque une invasion de puces. Et celui-ci – un de mes préférés – te transforme en nain. Je déteste les avortons !

L'homme qui s'exprimait ainsi était plus petit que moi. J'ai préféré ne pas relever.

– T'as de la veine de m'avoir à tes côtés, a-t-il poursuivi, s'adressant à moi. Sinon, à l'heure qu'il est, tu serais un nabot sans pieds et bouffé par les puces. Mais le pire est encore à venir ! Par ici, je vous prie...

Comment pouvait-il se rappeler autant de détails après tout ce temps ? En tout cas, il était visiblement très fier de son œuvre. Il avait dû prendre un immense plaisir à concevoir ces pièges tous plus horribles et meurtriers les uns que les autres.

On a tourné dans un nouveau couloir, et le sol a recommencé à s'incliner. Au bout de quelques mètres, le plafond est devenu si bas que j'ai dû me courber. Je m'efforçais de rester calme, mais je respirais de plus en plus mal. La pensée de toutes ces tonnes de roche au-dessus de ma tête, susceptibles de m'ensevelir d'un instant à l'autre, m'obsédait.

Zia a pris ma main. Le passage était si étroit qu'on avançait l'un derrière l'autre.

– Ça va ? lui ai-je demandé, jetant un coup d'œil par-dessus mon épaule.

Méfie-toi, a-t-elle articulé en silence.

J'ai acquiescé, songeant aux mises en garde de Hâpy. On était seuls avec le fantôme d'un assassin qui connaissait ce souterrain comme sa poche. Pour une raison mystérieuse, je n'avais pu extraire mon khépesh de la Douât, et l'endroit était trop exigu pour mon avatar guerrier. Une attaque-surprise m'aurait trouvé plutôt démuni.

Enfin, le couloir s'est élargi avant de s'achever en cul-de-sac. Un mur se dressait devant nous, flanqué de deux statues représentant mon père... Je veux dire, Osiris.

Setné s'est retourné vers nous.

– Voici le topo, les copains : pour nous ouvrir un passage, je vais devoir désenchanter ce mur. Ça va prendre plusieurs minutes. Évitez de perdre les pédales et de m'entortiller dans des rubans roses avant que j'en aie terminé. Si vous m'interrompez, le tunnel s'effondrera sur nous.

J'ai réprimé – de justesse – un couinement de souris tandis que Zia enflammait l'extrémité de son bâton.

– N'essaie pas de nous embrouiller, a-t-elle lancé à Setné. Je sais reconnaître un sort de désenchantement. Si tu t'écartes de la formule, je te réduis en cendres d'ectoplasme.

Setné a fait craquer ses phalanges, et les bagues qui ornaient ses petits doigts ont scintillé à la clarté presque aveuglante du feu.

– Relax, gamine. Si tu ne contrôles pas mieux la bestiole, c'est toi qui vas finir en cendres.

– Quelle bestiole ? ai-je demandé.

Setné nous a regardés tour à tour, puis il a éclaté de rire.

– Elle ne t'a rien dit ? Et toi, tu n'as rien deviné ? Ah ! L'ignorance de la jeunesse... C'est touchant.

Puis il s'est tourné vers le mur et a entonné une incantation. Les flammes à l'extrémité du bâton de Zia ont perdu de leur éclat.

Devant mon regard interrogateur, elle a porté une main à sa gorge après une brève hésitation, faisant apparaître un scarabée étincelant au bout d'une chaîne dorée. Sans doute l'avait-elle caché jusque-là, de la même manière que Setné dissimulait les rubans d'Hathor.

Soudain j'ai compris que le scarabée était vivant et que je l'avais déjà vu. Rê avait renoncé à un aspect de sa personnalité – Khépri, le soleil levant – pour enfouir Apophis sous une multitude de scarabées. Au printemps dernier, Sadie et moi n'avions retrouvé que des millions de carapaces vides. Un seul coléoptère, l'ultime dépositaire du pouvoir de Khépri, avait survécu à la tentative d'évasion du serpent. Rê avait essayé de l'avaler – c'est dégoûtant, je sais – avant d'en faire cadeau à Zia. Je ne me rappelais pas qu'elle l'avait accepté, mais quand j'ai vu son amulette, j'ai eu la certitude qu'il s'agissait du même.

– Pas maintenant, a-t-elle dit, coupant court à mes questions.

Sans doute le moment était-il mal choisi pour une explication. Setné n'avait pas achevé son incantation, et je n'avais pas envie de finir écrasé sous des tonnes de pierres. Mais mon esprit était en ébullition. « Tu n'as rien deviné ? » avait demandé Setné d'un ton moqueur. Je connaissais la fascination de Rê pour Zia, sa baby-sitter préférée. En lui offrant une partie de son âme, il avait semblé la désigner comme sa grande prêtresse, voire lui accorder une importance encore plus grande.

Un grondement s'est élevé, et le mur qui fermait le tunnel s'est dissous.

Setné nous a adressé un sourire triomphant.

– Et voilà le travail !

On a pénétré à sa suite dans une salle circulaire qui évoquait un peu notre bibliothèque, à Brooklyn. Une mosaïque aux couleurs éclatantes figurant des prairies et des rivières recouvrait le sol. Sur les fresques murales, des prêtres apprêtaient des vaches avec des fleurs et des coiffes emplumées, des Égyptiens agitaient des palmes et des sistres – des sortes de crécelles – en bronze. Le plafond voûté représentait Osiris jugeant un taureau. Pendant une seconde, je me suis demandé si Ammout trouvait le cœur des bovins damnés plus savoureux que celui des hommes.

Au centre de la pièce, sur un piédestal en forme de sarcophage, trônait une statue grandeur nature d'Apis. Sculptée dans une roche sombre – du basalte ? –, elle était peinte avec un réalisme qui lui donnait l'apparence de la vie. Son regard semblait suivre mes mouvements. Un minuscule diamant scintillait sur sa poitrine, tranchant sur la noirceur de sa robe. La coupe et les broderies de la couverture dorée étalée sur son dos imitaient les ailes d'un faucon. Un disque solaire s'épanouissait entre ses cornes, juste au-dessus du cobra dressé sur son front.

À peine un an plus tôt, j'aurais pensé : *Flippant... Mais enfin, c'est juste une statue.* Depuis, j'avais vu suffisamment de statues prendre vie avec la ferme intention de m'ôter la mienne pour me tenir sur mes gardes.

Setné, lui, ne paraissait pas inquiet. Il a marché droit vers la statue et lui a flatté la croupe.

– Le sanctuaire d'Apis, a-t-il annoncé. Seule une poignée de prêtres triés sur le volet et moi-même avions accès à cet endroit. Maintenant, il ne nous reste plus qu'à attendre.

– Attendre quoi ? a demandé Zia.

Prudente, elle s'était arrêtée sur le seuil de la salle à mes côtés.

Setné a fait semblant de consulter une montre-bracelet.

– Ça ne devrait pas tarder. Entrez donc, mettez-vous à l'aise.

J'ai fait un pas en avant. Je m'attendais à ce que le mur se referme derrière moi, mais non.

– Tu es sûr que le livre est toujours là ? me suis-je enquis.

– Sûr et certain !

Setné a fait le tour de la statue, examinant sa base.

– Il faut juste que je me rappelle lequel de ces panneaux est censé s'ouvrir, a-t-il ajouté. Dans mon projet initial, cette salle devait être entièrement tapissée d'or. Ça aurait eu une autre gueule, non ? Mais papa a rogné sur les crédits...

Zia m'a rejoint et a glissé sa main dans la mienne. Je l'ai laissée faire. Le scarabée doré brillait de tous ses feux sur sa gorge.

– Ton père, c'était Ramsès le Grand ? a-t-elle demandé.

Setné a grimacé.

– Ça, c'est le nom que son attaché de presse a réussi à vendre à la postérité. Moi, je l'appelle plutôt Ramsès II, ou Ramsès bis.

– Quoi ? me suis-je exclamé. T'es le fils de ce Ramsès-là ?

Jusqu'à cet instant, je n'avais pas réfléchi à la place

qu'occupait notre compagnon dans la longue lignée des pharaons d'Égypte. Comment imaginer que ce gringalet gominé, au mauvais goût assumé, descendait d'un souverain légendaire ? Le pire, c'était que cette filiation faisait de nous des parents, ma famille maternelle tenant ses aptitudes pour la magie de Ramsès en personne.

(Ma sœur prétend trouver une ressemblance entre Setné et moi. La ferme, Sadie.)

Ma réaction a paru froisser Setné.

– Si quelqu'un peut comprendre la difficulté de grandir dans l'ombre d'un père célèbre, c'est bien toi, le fils du fameux professeur Julius Kane, a-t-il répliqué d'un ton pincé. Regarde-toi : juste quand tu parviens enfin à te faire une réputation comme magicien, ton paternel devient lui-même un dieu !

Jamais encore je n'avais éprouvé le moindre ressentiment envers mon père. Au contraire, j'avais toujours trouvé génial d'être le fils d'un savant réputé. Mais les paroles de Setné avaient allumé la colère dans mon cœur.

Il joue avec toi, m'a soufflé Horus.

Il avait raison, bien sûr. Mais cette certitude ne m'a pas apaisé.

– Où est le livre ? ai-je demandé à Setné. On a assez perdu de temps.

– Encore un peu de patience, mon gars. Tiens ! s'est-il exclamé, levant les yeux au plafond. Vise un peu qui est là : le Grand Schtroumpf lui-même. Crois-moi, Carter. Toi et moi, on a davantage en commun que tu ne l'imagines. Moi non plus, je ne peux pas faire un pas en Égypte sans voir partout la tête de mon vieux. Je vais à Abou Simbel ? Papa Ramsès m'écrase de son mépris, en quatre exemplaires de vingt mètres chacun. Un vrai cauchemar ! Il a fait construire la moitié des temples de ce pays et les a remplis de statues à sa gloire. Dans ces conditions, qui pourrait me reprocher d'avoir voulu devenir le plus grand magicien de tous les temps ? D'autant que j'ai réussi, a-t-il ajouté, bombant sa poitrine creuse. Mais ce qui m'épate, Carter Kane, c'est que tu ne te sois pas encore adjugé le trône du pharaon. Enfin, tu as Horus de ton côté, et il brûle d'exercer le pouvoir. En fusionnant avec lui, tu pourrais devenir le maître du monde. Qu'est-ce que t'attends pour prendre le taureau par les cornes ? a-t-il achevé en flattant la statue d'Apis.

Il a raison, a glissé Horus. *Cet humain ne manque pas de bon sens.*

Toi, je ne t'ai pas sonné, ai-je protesté.

Zia est intervenue :

– Carter, ne l'écoute pas. Et toi, Setné, quoi que tu aies en tête, je te conseille d'y renoncer.

– Écoute, poupée...

– Ne m'appelle pas comme ça !

– Hé ! On est dans le même camp ! Le livre se trouve ici, sous le piédestal. Dès que le taureau aura bougé...

– Quoi ? me suis-je écrié. Il est censé bouger ?

– Je ne vous l'ai pas dit ? Cette idée m'a été inspirée par un rituel ancien, la fête-Sed. Qu'est-ce qu'on se marrait ! Tu as déjà assisté à un lâcher de taureaux, dans cette ville espagnole...

– Pampelune.

La rancœur m'a de nouveau submergé. Une année, mon père m'avait emmené à Pampelune, mais il m'avait interdit de descendre dans la rue quand on avait lâché les taureaux à travers la ville. Trop dangereux, avait-il dit. Comme si sa propre existence de magicien clandestin n'avait pas été infiniment plus risquée !

– C'est ça, Pampelune, a acquiescé Setné. Eh bien, tu sais d'où vient cette tradition ? D'Égypte ! Le pharaon affrontait le taureau Apis pour réaffirmer son pouvoir, prouver sa force, s'assurer la bénédiction des dieux, et tout le toutim. Au fil du temps, cette course a tourné au simulacre. Mais à l'origine, c'était une question de vie ou de mort.

Au moment où il prononçait ce dernier mot, le taureau a bougé. Il a étiré ses pattes, puis il a baissé la tête et m'a lancé un regard furieux en soufflant un nuage de poussière.

J'ai fait le geste de saisir mon épée, mais elle n'était pas là.

– Setné ! Arrête ça tout de suite, ou je te ficelle comme un rôti...

– À ta place, j'éviterais. Je suis le seul à pouvoir récupérer le bouquin sans me faire atomiser par une douzaine de sorts différents.

Le disque doré entre les cornes du taureau a jeté un éclair tandis que le cobra sur son front sifflait et crachait du feu.

Zia a empoigné sa baguette. C'était peut-être un effet de mon imagination, mais il m'a semblé que de la fumée se dégageait de son amulette.

– Si tu ne rappelles pas cette créature, a-t-elle menacé, je te jure que...

– Désolé, poupée, mais je ne peux pas.

À demi caché derrière le taureau, il nous a souri. Il n'avait pas l'air particulièrement désolé.

– Ça fait partie du système de sécurité, a-t-il développé. Vous allez devoir distraire le taureau et l'éloigner pendant que je récupérerai *Le Livre de Thot* à l'intérieur du piédestal. Je vous fais confiance.

Le taureau a sauté de son socle. Zia m'a poussé vers le corridor.

– C'est ça ! a exulté Setné. Prouve que tu es digne du trône du pharaon, mon gars. Si tu ne veux pas mourir, cours !

Le taureau a chargé.

J'aurais bien aimé avoir une épée, une cape de toréro, ou encore mieux, un fusil d'assaut... Mais notre seul salut résidait dans la fuite. J'ai rapidement compris qu'on était perdus. On avait commis une erreur fatale en laissant Setné nous guider à travers le dédale des catacombes. J'aurais dû semer des miettes de pain, ou tracer des repères sur les murs.

J'avais espéré que les couloirs seraient trop étroits pour le taureau, mais non. Une rumeur sourde s'élevait des murs de roche qu'il rasait dans sa course. À ce bruit désagréable s'est bientôt ajouté un bourdonnement, suivi d'une explosion qui m'ont incité à accélérer encore l'allure.

On a dû traverser ainsi une douzaine de salles, chacune abritant entre vingt et trente sarcophages. Combien de taureaux avaient-ils été momifiés et ensevelis ici au fil des siècles ?

À un moment, je me suis retourné et l'ai aussitôt regretté. Le taureau et son cobra lance-flammes se rapprochaient.

– Par ici ! a crié Zia.

Elle m'a attiré dans un couloir à l'extrémité duquel il m'a semblé apercevoir la lumière du jour. On a couru dans cette direction, mais au lieu de l'issue espérée, on a découvert une nouvelle salle circulaire. Celle-ci ne contenait pas de statue de taureau, mais quatre sarcophages géants répartis le long des murs illustrés de représentations du paradis des bovins. Des vaches y paissaient dans les prés, adorées par des petits humains ridicules. La lumière provenait d'une ouverture dans le plafond voûté, à une hauteur d'environ cinq mètres. Un rayon de soleil trouait la pénombre poussiéreuse et traçait un cercle sur le sol, tel un projecteur. Même si je me transformais en faucon, le passage était trop étroit, et il n'était pas question d'abandonner Zia.

– Un cul-de-sac, a dit celle-ci.

– MUUURFFF !

La silhouette massive de notre poursuivant s'encadrait dans la porte, nous coupant toute retraite. Le cobra sur son front émettait des sifflements stridents.

On a reculé jusqu'au cercle de lumière. Notre vie allait s'achever ici, coincés sous des centaines de tonnes de roche, mais baignés par la douce chaleur du soleil. Quelle ironie !

Le taureau a gratté le sol. Il a fait un pas vers nous et s'est immobilisé. On aurait dit que la lumière le dérangeait.

– Apis est lié à Osiris, non ? ai-je dit. Je pourrais peut-être lui parler...

Zia m'a regardé comme si elle me croyait fou. Sans doute avait-elle raison, mais je n'avais pas de meilleure idée.

– Je te couvre, a-t-elle déclaré, serrant fermement sa baguette et son bâton.

Je me suis avancé vers le monstre, écartant les bras.

– Gentil, gentil taureau... Je m'appelle Carter Kane. Osiris est mon père, ou presque. Je te propose qu'on fasse la paix et...

Le cobra a craché un jet de flammes qui m'aurait rôti sur pied si Zia n'avait pas réagi au quart de tour. Elle a lancé un ordre et son bâton a absorbé le feu tandis que je reculais précipitamment. Elle a ensuite brandi sa baguette, et une barrière incandescente a surgi autour du taureau. Celui-ci n'a pas bronché et a continué à nous fixer. Puis il a baissé la tête.

Mon instinct de guerrier a pris le dessus.

– Abrite-toi ! ai-je hurlé à Zia.

Elle a plongé d'un côté, moi de l'autre. Le disque entre les cornes du taureau s'est mis à bourdonner, son éclat s'est intensifié et il a décoché un trait de lumière dorée à l'endroit précis où je me tenais une seconde plus tôt avec Zia. J'ai à peine eu le temps de me planquer derrière un sarcophage. Mes vêtements fumaient. Les semelles de mes chaussures avaient fondu. Là où le faisceau s'était abattu, le sol noirci bouillonnait.

– Un taureau qui lance des rayons laser ? ai-je gémi. C'est parfaitement déloyal !

Zia m'a interpellé à travers la salle :

– Carter ? Tu vas bien ?

– Séparons-nous ! ai-je crié en retour. Je vais faire diversion pendant que tu fuis.

– Non !

La tête du taureau a pivoté vers elle. Je devais agir vite.

Mon avatar ne me serait pas d'un grand secours dans un espace aussi confiné, mais j'avais besoin de la force et de la rapidité d'Horus. Je me suis concentré. Un halo bleu scintillant s'est formé autour de moi. Ma peau me semblait à présent aussi résistante que l'acier, mes muscles aussi puissants que des pistons hydrauliques. D'un coup de poing, j'ai réduit le sarcophage en poussière de roche et de momie. Puis j'ai soulevé un morceau du couvercle qui devait peser dans les deux cents kilos pour m'en faire un bouclier et me suis rué vers le taureau.

Le choc a été violent. J'ai dû mobiliser toute mon énergie pour garder mon équilibre. Le taureau poussait de toutes ses forces, et les flammes du cobra ruisselaient par-dessus le bord supérieur de mon bouclier.

– File ! ai-je hurlé en direction de Zia.

– Pas question de t'abandonner !

– Il le faut ! Je ne...

Mes poils se sont dressés avant même que je ne perçoive le bourdonnement. Un éclair doré a désintégré mon bouclier. Projeté en arrière, je me suis écrasé contre un autre sarcophage. Tout s'est brouillé devant mes yeux. J'ai entendu Zia crier. Quand ma vision s'est éclaircie, je l'ai aperçue au milieu de la pièce, baignant dans la clarté du jour. Elle prononçait une incantation que je ne connaissais pas. En détournant l'attention du taureau, elle m'avait probablement sauvé la vie. Mais avant que j'aie pu l'avertir, le monstre lui a décoché un rayon dont l'éclat m'a momentanément aveuglé. La chaleur était si intense qu'il m'a semblé que mes poumons se consumaient.

Il était impossible que Zia ait survécu. Pourtant, quand la lumière s'est dissipée, elle était toujours là, entourée d'une carapace incandescente dont la forme évoquait... un scarabée géant. Des flammes orange dansaient dans ses yeux.

Une voix grave, râpeuse, a jailli de sa gorge :

– Je suis Khépri, le soleil levant. Qui ose me défier ?

Il m'a fallu un moment pour me rendre compte qu'elle venait de s'exprimer en égyptien ancien.

Elle a tendu le bras. Une comète miniature est allée frapper le taureau, qui s'est enflammé. Le monstre s'est mis à tourner sur lui-même, paniqué, avant de s'écrouler et de se transformer en un tas de gravats noircis.

Le silence est retombé. Je craignais de faire le moindre geste. Le halo qui entourait toujours Zia, plongée dans une sorte de transe, est devenu d'un blanc aveuglant tandis que la température s'élevait. De la fumée se dégageait de son amulette.

Comme je tentais de me relever, elle a fait volte-face. Une nouvelle boule de feu s'est formée dans sa main.

– Non ! ai-je crié. C'est moi, Carter !

– Carter ? a-t-elle répété d'un ton hésitant.

Son visage a exprimé la stupeur, puis la peur. Ses yeux se sont éteints et elle s'est affaissée dans le cercle de lumière.

Je me suis précipité vers elle. Son corps était brûlant. Le scarabée avait laissé une vilaine trace rougeâtre sur sa gorge.

– Vite, de l'eau, a-t-elle gémi.

Les mots divins n'ont jamais été mon fort, toutefois j'ai ordonné :

– *Maw* !

Des hiéroglyphes scintillants se sont matérialisés au-dessus de nos têtes.

Plusieurs dizaines de mètres cubes d'eau se sont soudain déversés sur nous. De la vapeur s'élevait des vêtements de Zia. Elle a toussé, sans reprendre conscience. Sa fièvre demeurait élevée.

– Je vais te sortir de là, ai-je promis, la soulevant dans mes bras.

Pour ça, pas besoin de la force d'Horus : l'adrénaline m'empêchait de sentir mes propres blessures.

Dans le couloir, j'ai dépassé Setné qui venait dans ma direction. Il a fait demi-tour et s'est mis à courir à mes côtés, agitant un épais rouleau de papyrus.

– Bien joué, mon gars ! a-t-il exulté. Et regarde, j'ai le livre !

– T'as failli tuer Zia, ai-je lancé d'un ton accusateur. Sors-nous d'ici... Tout de suite !

– C'est bon, c'est bon, pas la peine de s'énerver...

– Après, je te traînerai au pied du trône de mon père et te fourrerai moi-même dans la gueule d'Ammout, comme un morceau de barbaque dans un hachoir...

– Mais c'est qu'il le ferait ! a dit en gloussant Setné, m'entraînant le long d'un passage incliné qui conduisait à un tunnel éclairé par des ampoules électriques. N'oublie pas qu'une fois dehors, tu auras encore besoin de moi pour déchiffrer le bouquin et retrouver l'ombre du serpent. Pour le steak tartare, il faudra patienter encore un peu.

– Je ne veux pas qu'elle meure, ai-je insisté.

– Ça, je l'avais pigé.

Setné m'a guidé à travers une succession de tunnels. Zia me semblait aussi légère qu'une plume. Mon mal de tête s'était dissipé. Enfin, on a émergé dans la lumière du jour et couru vers *La Reine d'Égypte*.

À bord, le capitaine Lames Dacier a voulu m'entretenir des réparations, mais c'était à peine si je l'entendais. J'ai transporté Zia jusqu'à la cabine la plus proche et l'ai déposée sur la couchette avant de fouiller dans ma trousse de premiers secours. Il y avait là une bouteille d'eau, un baume magique offert par Jaz et quelques formules rédigées sur des morceaux de papyrus. Mes compétences de guérisseur se limitaient à la prescription d'aspirine et la pose de pansements, toutefois je me suis attelé à la tâche.

– Tout va bien se passer, lui répétais-je, surtout pour me rassurer. Tu vas t'en sortir.

Elle était tellement brûlante que ses vêtements avaient séché sur elle. Les yeux révulsés, elle s'est mise à marmonner

– Des boules de bouse, l'ai-je entendue murmurer. C'est l'heure de faire rouler les boules de bouse...

J'aurais trouvé ça drôle si elle n'avait pas été à l'article de la mort.

– C'est Khépri qui parle, a expliqué Setné. Le scarabée divin, qui pousse le soleil à travers le ciel.

La fille que j'aimais était possédée par un scarabée et s'imaginait faisant rouler une énorme sphère formée d'excréments enflammés à travers le ciel... Si cette idée me répugnait, je ne pouvais ignorer que Rê l'avait élue de la même manière qu'Horus avait choisi de s'incarner en moi. Soudain j'ai compris pourquoi Apophis avait détruit son village alors qu'elle n'était encore qu'une enfant. J'ai également compris pourquoi l'ancien chef lecteur, Iskandar, avait mis tant de soin à l'entraîner et la protéger en la plongeant dans un sommeil artificiel. Si elle avait le pouvoir de réveiller le dieu-soleil...

J'ai étalé un peu d'onguent sur sa gorge, plaqué une serviette mouillée sur son front, sans effet.

– Guéris-la, ai-je supplié, me tournant vers Setné.

– Hum... Soigner les gens, c'est pas mon truc. Mais on a récupéré *Le Livre de Thot*, je te rappelle. Si elle meurt, ça n'aura pas été en vain.

– Si elle meurt, ai-je menacé, je vais te... te...

Je me suis tu, ne pouvant imaginer de châtiment assez cruel.

– Je crois que tu as besoin de rester un peu seul, a repris Setné. Pendant ce temps, je vais indiquer notre prochaine destination au capitaine. Il faut rejoindre au plus tôt la Douât et la rivière de la Nuit. Tu m'autorises à lui donner des instructions ?

– Fais ce que tu veux, mais disparais de ma vue.

J'ignore combien de temps j'ai passé à attendre au chevet

de Zia. Au bout d'un moment, la fièvre a paru retomber. Sa respiration s'est calmée et elle a sombré dans un sommeil paisible. J'ai déposé un baiser sur son front et suis resté assis à ses côtés, tenant sa main dans la mienne.

J'avais à peine conscience des mouvements du bateau. Après une chute brutale, il a heurté la surface de la rivière avec un bruit de déflagration. Puis j'ai senti l'eau s'écouler sous sa coque, et un haut-le-cœur m'a appris qu'on venait de pénétrer dans la Douât.

Quand la porte s'est ouverte dans mon dos, je n'ai pas bougé. Je m'attendais à entendre Setné se vanter de ses aptitudes au commandement, mais il n'a rien dit.

– Alors ? ai-je demandé comme le silence se prolongeait.

Un bruit violent m'a fait sursauter.

Ce n'était pas Setné, mais le capitaine Lames Dacier, qui se tenait sur le seuil de la cabine. Il me dominait de sa haute taille, les poings serrés, et venait de fendre le chambranle d'un coup de tête.

– Lord Kane, a-t-il dit d'une voix métallique, préparez-vous à mourir.

SADIE

13. Partie de cache-cache mortelle entre amis (avec points de bonus défensifs)

Bravo pour le suspense, Carter ! Un démon meurtrier à tête de hache... Avoue-le, tu l'as fait exprès pour me couper mes effets. C'est moche de tirer la couverture à soi, je trouve.

Pendant que tu te prélassais à bord d'un navire de croisière de luxe, Walt et moi, on voyageait dans des conditions nettement moins agréables.

J'avais pris le risque de solliciter de nouveau Isis afin qu'elle nous ménage un passage entre le pays des morts et le delta du Nil. Il faut croire qu'elle avait une dent contre moi (je me demande bien pourquoi !), parce qu'elle nous a largués en plein marécage, les pieds plantés dans la vase, avec de l'eau jusqu'à la taille.

– Merci quand même ! ai-je crié en direction du ciel.

J'ai tenté de m'extraire de la boue, en vain. Des nuages de moustiques tournoyaient autour de nous. Les bulles qui éclataient à la surface de l'eau et les clapotis m'évoquaient désagréablement les poissons tigres aux dents pointues et les esprits des eaux dont m'avait un jour parlé Carter.

– Une idée ? ai-je demandé à Walt.

Il donnait l'impression d'avoir perdu sa force vitale en regagnant le monde mortel. Il flottait dans ses vêtements. Le blanc de ses yeux était d'une vilaine teinte jaunâtre. Il voûtait les épaules comme si le poids de ses amulettes le tirait vers le sol. Le voir dans cet état me donnait envie de pleurer – pourtant, je n'ai pas la larme facile.

– Oui, a-t-il répondu, plongeant la main dans sa sacoche. J'ai pile le truc qu'il nous faut.

Il a produit un ouchebti, une figurine de crocodile en cire blanche.

– Ne me dis pas que tu as...

Il m'a souri, et pendant une seconde, j'ai presque retrouvé le Walt que je connaissais.

– J'ai pensé que ce ne serait pas sympa de le laisser tout seul au manoir, a-t-il expliqué.

Il a lancé la figurine dans le fleuve en prononçant un mot magique, et Philippe de Macédoine a surgi de l'eau.

Personne n'aimerait être surpris au milieu du Nil par un crocodile géant, mais l'apparition de Philippe m'a fait chaud au cœur. Il semblait sourire de toutes ses dents, ses yeux roses et ses écailles étincelaient gaiement au ras du fleuve.

Quelques minutes plus tard, il nous avait arrachés à la vase et on remontait le courant, à califourchon sur son dos. Je chevauchais son encolure et Walt, assis derrière moi, son abdomen. Notre croco albinos était tellement long qu'une distance considérable – trop à mon goût – nous séparait. Néanmoins, cette partie de notre expédition m'a semblé plutôt agréable, si l'on oublie qu'on était trempés, crottés et cernés de moustiques.

Autour de nous s'étendait un dédale de canaux, d'îlots herbeux, de bancs de vase et de roseaux. On n'aurait su situer la limite entre l'eau et la terre. De temps en temps, on distinguait au loin des paysans occupés à labourer, ou les toits d'un minuscule village. On a également aperçu plusieurs crocodiles, mais aucun ne s'est approché – ils auraient été fous de chercher querelle à Philippe.

En émergeant du pays des morts, j'avais été affolée de constater à quel point le soleil était déjà haut dans le ciel. Une épaisse brume de chaleur flottait dans l'air. J'ai regretté de ne pas avoir emporté une tenue de rechange, même si celle-ci ne m'aurait pas été d'une grande utilité. Mon sac à dos était aussi mouillé que mes vêtements, et j'aurais trouvé gênant de me déshabiller en présence de Walt.

Au bout d'un moment, fatiguée de contempler le paysage, je me suis retournée vers Walt.

– Si on avait du bois, ai-je dit, on pourrait faire du feu sur le dos de Philippe.

– Je ne crois pas que ça lui plairait, a-t-il répondu dans un éclat de rire. En plus, ce n'est pas le moment d'envoyer des signaux de fumée.

– Tu penses qu'on nous surveille ?

Il a subitement retrouvé son sérieux.

– Si j'étais Apophis, ou même Sarah Jacobi...

Il n'a pas eu besoin de développer. Un paquet de gens rêvaient de nous voir morts. Il n'y aurait rien eu d'étonnant à ce qu'ils nous traquent.

Walt s'est mis à fouiller dans sa collection d'amulettes. De mon côté, je jure que je ne prêtais aucune attention à la courbe de ses lèvres, ni à la façon dont son tee-shirt collait à sa poitrine. Tu me prends pour qui ?

Il a arrêté son choix sur une amulette en forme d'ibis – l'animal sacré de Thot – et lui a murmuré quelque chose avant de la lancer en l'air. Elle s'est transformée en un bel oiseau blanc au long bec recourbé, avec le bout des ailes noir. Il a décrit un cercle au-dessus de nos têtes, m'éventant au passage, puis s'est éloigné d'un vol lent et gracieux en direction des marais. Il m'évoquait un peu ces dessins naïfs montrant une cigogne qui transporte un bébé dans un balluchon. J'ignore pourquoi, ce rapprochement m'a fait rougir.

– Un éclaireur ? ai-je supposé.

Walt a acquiescé.

– Je l'ai chargé de repérer les ruines de Saïs. Avec un peu de chance, nous n'en sommes plus très loin.

À moins qu'Isis ne nous ait largués au-dessus du mauvais bras du delta, ai-je pensé.

L'intéressée n'a pas réagi, preuve qu'elle boudait toujours.

On a poursuivi notre croisière à dos de crocodile. En temps normal, ce tête-à-tête prolongé avec Walt m'aurait mise mal à l'aise. Mais j'avais beaucoup de choses à lui dire, et je ne savais comment m'y prendre. Quoi qu'il advienne, l'aube suivante marquerait la fin de notre long combat contre Apophis.

Bien sûr, je me faisais du souci pour chacun de nous. J'avais laissé mon frère en compagnie d'un fantôme sociopathe, et je n'avais pas eu le courage de lui révéler que Zia était sujette à des crises de folie furieuse et incendiaire. Je m'inquiétais pour Amos, toujours aux prises avec Seth, et pour nos initiés, presque livrés à eux-mêmes et probablement terrifiés. Mon cœur se serrait quand j'imaginais mon père sur son trône, pleurant une seconde fois ma mère... Et bien sûr, je m'inquiétais pour l'âme de celle-ci, menacée de destruction.

Mais mon principal objet de préoccupation était Walt. Nous autres, on avait une chance de s'en sortir, si mince soit-elle, alors que Walt était condamné, même en cas de victoire. À en croire Setné, il risquait même de ne pas survivre à notre expédition à Saïs.

Ça, je n'avais besoin de personne pour le savoir. Il n'y avait qu'à voir le halo d'un gris malsain qui l'entourait au niveau de la Douât. Combien de temps lui restait-il avant de se transformer en l'espèce de momie que j'avais aperçue à Dallas ?

Sans parler de mon autre vision, celle que j'avais eue sur le seuil de la salle du jugement. Quand Walt s'était retourné vers moi après avoir parlé au chacal qui en gardait la porte, pendant une fraction de seconde, j'avais cru reconnaître...

– Anubis aurait voulu être là, a fait la voix de Walt, s'immisçant dans mes pensées. Dans la salle du jugement, je voulais dire. Au cas où tu te poserais la question, il aurait aimé te voir.

– Ce n'est pas à lui mais à toi que je pensais, ai-je répliqué. Le temps file, et on n'a pas encore eu une conversation sérieuse à ce sujet.

Walt laissait traîner ses jambes dans l'eau. Il avait mis ses chaussures à sécher sur la queue de Philippe. Je n'ai jamais trouvé les pieds des garçons particulièrement attirants, surtout quand ils sortent d'une paire de baskets boueuses, mais ceux de Walt n'étaient pas mal. Ses orteils se confondaient presque avec le limon du Nil.

(Mon frère juge ces commentaires déplacés. Pardon, Carter, mais je préférais accorder mon attention aux pieds de Walt qu'à son visage. Son expression était tellement triste...)

– Tout sera terminé demain au plus tard, a-t-il dit. Mais ce n'est pas grave.

La colère m'a envahie par surprise.

– Si, c'est grave ! ai-je hurlé. Je sais, tu vas me répéter que tu es heureux de m'avoir connue, d'avoir appris la magie à mes côtés et de m'avoir aidée à combattre Apophis. Tout ça, c'est très beau, très noble, mais... Ça ne me console pas.

J'ai abattu mon poing sur le dos de Philippe, qui n'avait pourtant rien fait. Il était tout aussi injuste de crier contre Walt. Seulement, j'en avais marre des séparations, des sacrifices, du chagrin. Je n'étais pas préparée à ça. Je brûlais de serrer Walt dans mes bras, mais l'imminence de sa mort dressait une barrière infranchissable entre nous. Et mes sentiments étaient tellement embrouillés que j'ignorais ce qui me motivait. La simple attirance, le remords, l'amour – ça y est, je l'ai dit – ou le refus obstiné de perdre encore une personne qui comptait pour moi ?

Walt a laissé errer son regard sur les marais. Il avait l'air désemparé. Comment lui en vouloir ? Quand je m'y mets, je peux me montrer vraiment odieuse.

– Ça m'est égal de mourir pour une cause que j'estime juste, a-t-il dit enfin. Mais la mort ne signifie pas forcément la fin. J'en ai discuté avec Anubis et...

– Tu ne vas pas remettre ça ! Je ne veux pas que tu me parles de lui. Je sais très bien ce qu'il t'a dit.

– Ah bon ? a-t-il fait, étonné. Et tu n'es pas d'accord ?

– Bien sûr que non !

Le dépit s'est peint sur le visage de Walt.

– Je sais qu'Anubis t'a préparé à entrer dans l'autre monde, ai-je repris. C'est son rôle, de guider les morts. Il t'a dit que tout allait bien se passer. Tu connaîtras une fin glorieuse, un jugement rapide, et les portes du paradis s'ouvriront devant toi. Génial ! Tu vas devenir un fantôme, comme ma mère. Si ça te permet d'envisager la fin plus sereinement, alors tant mieux pour toi. Mais je ne veux pas t'en entendre parler. Je refuse de... de perdre encore quelqu'un d'important.

J'avais les joues en feu. Il m'était déjà difficile d'admettre que je ne pourrais jamais serrer ma mère dans mes bras, faire du shopping avec elle, lui demander conseil sur des trucs de filles... Sans même évoquer ma rupture forcée avec Anubis, le dieu aussi canon qu'odieux qui avait dérobé mon cœur. Au fond de moi, j'avais toujours su que notre différence d'âge – environ cinq mille ans – constituait un obstacle à notre relation, mais je n'avais toujours pas digéré que les autres dieux se soient ligués pour nous mettre des bâtons dans les roues. Dans ces conditions, l'idée de perdre également Walt, de le voir devenir un pur esprit, me rendait folle de rage.

Je l'ai regardé à la dérobée, craignant d'y être allée un peu fort.

À mon grand étonnement, il a souri, puis a carrément éclaté de rire.

– Quoi ? ai-je lancé, décontenancée.

Il s'est tapé sur les cuisses sans cesser de rigoler. C'était vexant, à la fin.

J'ai explosé :

– Tu trouves ça drôle ?

– Pas du tout, a-t-il protesté, se tenant les côtes. C'est juste... Tu ne comprends pas.

– Qu'est-ce que je ne comprends pas ?

Enfin, il s'est un peu calmé. Il semblait peser ses mots quand l'ibis blanc s'est posé sur la tête de Philippe et a poussé un cri en agitant les ailes.

Le sourire de Walt s'est effacé.

– On est arrivés.

Philippe nous a rapprochés de la berge. Une fois rechaussés, on a pataugé à travers les marais. Devant nous s'étendait une véritable forêt de palmiers qui paraissaient flous dans la lumière de l'après-midi. Des hérons sillonnaient le ciel. Des abeilles volaient de papyrus en papyrus. L'une d'elles s'est posée sur le bras de Walt tandis que d'autres décrivaient des cercles autour de sa tête. Leur attitude semblait plus l'intriguer que l'inquiéter.

– La déesse qui vivait ici, Neith... Elle n'avait pas un rapport avec les abeilles ?

– Aucune idée, ai-je avoué.

J'ignore pourquoi, mais j'avais instinctivement baissé la voix.

(Oui, Carter, c'était la première fois que ça m'arrivait. Merci de le souligner.)

À travers les troncs des palmiers, il m'a semblé apercevoir une clairière. Des restes de murs dépassaient de l'herbe par endroits – on aurait dit des dents pourries.

– Les vestiges d'un temple ? ai-je supposé.

Walt s'est accroupi et a jeté un coup d'œil inquiet à Philippe.

– Ce n'est peut-être pas très prudent de nous balader avec un crocodile d'une tonne, a-t-il remarqué.

– Bien vu !

Il a retransformé Philippe en une statuette de cire qu'il a glissée dans sa poche, et on s'est remis en marche.

Plus on s'approchait des ruines et plus les abeilles devenaient nombreuses. En atteignant la clairière, on en a découvert tout un essaim qui grouillait au-dessus d'un ensemble de murs de briques croulants.

Assise sur un bloc de pierre à proximité de ceux-ci, une femme appuyée sur un arc traçait des signes dans la poussière avec une flèche.

Le teint pâle, les pommettes saillantes, les yeux enfoncés,

les sourcils arqués, elle m'évoquait un top model s'aventurant dangereusement sur le terrain de l'anorexie. Ses tresses d'un noir lustré étaient piquées de pointes de flèche en silex. Son expression hautaine semblait dire : « Tas de minables, je ne vais pas m'abaisser à vous regarder. »

Loin des codes de la haute couture, elle était vêtue d'une tenue de camouflage beige, brun et ocre – les couleurs du désert. Plusieurs couteaux pendaient de sa ceinture. Elle portait un carquois sanglé sur le dos et son arc en bois poli, gravé de hiéroglyphes, n'avait rien d'un jouet.

Bizarrement, elle donnait l'impression de nous attendre.

– La discrétion n'est pas votre fort, a-t-elle lancé d'un ton accusateur. J'aurais pu vous tuer déjà une dizaine de fois.

J'ai jeté un coup d'œil interloqué à Walt avant de me retourner vers la chasseuse.

– Merci... de ne pas l'avoir fait.

– Inutile de me remercier, a-t-elle rétorqué. Vous avez intérêt à vous améliorer si vous voulez survivre.

Je n'aimais pas beaucoup ce qu'elle sous-entendait, mais en général, j'évite de demander des explications à une femme armée jusqu'aux dents.

– Vous êtes Neith, a dit Walt, désignant le symbole que la femme avait tracé dans la poussière : un ovale d'où dépassaient quatre traits, telles des pattes. Le bouclier et les deux flèches croisées... C'est votre emblème.

– Évidemment ! a craché la déesse avec mépris.

– On dirait une bestiole, ai-je fait remarquer.

– Ridicule ! a grondé Neith.

Derrière elle, les abeilles se sont brusquement excitées.

– D'accord, ai-je dit, préférant ne pas contrarier la déesse et ses protégées.

– Ça me revient ! s'est exclamé Walt. Votre temple... On l'appelait La Maison de l'abeille.

– J'aime les abeilles, a affirmé Neith. Des chasseuses infatigables, des guerrières intrépides...

– Comme je vous comprends ! ai-je acquiescé. Quelles charmantes... butineuses. Mais pour faire bref, on est ici en mission.

Je m'apprêtais à lui parler de Bès et de son ombre, mais elle m'a arrêtée :

– Je sais. Les autres m'ont prévenue.

– « Les autres » ?

– Les magiciens russes. Des proies trop faciles. Quelques démons leur ont succédé, qui ne valaient guère mieux. Tous voulaient vous tuer.

Je me suis insensiblement rapprochée de Walt.

– Je vois. Et vous...

– Je les ai détruits.

– Parce qu'ils étaient au service d'Apophis ? a demandé Walt, plein d'espoir. Vous saviez qu'ils faisaient partie d'une conspiration...

– Bien sûr, qu'il s'agit d'une conspiration ! Mortels, magiciens, démons, inspecteurs des impôts, ils en font tous partie. Mais je les ai à l'œil. Quiconque empiète sur mon domaine le paie chèrement. Je collectionne les trophées, a-t-elle ajouté avec un sourire féroce.

Elle a tiré de sous le col de sa veste un collier qu'elle a fièrement brandi devant nous. J'ai grimacé, m'attendant à un macabre chapelet de... Tu m'as comprise. Mais j'ai découvert une succession de carrés d'étoffes diverses – toile denim, lin, soie – aux bords effilochés.

– Des poches, a expliqué la déesse.

Walt a instinctivement palpé les côtés de son bermuda.

– Vous arrachez les... poches de vos ennemis ?

– Oui. Vous me trouvez cruelle ?

– C'est terrifiant ! J'ignorais que les démons avaient des poches.

Neith a regardé à gauche et à droite pour s'assurer que personne n'écoutait avant de nous confier :

– Il suffit de savoir où les chercher.

– Je vous crois sur parole. Pour en revenir à la raison de notre venue, on voudrait retrouver l'ombre de Bès.

– Je sais.

– Il paraît que vous êtes son amie et celle de Taouret.

– Exact. Je les aime bien tous les deux. Ils sont affreux. Je ne crois pas qu'ils fassent partie de la conspiration.

– Certainement pas ! Peut-être pourriez-vous nous mettre sur la voie ?

– Je le pourrais, en effet. L'objet de votre quête se trouve dans mon royaume, parmi les ombres de l'ancien temps.

– Les *quoi* ?

J'ai aussitôt regretté ma question.

Neith a encoché la flèche avec laquelle elle dessinait et l'a tirée vers le ciel. Le paysage s'est brouillé, et l'onde de choc m'a momentanément étourdie.

Quand j'ai rouvert les yeux, le ciel était d'un bleu plus éclatant et strié de nuages orange. Une fraîcheur piquante avait succédé à la chaleur. Des oies volaient au-dessus de nous. Les palmiers semblaient plus hauts, l'herbe plus verte...

(Je sais, Carter. Dit comme ça, ça paraît idiot. Mais je t'assure que l'herbe était plus verte de l'autre côté.)

À la place des ruines s'élevait un temple majestueux dont la façade blanche resplendissait au soleil. Il appartenait à un vaste complexe qui devait s'étendre sur plusieurs centaines de mètres. Un portail en filigrane d'or se dressait sur notre gauche. Une allée bordée de sphinx de pierre conduisait au fleuve, le long duquel étaient amarrés des bateaux à voile.

J'éprouvais la même sensation de décalage que la fois où j'avais touché un des écrans lumineux de la salle des temps.

– On est dans le passé ? ai-je supposé.

– Plutôt dans un souvenir. Cet endroit est mon refuge... et il deviendra votre tombeau, à moins que vous ne parveniez à m'échapper.

Je me suis raidie.

– Vous allez nous pourchasser ? Mais Bès est votre ami ! Vous devriez nous aider.

– Sadie a raison, est intervenu Walt. Nous ne sommes pas vos ennemis, mais Apophis, oui. Il a l'intention de détruire la création demain.

Neith a eu un rire cassant.

– La fin du monde ? Ça fait une éternité que je m'y prépare ! Stupides mortels, vous avez ignoré les signes avant-coureurs. Moi, j'ai aménagé un bunker souterrain avec des réserves d'eau et de nourriture, des armes et assez de munitions pour tenir tête à une horde de zombies.

– Une horde de zombies ? a répété Walt, désemparé.

– On ne prend jamais trop de précautions. Ce que je veux vous dire, c'est que je me suis entraînée à survivre dans des conditions extrêmes. Tu savais qu'un palmier comportait six parties comestibles ? a demandé Neith, pointant l'index vers moi.

– Euh...

– Et je ne risque pas de m'ennuyer. Je suis également la protectrice des tisserands. J'ai constitué un stock de ficelle suffisant pour fabriquer des milliers de napperons en macramé !

N'ayant qu'une vague idée de ce qu'était le macramé, j'ai préféré me taire.

– Tout ça est très joli, a remarqué Walt. Seulement, demain, Apophis va avaler le soleil, et l'océan du chaos recouvrira la terre.

Neith ne s'est pas laissée démonter.

– Je serai en sécurité dans mon bunker. Si vous parvenez à me prouver que vous n'êtes pas hostiles, je vous ferai peut-être une place à l'intérieur. Je vous enseignerai les techniques de survie. On se répartira les provisions et on tissera des vêtements avec les poches de nos ennemis.

J'ai échangé un regard furtif avec Walt. La pauvre fille était complètement cinglée. Malheureusement, on avait besoin d'elle.

– Donc, ai-je repris, vous allez nous pourchasser, et nous, on devra vous échapper ?

– Jusqu'au coucher du soleil. Si vous êtes toujours en vie à ce moment-là, je vous ouvrirai les portes de mon bunker.

– J'ai une contre-proposition à vous faire : laissez tomber le bunker. Si on gagne, non seulement vous nous aiderez à retrouver l'ombre de Bès, mais vous combattrez Apophis à nos côtés. En tant que déesse de la chasse, vous devez apprécier une bonne bataille, non ?

Neith a souri.

– Marché conclu ! Je vais même vous laisser une avance de cinq minutes. Mais je vous préviens : je ne perds jamais. Et quand je vous aurai tués, je garderai vos poches.

– Vous êtes dure en affaires... Ça marche !

Walt m'a poussée du coude.

– Hum ! Sadie...

Je lui ai fait signe de se taire. Je ne voyais pas comment on aurait pu échapper à Neith, mais je venais d'avoir une idée susceptible de nous sauver la vie.

– C'est parti ! a déclaré Neith. Vous avez accès à tout mon domaine, qui couvre plus ou moins la surface du delta. Où que vous alliez, je finirai par vous retrouver.

– Mais..., a protesté Walt.

– Il s'est déjà écoulé une minute, a indiqué la déesse.

Il n'y avait qu'une chose sensée à faire : prendre la fuite.

– C'est quoi, le macramé ? ai-je crié tandis qu'on courait à travers les roseaux.

– Une sorte de dentelle avec de la ficelle, a répondu Walt. C'est bien le moment de parler de ça ?

– Je me posais la question, c'est t...

Soudain je me suis retrouvée la tête en bas, entortillée dans un filet rêche.

– Le macramé, c'est ça, a annoncé Walt.

– Charmant. Fais-moi descendre !

Il a sorti un couteau de son sac à dos – j'aime les garçons prévoyants – et m'a libérée. Mais ce contretemps nous avait fait perdre notre avance.

Le soleil était bas sur l'horizon. Combien de temps nous restait-il à tenir ? Trente minutes ? Une heure ?

Walt a tiré le crocodile en cire de son sac et l'a brièvement considéré.

– Philippe ? a-t-il suggéré.

– Non. On n'a aucune chance contre Neith si on l'attaque de front. Ce qu'il faut, c'est l'éviter. Mieux vaut qu'on se sép...

– Tigre. Bateau. Sphinx. Dromadaire, a murmuré Walt, examinant sa collection d'amulettes. Et aucun sort d'invisibilité, bien sûr...

J'ai frissonné. Je ne gardais pas un très bon souvenir de la dernière fois où j'étais devenue invisible.

– Walt, on a affaire à la déesse des chasseurs. Il faudrait plus qu'un déguisement pour l'abuser, à supposer que tu en aies un sous la main.

– On fait quoi, alors ?

J'ai pointé l'index vers sa poitrine et effleuré la seule amulette à laquelle il n'avait pas pensé.

– L'anneau shen ? a-t-il dit. Je ne vois pas comment...

– On va se séparer et tâcher de gagner du temps. Les anneaux nous permettent de communiquer par la pensée, non ?

– Euh... Exact.

– Ils ont aussi le pouvoir de nous téléporter l'un auprès de l'autre ?

– Je les ai conçus pour. Mais...

– Si on se sépare, Neith devra choisir de traquer l'un de nous. Si c'est moi qu'elle découvre d'abord, tu me téléporteras à tes côtés, ou l'inverse. Puis on se séparera de nouveau, et ainsi de suite.

– Un plan génial... À condition que les anneaux agissent assez rapidement. Et qu'on parvienne à rester connectés par la pensée. Et que Neith ne tue pas l'un de nous avant qu'il puisse appeler à l'aide. Et...

J'ai posé un doigt sur ses lèvres.

– Et si on s'en tenait à « un plan génial » ?

Il a acquiescé.

– Bonne chance, a-t-il dit, plaquant un baiser furtif sur ma bouche.

C'était malin... Comment rester concentrée après ça ? Il est parti en courant vers le nord. Le temps de retrouver mes esprits, j'en ai fait autant dans la direction opposée.

Crois-moi, il y a mieux qu'une paire de bottes détrempées pour se déplacer discrètement.

J'ai hésité à marcher dans le fleuve afin de brouiller ma piste, mais je redoutais ce qui se cachait sous sa surface : crocos, serpents, esprits maléfiques ? Carter m'avait dit un jour que les anciens Égyptiens ne se baignaient pas dans le Nil. Sur le moment, j'avais trouvé ça ridicule : à quoi bon vivre au bord de l'eau, dans ce cas ? À présent, je comprenais. Il aurait fallu être cinglé pour s'aventurer dans ce bourbier.

(Carter fait remarquer qu'une baignade dans la Tamise ou dans l'East River n'est pas meilleure pour la santé. C'est pas faux. Maintenant, cher frère, si tu voulais bien la boucler et me laisser raconter la suite de mes exploits...)

En me frayant un chemin parmi les roseaux, je suis tombée sur un crocodile qui lézardait au soleil. Je ne me suis même pas retournée pour voir s'il me pourchassait : c'était un autre prédateur, autrement plus redoutable, qui m'inquiétait.

Il m'a semblé parcourir plusieurs kilomètres ainsi. Quand le lit du fleuve s'est élargi, je me suis enfoncée dans les terres, m'efforçant de rester à couvert sous les palmiers. Rien n'indiquait que j'étais suivie, mais je ressentais une tension entre les omoplates, à l'endroit où je m'attendais à recevoir une flèche.

J'ai débouché dans une clairière où des Égyptiens en pagne faisaient cuire quelque chose sur un feu, à l'entrée d'une minuscule hutte en roseaux. Ils avaient l'air drôlement réels pour de simples souvenirs. Ils sont restés bouche bée en voyant une fille blonde en tenue de camouflage faire irruption dans leur campement. En apercevant ma baguette et mon bâton, ils se sont immédiatement prosternés, le front dans la poussière, et ont marmonné quelque chose à propos du Per-Ankh, la Maison de vie.

– Hum, c'est ça, leur ai-je dit. Je suis en mission officielle pour le Per-Ankh. Surtout, ne vous dérangez pas pour moi...

Je me suis éloignée, me demandant si à la suite de cette rencontre, l'un d'eux allait dessiner sur le mur d'un temple une Égyptienne blonde avec des mèches violettes qui courrait de profil et crierait « Argh ! » en hiéroglyphes, poursuivie par Neith. J'ai esquissé un sourire, imaginant la perplexité des archéologues du futur.

Je me suis arrêtée net à la lisière de la palmeraie. Devant moi s'étendaient des champs cultivés qui n'offraient ni abri ni cachette.

J'ai fait volte-face.

Chtonk !

Une flèche s'est plantée dans le tronc du palmier le plus proche, provoquant une pluie de dattes.

Walt, s'il te plaît..., ai-je pensé.

Neith a surgi des herbes hautes à une vingtaine de mètres. Elle avait étalé de la boue sur son visage et piqué dans ses cheveux deux palmes qui évoquaient un peu les fausses oreilles d'une Bunny girl.

– J'ai chassé des cochons sauvages plus aptes à survivre que toi, s'est-elle plainte. Même une touffe de papyrus aurait opposé davantage de résistance !

Walt, je t'en prie...

La déesse a secoué la tête d'un air dégoûté et armé son arc. J'ai eu la sensation que mon estomac se décrochait – comme après un brusque coup de frein, en voiture – et me suis retrouvée assise sur la branche maîtresse d'un énorme sycomore, auprès de Walt.

– Ça a marché, a constaté celui-ci.

Cher, merveilleux Walt !

Je l'ai récompensé d'un baiser dans les règles de l'art – disons que j'ai fait de mon mieux compte tenu de notre situation. Son haleine était délicieusement parfumée, comme s'il avait mangé des fleurs de lotus. Les paroles d'une comptine de cour de récré me sont brusquement revenues en mémoire : « Walt et Sadie, assis dans un arbre, s'embrassent... » Heureusement, aucune de mes copines de lycée n'était encore née et ne risquait de me taquiner à ce sujet.

Walt a pris une profonde inspiration avant de parler :

– Je suppose que ça veut dire « merci » ?

– T'as meilleure mine, ai-je remarqué.

En effet, le blanc de ses yeux semblait moins jaune, et il ne grimaçait plus de douleur au moindre mouvement. Cette découverte aurait dû m'enchanter, mais elle a ravivé mes craintes.

– Ce goût de lotus sur tes lèvres... T'as pris quelque chose ?

Il a détourné les yeux.

– Je vais bien, a-t-il affirmé. On devrait se séparer de nouveau.

Sa réaction n'a pas calmé mes inquiétudes, au contraire, mais il avait raison. On a sauté à terre avant de s'éloigner dans des directions opposées.

Le soleil touchait presque l'horizon. J'ai entrevu une lueur d'espoir. Sans aucun doute, l'épreuve touchait à sa fin.

J'ai failli m'empêtrer dans un autre filet en macramé mais je me tenais sur mes gardes. Ayant évité le piège, j'ai pénétré dans un bosquet de papyrus et suis ressortie face au temple de Neith.

Le portail doré était grand ouvert. L'allée bordée de sphinx s'enfonçait à l'intérieur du vaste complexe. On n'apercevait ni gardes ni prêtres. Peut-être Neith les avait-elle tous tués et avait-elle volé leurs poches, à moins qu'ils n'aient trouvé refuge dans son bunker où ils se préparaient à repousser une invasion de zombies.

Mon intuition me disait que Neith ne penserait pas à me chercher dans son propre QG. En plus, Taouret avait vu l'ombre de Bès se refléter sur l'un de ces murs. Si je parvenais à la retrouver sans l'aide de la déesse, ce serait encore mieux.

J'ai couru vers le portail, surveillant les sphinx du coin de l'œil pour le cas où l'un d'eux se serait animé. Deux obélisques aux pointes dorées se dressaient à l'intérieur de l'immense cour, encadrant une statue de Neith en costume traditionnel égyptien. Elle avait l'air aussi peu commode qu'au naturel. Des boucliers et des flèches s'empilaient à ses pieds, tels des trophées.

J'ai promené mon regard le long des murs qui m'entouraient. Plusieurs escaliers menaient à leur sommet. Le soleil couchant y projetait quantité d'ombres, mais aucune n'évoquait la silhouette d'un nain. Taouret m'avait suggéré d'appeler l'ombre de Bès. J'étais sur le point de le faire quand la voix de Walt a retenti dans ma tête :

Sadie !

Comment veux-tu te concentrer quand la vie d'un être cher dépend de la rapidité de ta réaction ?

J'ai refermé la main sur mon anneau et murmuré :

– Viens, viens...

J'ai imaginé Walt à mes côtés – de préférence sans flèche dans la poitrine –, fermé les yeux, et quand je les ai rouverts, il était là. Il m'a serrée assez fort pour m'étouffer.

– Elle... elle allait me tuer, a-t-il expliqué. Mais d'abord, elle voulait qu'on discute. Elle a dit que notre truc lui plaisait beaucoup. Qu'elle serait heureuse de nous massacrer et de garder nos poches.

– Super. On se sépare ?

Soudain Walt a aperçu quelque chose par-dessus mon épaule.

– Regarde ! a-t-il dit, indiquant l'angle nord-ouest du temple, où une tour dépassait du mur d'enceinte.

Le ciel virait au rouge, effaçant peu à peu les ombres sur le flanc de la tour. Mais l'une d'elles s'attardait, traçant la silhouette d'un homme de petite taille aux cheveux crépus.

Oubliant notre plan, on s'est rués vers l'escalier le plus proche. Au sommet du mur, j'ai compris qu'on devait se trouver au même endroit que Bès et Taouret lors de la fameuse nuit qu'avait évoquée cette dernière. Bès avait dit vrai : il avait laissé son ombre là où il avait la certitude qu'elle demeurerait heureuse, même si lui ne l'était plus.

L'émotion m'a envahie. Il m'a semblé que mon cœur se contractait tel un ouchebti devenant statuette de cire.

– On fait comment pour la capturer ? ai-je demandé à Walt.

Une voix s'est élevée derrière nous :

– Trop tard !

On s'est retournés d'un même mouvement. Neith se tenait à quelques mètres de nous. Son arc était armé avec deux flèches. À cette distance, elle n'aurait aucune difficulté à nous atteindre tous les deux.

– Vous vous êtes bien battus, a-t-elle admis. Mais comme je vous l'ai dit, je finis toujours par gagner.

SADIE

14. L'amour à quitte ou double

Le moment idéal pour faire appel à Isis ?

Peut-être... Mais même si elle avait daigné répondre, je ne suis pas sûre que Neith m'aurait laissé le temps d'utiliser sa magie. Et si, par chance, j'étais parvenue à la vaincre, elle m'aurait probablement accusée d'avoir triché en lui opposant la puissance d'une autre déesse et en aurait déduit que j'appartenais au complot russo-fiscalo-zombiesque.

Neith était cinglée, certes, mais on avait besoin de son aide. Elle nous serait plus utile à combattre Apophis qu'à faire du patchwork à partir de poches et de bouts de ficelle, terrée dans son bunker.

Mon cerveau carburait à plein régime. Je n'avais guère fréquenté de chasseurs jusque-là, à part le vieux commandant McNeil, un copain de papy, qui nous soûlait avec ses récits de... Bingo !

– Oh ! La hooonte, ai-je laissé échapper.

– Quoi ? a demandé Neith.

Apparemment, j'avais réussi à la déstabiliser. Bien !

Je l'ai imitée :

– « Tu savais qu'un palmier comportait six parties comestibles ? » Faux ! C'est pas six, mais sept.

– Impossible !

– Ah ouais ? Vous avez déjà tenté de survivre à Covent Garden en ne consommant que les ressources locales ? Et le trekking à travers Camden Lock, ça vous dit quelque chose ? À moi, oui.

La déesse a baissé légèrement son arc.

– Je ne connais pas les endroits dont tu parles.

– Je l'aurais parié ! Dommage, j'aurais pu vous enseigner quelques trucs. Une fois, j'ai vécu toute une semaine en me nourrissant exclusivement de biscuits rassis et de Ribena.

– C'est quoi ? Une plante ?

– Qui contient tous les nutriments nécessaires à l'organisme. Le tout est de savoir où l'ache... la récolter.

J'ai brandi ma baguette, espérant qu'elle n'y verrait pas un geste de menace, mais un simple effet dramatique, avant d'ajouter :

– Une autre fois, à proximité de mon bunker de Charing Cross, j'ai affronté tout un troupeau de Jelly Babies, une proie très dangereuse...

– Non ? s'est exclamée Neith, écarquillant les yeux.

– Si ! Ils sont tout petits, mais ils se déplacent toujours en très grand nombre. Et ils sont poisseux... Pouah ! Donc, me voici seule face à eux, avec juste ma carte de métro magnétique et deux pièces d'une livre en poche, quand soudain... Peu importe. La suite, vous la découvrirez vous-même, le jour où vous vous trouverez dans cette situation.

– Raconte ! Moi aussi, je veux chasser les Jelly Babies.

Je me suis tournée vers Walt.

– Ça fait combien de temps que je t'entraîne ? lui ai-je demandé avec grand sérieux.

– Sept mois, presque huit.

– Et est-ce que je t'ai déjà invité à chasser les Jelly Babies avec moi ?

– Euh... non.

– Vous voyez ? ai-je repris à l'intention de Neith. Même Walt n'est pas prêt. Je pourrais vous dessiner les terribles Jelly Babies, voire – les dieux m'en préservent ! – les Jacob's Cream Crackers, mais cette révélation pourrait vous détruire.

Tout en parlant, je m'étais agenouillée et avais commencé à tracer des hiéroglyphes sur le mur avec ma baguette.

– Je suis la déesse de la chasse ! Il faut que je sache.

Neith s'est approchée, contemplant les hiéroglyphes flamboyants avec fascination. Apparemment, elle n'avait pas reconnu les symboles protecteurs.

– Pour commencer, ai-je dit, le regard dirigé vers l'horizon, la notion de temps est particulièrement importante.

– Dis-moi !

– Eh bien, ai-je poursuivi, activant le sort, le soleil est couché, et on est toujours en vie. Donc, on a gagné.

– Tricheuse !

Neith s'est ruée vers nous, furieuse, mais les hiéroglyphes protecteurs l'ont repoussée. Elle a alors bandé son arc et décoché ses deux flèches.

Ce qui s'est passé alors m'a doublement surprise. D'abord, les flèches, probablement imprégnées d'une magie très puissante, ont traversé mes défenses sans effort. Ensuite, avant même que j'aie pu crier – car j'ai crié, je l'avoue –, Walt les a cueillies en plein vol. Elles sont alors tombées en poussière et le vent les a dispersées.

Neith a reculé.

– *Toi* ! a-t-elle craché, horrifiée. C'est déloyal !

– On a gagné, a réaffirmé Walt. À vous de tenir vos engagements.

Ils se sont défiés du regard, puis Neith a lâché :

– C'est bon. Vous êtes libres, et je combattrai Apophis à vos côtés. Mais je n'oublierai pas ton intrusion dans mon domaine, fils de Seth. Quant à toi, a-t-elle ajouté à mon intention, je fais le vœu que ta proie te dupe un jour comme tu viens de le faire. Je te souhaite d'être piétinée par une horde de Jelly Babies en furie !

Sur cette menace terrifiante, elle s'est évanouie, ne laissant derrière elle qu'un long morceau de ficelle emmêlée.

Je me suis tournée vers Walt.

– « Fils de Seth » ? Qu'est-ce qu'elle...

– Attention ! a-t-il crié.

Autour de nous, le temple se désagrégeait. L'air s'est mis à ondoyer tandis que le décor se transformait.

Le temps qu'on atteigne le pied de l'escalier, il ne restait du temple que quelques tas de briques usées par le passage des siècles. L'ombre de Bès était encore visible, mais elle s'estompait lentement avec les dernières lueurs du jour.

– Il faut vite la capturer, a dit Walt.

– D'accord, mais comment ?

Quelqu'un a toussé derrière nous.

Anubis était appuyé à un palmier, le visage grave.

– Pardon de vous déranger, a-t-il dit. Mais c'est l'heure, Walt.

Pour l'occasion, il avait adopté le look antique – pagne, sandales, collier en or, les yeux bordés d'eye-liner noir, et rien d'autre. Comme je l'ai déjà fait remarquer, très peu de garçons peuvent se le permettre (surtout le maquillage), mais lui s'en sortait avec les honneurs.

Soudain l'inquiétude s'est peinte sur ses traits, et il s'est élancé vers nous. Pendant un court instant, je me suis crue sur la couverture d'un des romans à l'eau de rose dont raffole ma grand-mère, où l'on voit l'héroïne se pâmer dans les bras d'un grand costaud à moitié nu tandis qu'un autre type, un peu à l'écart, lui jette des regards languissants. Hélas ! La vie amoureuse d'une jeune fille est faite de choix déchirants... J'ai regretté de ne pas avoir eu le temps de faire un brin de toilette, car j'étais couverte de boue et de débris végétaux. Manquait plus que le goudron et les plumes !

Mais Anubis m'a dépassée et a saisi Walt par les épaules. Pour une surprise, c'en était une !

Il m'a fallu une seconde pour comprendre qu'il venait de le rattraper avant qu'il ne tombe. La sueur perlait sur le front de Walt, ses jambes pliaient comme celles d'un pantin dont on a coupé les fils. Anubis l'a délicatement déposé sur le sol.

– Reste avec moi, Walt, lui a-t-il dit d'un ton pressant. On a quelque chose à terminer.

J'ai eu la sensation d'avoir été effacée de la couverture d'un simple clic sous Photoshop. Or, s'il y a bien un truc que je ne supporte pas, c'est qu'on m'ignore.

– Qu'est-ce que tu fiches ici ? ai-je lancé à Anubis. Et qu'est-ce qu'il y a entre vous deux, au juste ?

Anubis a levé un regard absent vers moi, comme s'il avait oublié ma présence. Ça n'a pas amélioré mon humeur.

– J'ai essayé... de lui expliquer, a gémi Walt.

Anubis l'a aidé à s'asseoir, mais il avait toujours une mine épouvantable.

– J'imagine qu'elle ne t'a pas laissé en placer une ?

Walt a esquissé un sourire.

– Tu l'aurais entendue baratiner Neith à propos des Jelly

Babies..., a-t-il dit en soupirant. On aurait dit... Je ne sais pas, une locomotive lancée à pleine vitesse. L'autre n'avait aucune chance.

– Je sais, j'ai vu. C'était... attendrissant, dans le genre crispant.

– Dites donc, les garçons !

Je ne sais pas ce qui me retenait d'en prendre un pour assommer l'autre.

– J'adore quand elle rougit ainsi, a ajouté Anubis, comme s'il décrivait un spécimen rare.

– Moi aussi, a approuvé Walt. C'est trop mignon.

– Tu as pris une décision ? Après, il sera trop tard.

– C'est oui. Je ne peux pas renoncer à elle.

Anubis lui a pressé l'épaule.

– Moi non plus, a-t-il avoué. Mais d'abord l'ombre, d'accord ?

Walt a toussé, et son visage s'est crispé.

– D'accord, a-t-il dit.

Je n'avais pas les idées très claires, mais une chose me paraissait évidente : ces deux-là avaient comploté dans mon dos. Qu'est-ce qu'ils avaient bien pu raconter sur mon compte ? Et comment pouvaient-ils prétendre tous les deux ne pas renoncer à moi ? Cette histoire virait au cauchemar...

Bon sang ! Je commençais à penser comme Neith. Si je n'y prenais pas garde, j'allais finir dans un bunker, à bouffer des rations de l'armée et à coudre des couvertures de survie avec les poches des garçons qui auraient osé me défier.

Soutenu par Anubis, Walt s'est approché de l'ombre de Bès, à présent presque effacée.

– Tu crois que tu y arriveras ? s'est inquiété Anubis.

Je n'ai pu entendre la réponse de Walt, mais il a sorti un bloc de cire de sa sacoche et façonné un ouchebti de ses mains tremblantes.

– À écouter Setné, ça paraissait affreusement compliqué, a-t-il dit. En réalité, c'est très simple. Pas étonnant que les dieux aient voulu cacher ce savoir aux mortels.

– Je vous demande pardon...

Les deux se sont tournés vers moi.

– Salut, moi c'est Sadie. Désolée d'interrompre votre tête-à-tête, les gars, mais qu'est-ce que vous fabriquez, au juste ?

– On capture l'ombre de Bès, a déclaré Anubis.

– Ah ?

Sa réponse m'avait laissée sans voix. La locomotive avait déraillé, aurait-on dit.

– C'était ça, la décision dont tu parlais ? ai-je repris. Mais alors, pourquoi avoir dit que vous ne vouliez pas renon...

– Sadie, a coupé Walt, si je ne me dépêche pas, l'ombre sera perdue. Il faut que tu m'observes attentivement afin de faire la même chose avec celle du serpent.

– Il n'est pas question que tu meures, Walt Stone. Je te l'interdis !

– La formule est simple, a-t-il poursuivi sans me prêter attention. Il s'agit d'une invocation ordinaire, à part qu'elle s'adresse à « l'ombre de Bès », et non à celui-ci. Une fois l'ombre absorbée, il va falloir l'ancrer au moyen d'un sort...

– Stop !

Il grelottait si fort que ses dents s'entrechoquaient. Comment pouvait-il songer à me donner un cours de magie dans son état ?

– ... Pour exécrer Apophis, tu devras te trouver face à lui. Là encore, Setné a menti : ce sort n'a rien de spécial. La seule difficulté, c'est de repérer l'ombre. Pour rendre la sienne à Bès, tu n'auras qu'à exécuter le rituel à l'envers. Comme il s'agit d'un sort bénéfique, tu devrais pouvoir procéder à distance.

Son shut ne demandera pas mieux que de t'aider. Demande-lui de retrouver Bès, et il... il te le ramènera.

– Mais...

– Sadie !

Anubis m'a enveloppée dans ses bras et a posé sur moi un regard plein de compassion.

– Ne l'oblige pas à parler plus que nécessaire, m'a-t-il dit. Il a besoin de toutes ses forces pour exécuter ce sort.

Walt a entonné une incantation. Puis il a levé le bloc de cire, auquel il avait donné la forme d'un Bès miniature, et l'a plaqué contre l'ombre sur le mur.

– Mais il va mourir ! ai-je sangloté.

Anubis me serrait étroitement contre lui. Son odeur – un mélange d'ambre, de copal et d'autres fragrances très anciennes – rappelait l'encens qu'on brûle dans les temples.

– L'ombre de la mort planait sur lui dès la naissance, a-t-il repris. C'est pourquoi on se comprend si bien, lui et moi. Il aurait déjà dû s'effondrer depuis longtemps, mais Jaz lui a confié une potion pour endormir la douleur et provoquer chez lui un dernier sursaut en cas de besoin.

J'ai repensé au parfum de lotus que j'avais senti sur les lèvres de Walt.

– Il l'a prise pendant qu'on fuyait devant Neith, ai-je supposé.

Anubis a acquiescé.

– Son effet s'est dissipé. Il lui reste juste assez d'énergie pour achever le sort.

– Non !

J'aurais voulu hurler, bourrer Anubis de coups de poing, mais j'ai fondu en larmes comme une gamine, blottie contre sa poitrine.

Je n'ai aucune excuse. Simplement, je ne supportais pas l'idée de perdre Walt, même pour sauver Bès. J'aurais tant voulu réussir quelque chose sans rien sacrifier, rien qu'une fois... Est-ce que c'était trop demander ?

– Il faut que tu regardes, m'a dit Anubis. Que tu mémorises le rituel.

– Je m'en fiche ! ai-je dit en sanglotant, mais j'ai regardé quand même.

J'ai vu la figurine absorber l'ombre, telle une éponge, et devenir aussi noire que du khôl.

– Ne t'inquiète pas pour Walt, a repris Anubis. La mort ne signifie pas la fin pour lui.

– Tais-toi, ai-je gémi, le frappant sans conviction. Tu ne devrais même pas être ici ! Les autres dieux t'ont interdit de m'approcher, non ?

– Tu as raison : n'ayant pas de forme mortelle, je ne devrais pas me trouver ici, près de toi.

– Comment fais-tu, alors ? Ce n'est pas ton temple. On n'est pas non plus dans un cimetière.

– En effet. Regarde !

La formule achevée, Walt a lancé un ordre :

– *Hi-nehm* !

Des symboles argentés se sont détachés sur la cire noire, épelant le verbe « lier » en égyptien :

C'était avec ce mot magique que j'avais remis en état la boutique du musée de Dallas, et qu'oncle Amos avait réparé une soucoupe brisée, à notre arrivée au manoir. Mon intuition me soufflait que c'était le dernier que prononcerait Walt.

Il s'est subitement affaissé. Je me suis ruée vers lui et ai soulevé sa tête. Sa respiration était saccadée.

– Le sort a fonctionné, a-t-il murmuré. Maintenant, envoie l'ombre auprès de Bès. Il faut...

– Walt, je t'en supplie ! On va te transporter au Premier Nome. Leurs guérisseurs arriveront peut-être à...

– Non, Sadie. Fais vite, a-t-il ajouté, pressant la figurine dans ma main.

J'avais beaucoup de mal à me concentrer, toutefois j'ai réussi à inverser la formule d'exécration. J'ai insufflé de la magie à la figurine en me représentant Bès tel que je l'avais connu. Puis j'ai ordonné à l'ombre de trouver son maître et de régénérer son âme. Au lieu d'effacer Bès, j'ai tenté de le réintroduire dans l'histoire, à l'encre indélébile.

La statuette s'est volatilisée.

– Ça... ça a marché ? ai-je demandé.

Walt n'a pas répondu. Les paupières closes, il reposait sur le sol, parfaitement immobile.

J'ai posé une main sur son front, déjà presque froid.

– Non, NON ! Anubis, fais quelque chose...

Je me suis retournée. Le dieu de la mort avait disparu.

– Anubis !

Mon cri s'est répercuté jusqu'aux collines dans le lointain. J'ai reposé la tête de Walt avec précaution avant de me relever.

– Alors, c'est comme ça ? ai-je hurlé à la cantonade, les poings serrés. Tu prends son âme et tu t'en vas ? Je te déteste !

Soudain Walt a respiré bruyamment et ouvert les yeux.

Dans mon soulagement, j'ai lâché un sanglot et me suis agenouillée près de lui.

– Le portail, a-t-il murmuré d'un ton pressant.

De quoi parlait-il ? Peut-être avait-il eu une vision au seuil de la mort ? Sa voix était faible mais parfaitement audible, et elle n'exprimait plus la douleur.

– Vite, Sadie, a-t-il insisté. Tu connais la formule. Tu dois l'essayer sur l'ombre du serpent.

– Qu'est-ce qui t'est arrivé ? ai-je demandé, essuyant mes larmes. Et c'est quoi, cette histoire de portail ?

D'un geste las, il a indiqué un rectangle de ténèbres qui se découpait dans l'espace.

– Setné... Je comprends son plan, à présent. Ton frère est en danger. Tu dois l'aider.

– Et toi ? Je ne te laisserai pas ici.

Il a secoué la tête.

– Je suis encore trop fatigué pour t'accompagner. C'est à peine si je peux bouger. Je vais faire de mon mieux pour te trouver des renforts dans la Douât – crois-moi, tu en auras besoin. Je te rejoindrai au Premier Nome, au lever du soleil, si... si tu me promets de ne pas me détester.

– Pourquoi je te détesterais ? ai-je dit, déconcertée.

Il a eu un sourire mélancolique qui ne lui ressemblait pas.

Un frisson m'a secouée. Comment Walt avait-il survécu ? Où était passé Anubis ? Qu'est-ce qu'ils avaient encore comploté, tous les deux ? Neith avait appelé Walt « fils de Seth ». Or, à ma connaissance, ce dernier n'avait eu qu'un enfant : Anubis...

« J'ai essayé de lui expliquer », avait dit Walt.

« L'ombre de la mort planait sur lui dès la naissance », m'avait confié Anubis. « C'est pourquoi on se comprend si bien, lui et moi. »

Malgré moi, j'ai regardé à l'intérieur de la Douât. J'ai vu se superposer à l'image de Walt celle d'un garçon au teint pâle, la taille ceinte d'un pagne noir, la poitrine barrée d'un collier en or. Je ne connaissais que trop ces yeux bruns et ce sourire triste. À un niveau encore inférieur, j'ai distingué une silhouette humaine à tête de chacal, nimbée d'un étrange halo grisâtre.

– Non, non, NON !

Prise de vertige, je me suis brusquement éloignée de lui – d'eux. Tout s'éclairait à présent, les conversations secrètes, l'amitié entre Anubis et Walt, l'aptitude de ce dernier à réduire les objets en poussière... Pendant des mois, à l'insu de tous, il s'était entraîné à contrôler le pouvoir du dieu de la mort.

– Qu'est-ce que tu as fait ? ai-je demandé, horrifiée, sans savoir auquel des deux je m'adressais.

– Sadie, c'est toujours moi, a assuré Walt.

– ... toujours moi, a fait Anubis en écho depuis la Douât.

– Non !

Je tremblais de rage et de frustration. Il me semblait que mon univers était en train de se désintégrer et de sombrer dans l'océan du chaos.

– Je peux tout expliquer ! ont affirmé deux voix à l'unisson. Mais Carter a besoin d'aide. Sadie, je t'en prie...

– Assez !

Je ne suis pas fière de ma réaction, mais je leur ai tourné le dos pour foncer vers le portail obscur qui s'ouvrait devant moi. Je me moquais bien de savoir où il me conduirait, du moment qu'il m'éloignait de l'entité immortelle que j'avais cru aimer.

15. Décapsuleur et pattes velues

Des Jelly Babies ? Ça, c'est la meilleure !

Décidément, ma sœur ne cessera jamais de m'étonner. (Non, Sadie. Ce n'est pas un compliment.)

Bref, pendant que mademoiselle nous jouait un remake de *Twilight* sans fourrure ni canines, moi j'affrontais un démon en uniforme blanc impatient de tremper la hache qui lui tenait lieu de visage dans mon sang.

– Arrière ! me suis-je écrié. C'est un ordre !

Avec un rire métallique, Lames Dacier a défoncé la cloison d'un coup de tête, puis il s'est tourné vers moi, les épaules semées d'éclats de bois.

– J'ai reçu d'autres ordres, a-t-il dit. Meurs !

Sur ces paroles, il m'a chargé tel un taureau. J'avais eu mon compte de bovidés enragés au Sérapéum.

J'ai projeté le bras en avant, m'exclamant :

– *Ha-wi* ! « Frappe ! »

Un énorme poing bleu a projeté Lames Dacier dans le couloir. Sur sa lancée, il a traversé la cloison de la cabine opposée. Le coup aurait assommé n'importe quel mortel, mais Dacier s'est extrait des décombres avec un bourdonnement furieux.

Ç'aurait été génial de le frapper sans relâche jusqu'à le mettre K.-O. Malheureusement, la magie ne fonctionne pas ainsi. Une fois qu'on a prononcé un mot divin, on doit attendre plusieurs minutes et parfois plusieurs heures avant de pouvoir l'utiliser de nouveau. En outre, j'avais appris à mes dépens que cette forme de magie entraîne une importante dépense d'énergie, et mes réserves étaient presque épuisées.

La priorité, c'était d'éloigner le démon de Zia, toujours inconsciente. Rassemblant mes forces, j'ai crié :

– *N'dah* ! « Protéger ! »

Un halo chatoyant a enveloppé Zia, me rappelant le sarcophage liquide auquel je l'avais arrachée, six mois plus tôt. Un frisson d'horreur m'a saisi : imagine qu'elle se soit réveillée à cet instant et se soit crue de nouveau prisonnière...

– Pardon, Zia, ai-je murmuré. Je ne voulais pas...

– À MORT !

Lames Dacier a surgi des débris de la cabine. Un oreiller planté sur sa tête semait ses plumes sur son uniforme. Je me suis rué vers l'escalier, jetant un coup d'œil derrière moi pour m'assurer que le démon me suivait. Il se trouvait juste sur mes talons. Bien joué, Carter !

– Setné ! ai-je hurlé en déboulant sur le pont.

Le fantôme n'était nulle part en vue. Les sphères de feu s'agitaient en tous sens, se cognaient contre les murs, décrivaient des cercles autour des cheminées, abaissaient et relevaient la passerelle sans raison apparente. Privées de capitaine, elles semblaient perdues.

Le bateau tanguait au fil de la rivière de la Nuit, tel un matelot ivre. Il s'est faufilé entre deux rochers qui auraient pu le pulvériser avant de s'élancer du haut d'une cataracte. J'ai levé les yeux vers la cabine de pilotage. Elle était vide. C'était un miracle qu'on ne se soit pas encore fracassés contre un obstacle. Je devais prendre les commandes de toute urgence.

J'ai couru vers la cabine. Je l'avais presque atteinte quand Lames Dacier s'est matérialisé devant moi. D'un coup de tête, il a déchiré ma chemise. Si j'avais été à peine un peu plus gros... Je ne veux même pas y penser. J'ai bondi en arrière, une main plaquée sur mon nombril. L'entaille était superficielle, mais la vue du sang m'a fait défaillir. Tu parles d'un guerrier !

Par chance, la tête du capitaine s'était plantée dans le mur. Il s'efforçait de la libérer, marmonnant : « Ordre de tuer Carter Kane et de lui offrir un aller simple pour le pays des démons... »

Le pays des démons ?

J'ai gravi les dernières marches qui me séparaient de la cabine. *La Reine d'Égypte* avait pénétré dans une zone de rapides ; la rivière bouillonnait tout autour de la coque. Soudain un piton rocheux a surgi du brouillard à tribord et arraché une partie du garde-corps. Le bateau s'est mis en travers du courant et a pris de la vitesse. Un rugissement terrifiant s'élevait devant nous, produit par des millions de tonnes d'eau plongeant dans le néant.

Affolé, j'ai cherché la berge du regard. On ne voyait pas grand-chose à travers le brouillard et la pénombre, toutefois j'ai cru distinguer des feux à une centaine de mètres ainsi qu'une ligne sombre qui pouvait indiquer la terre.

Je n'avais aucune envie de visiter le pays des démons, mais la perspective d'être atomisé par une chute d'eau m'attirait encore moins. J'ai arraché le cordon de la cloche d'alarme et mis le cap sur le rivage, arc-bouté à la roue du gouvernail.

– À mort, Kane !

La botte impeccablement cirée du capitaine Dacier m'a cueilli au foie et projeté à travers le hublot de bâbord. Le dos et les jambes entaillés par des éclats de verre, je me suis écrasé contre une cheminée brûlante avant d'atterrir durement sur le pont.

Ma vision s'est brouillée. La coupure à mon abdomen me lançait. Il me semblait qu'un tigre avait broyé mes jambes dans sa gueule et une violente douleur me faisait craindre de m'être cassé plusieurs côtes dans ma chute. Pour résumer, j'avais connu des jours meilleurs.

Allô ? a fait la voix d'Horus dans ma tête. *T'as l'intention de m'appeler à la rescousse, ou tu préfères mourir tout seul dans ton coin* ?

C'est ça, ai-je répliqué. *Moque-toi, ça m'aide beaucoup.*

Pour être franc, je n'étais pas sûr d'avoir encore la force d'invoquer mon avatar, même avec le secours d'Horus. Mon combat contre le taureau Apis m'avait presque épuisé, avant même qu'un démon à tête de hache ne me poursuive et me balance à travers une vitre.

Entendant le pas lourd de Lames Dacier dans l'escalier, j'ai tenté de me relever et failli perdre connaissance.

Une arme, ai-je dit à Horus. *Il me faut une arme.*

J'ai plongé le bras dans la Douât et en ai retiré... une plume d'autruche.

– Très drôle ! ai-je crié.

Horus n'a pas répondu.

Les sphères de feu fuyaient en tous sens, paniquées, alors que le bateau fonçait vers le rivage. On distinguait à présent une étendue de sable noir jonchée d'ossements et sillonnée de crevasses qui crachaient des jets de vapeur volcanique. L'endroit rêvé pour faire naufrage !

Lâchant la plume, j'ai de nouveau plongé la main dans la Douât. Cette fois, j'ai ramené deux objets à l'aspect familier : un bâton recourbé, une baguette prolongée par trois chaînes à pointes. La crosse et le fléau. Tout pharaon qui se respectait en possédait des copies. Mais ceux-ci ressemblaient étrangement aux originaux, les attributs du dieu-soleil, que j'avais trouvés six mois plus tôt dans la tombe de Zia.

– Qu'est-ce que ça fiche là ? me suis-je interrogé tout haut. C'est censé appartenir à Rê, non ?

Horus a gardé le silence, et j'ai eu le sentiment qu'il était aussi étonné que moi.

Le capitaine Dacier est apparu au coin de la cabine, l'uniforme déchiré et couvert de plumes. Ses deux lames présentaient de nouvelles encoches et la cloche d'alarme, dont le cordon s'était enroulé autour de sa botte, tintait à chacun de ses pas. Malgré ça, il avait l'air en meilleur état que moi.

– J'ai servi les Kane trop longtemps, l'ai-je entendu gronder. Ça suffit !

Un grincement a attiré mon attention vers la poupe. En me retournant, j'ai vu la passerelle s'abaisser lentement et Setné s'avancer au-dessus des flots bouillonnants. Il s'est immobilisé à l'extrémité de la longue planche, attendant que le bateau s'approche du rivage pour sauter. Il portait un épais rouleau de papyrus coincé sous le bras : *Le Livre de Thot*.

J'ai hurlé :

– Setné !

Il m'a salué de la main avec un grand sourire.

– Ne crains rien, Carter ! Je reviens tout de suite !

– *Tas* !

À peine avais-je prononcé le mot magique que les rubans d'Hathor se sont entortillés autour de Setné et du papyrus. Déséquilibré, le fantôme est tombé à l'eau. Ce n'était pas mon intention, mais je n'ai pas eu le temps de m'inquiéter de son sort. Dacier s'est rué vers moi, la cloche faisant *ding, dong* dans son sillage. J'ai roulé sur le sol tandis que sa lame fendait une planche du pont. Il a été plus rapide que moi à reprendre ses esprits. Mes côtes me faisaient atrocement souffrir. Mon bras étant trop faible pour brandir le fléau de Rê, j'ai instinctivement levé la crosse pour me protéger.

Dressé au-dessus de moi, Lames Dacier vibrait tout entier d'une joie féroce. Cette fois, je n'avais aucune chance de lui échapper. D'ici quelques secondes, il aurait créé deux Carter Kane pour le prix d'un.

– Tu es mort ! a-t-il rugi, juste avant de s'enflammer.

Son corps s'est volatilisé, la hache qui lui servait de tête se plantant dans le pont entre mes pieds.

Je suis resté tétanisé, craignant une ruse. Mais non, le capitaine Lames Dacier avait bel et bien disparu. Hormis la hache, il ne subsistait de lui qu'une paire de bottes cirées, une cloche à moitié fondue et quelques plumes d'oie carbonisées qui flottaient dans l'air.

À quelques mètres de moi, Zia s'appuyait à la cabine. Sa main droite était en feu.

– Faux ! a-t-elle murmuré à l'intention de la hache encore fumante. C'est toi qui es mort.

Ayant éteint sa main, elle s'est précipitée vers moi et m'a

serré dans ses bras. Dans mon soulagement, je ne sentais presque plus mes côtes.

– Ça va ? ai-je demandé.

Une question idiote, compte tenu des circonstances, mais elle m'a gratifié d'un sourire.

– Très bien. Quand je suis revenue à moi, j'ai un peu paniqué en me voyant entourée d'une aura bleue, mais...

J'ai jeté un coup d'œil derrière elle et mon estomac s'est soulevé.

– Cramponne-toi ! ai-je hurlé.

La Reine d'Égypte fonçait vers le rivage à pleine vitesse.

Maintenant, je sais pourquoi on a inventé la ceinture de sécurité.

Le choc nous a projetés en l'air comme des boulets de canon. La coque s'est fendue avec un bruit assourdissant. J'ai à peine eu le temps de me demander si j'allais m'écraser au sol ou brûler au fond d'une crevasse avant que Zia ne me rattrape par le bras.

En levant les yeux, j'ai entrevu son expression grave et déterminée. Elle me tenait d'une main et se raccrochait de l'autre aux serres d'un oiseau géant. Son amulette vautour... Elle était parvenue à l'activer. J'ignore comment, mais c'est vraiment une fille étonnante.

Malheureusement, le vautour n'était pas assez fort pour transporter deux personnes. Il a seulement ralenti notre chute, de sorte qu'au lieu de nous crasher, on a roulé pêle-mêle sur le sol pour s'immobiliser juste au bord d'une crevasse.

Il me semblait qu'on avait broyé ma poitrine dans un étau, tout mon corps me faisait mal et je voyais double. Mais j'ai constaté avec étonnement que je serrais toujours la crosse et le fléau dans ma main droite.

Zia semblait en meilleure forme que moi, ce qui n'était pas très difficile – j'ai vu des charognes plus présentables que je ne l'étais. Elle a trouvé l'énergie de me tirer sur le sable pour m'éloigner de la crevasse.

– Ouille ! ai-je gémi.

– Tiens-toi tranquille.

Elle a prononcé un mot magique, et le vautour est retourné à l'état d'amulette. Puis elle a extrait de son sac à dos un petit pot en céramique et entrepris d'étaler une sorte de pommade bleue sur les multiples coupures, brûlures et ecchymoses qui couvraient mes épaules et ma poitrine. La douleur a aussitôt reflué, les plaies ont cicatrisé. Les mains de Zia étaient chaudes et douces, son onguent dégageait un parfum qui me rappelait celui du chèvrefeuille. La journée se poursuivait mieux qu'elle n'avait commencé.

– Hum ! a-t-elle fait, considérant l'entaille qui barrait mon ventre. Je préfère que tu t'en occupes toi-même.

Elle a déposé dans le creux de ma main une petite quantité d'onguent que j'ai appliquée sur la blessure. Celle-ci s'est immédiatement refermée. J'ai ensuite soigné les coupures sur mes jambes. Ça peut paraître dingue, mais je sentais mes côtes se consolider. J'ai pris une profonde inspiration et constaté avec satisfaction que je n'avais plus mal.

– Merci, ai-je dit. Comment tu appelles ce truc ?

– Le baume de Nefertem.

– La... « bombe » ?

Son rire m'a fait presque autant de bien que son traitement.

– Pas « bombe », « baume »... Un produit très rare, à base de fleur de lotus bleu, de coriandre, de mandragore, de malachite broyée et d'autres ingrédients secrets. C'est le seul pot que je possède, alors évite de te faire de nouveau mal.

– Oui, m'dame !

Ma tête avait cessé de tourner et j'avais retrouvé une vision quasi normale.

La Reine d'Égypte avait eu moins de chance : des planches, morceaux de cordages, éclats de verre se mêlaient aux ossements sur la plage. La cabine de pilotage avait explosé ; des flammes s'échappaient des hublots béants. Les cheminées renversées recrachaient leur fumée dans la rivière, traçant un sillage doré et bouillonnant.

Soudain la poupe s'est détachée de la coque et a sombré avec l'équipage. Un lien magique devait unir les sphères de feu au navire. Sans doute n'étaient-elles même pas vivantes, pourtant j'ai eu de la peine en les voyant disparaître sous la surface trouble.

– On ne repartira pas en bateau, ai-je constaté.

– En effet, a acquiescé Zia. Qu'est-ce que c'est que cet endroit ? Et où est passé Setné ?

Setné ! Je l'avais presque oublié, cette vermine d'outre-tombe. Je n'aurais pas été plus affecté que ça de le savoir au fond de la rivière, s'il n'avait pas emporté *Le Livre de Thot*.

J'ai regardé autour de moi et repéré, à une vingtaine de mètres, une larve rose géante qui rampait sur le sable parmi les débris du bateau, apparemment décidée à nous fausser compagnie.

Je l'ai désignée à Zia, ajoutant :

– Je le laisserais bien se débrouiller, mais il a emporté le papyrus.

– Rien ne presse, a-t-elle répondu avec un sourire qui m'a fait penser que je n'aurais pas aimé l'avoir comme ennemie. Il n'ira pas loin. Un pique-nique sur la plage, ça te dit ?

– Zia, je t'adore !

On a déballé nos provisions, du moins celles qui n'avaient pas été trop abîmées. J'ai produit fièrement une bouteille d'eau intacte et des barres protéinées. Un vrai menu de fête !

On a bu et mangé en observant les efforts dérisoires de notre fantôme enrubanné pour s'échapper.

– Comment est-on arrivés ici ? a demandé Zia, son scarabée doré étincelant sur sa gorge. Je me rappelle le Sérapéum, le taureau, la lumière du jour dans la dernière salle... Après, tout est confus.

Je lui ai raconté en quelques mots comment elle avait pulvérisé le taureau et failli se consumer en utilisant les pouvoirs de Khépri, notre retour à bord de *La Reine d'Égypte* et la crise de folie furieuse de Lames Dacier.

– Tu avais autorisé Setné à lui donner des instructions ? a-t-elle dit.

– Ouais. Je sais, j'ai eu tort.

– Et il nous a conduits ici, dans la région la plus dangereuse de la Douât...

J'avais entendu parler du pays des démons, mais pour le moment, je ne souhaitais pas en apprendre davantage. Ayant frôlé plusieurs fois la mort durant la même journée, j'avais juste envie de me reposer en compagnie de Zia, et de savourer le spectacle de Setné se débattant à l'intérieur de son cocon.

– Tu te sens comment ? ai-je demandé à Zia. Je veux dire, par rapport à Rê...

Elle a embrassé du regard l'étendue de sable noir, les ossements et les brasiers. Je ne connais pas beaucoup de filles qui peuvent se vanter d'être aussi belles à la lueur des fumerolles.

– Je voulais t'en parler, a-t-elle dit enfin, mais je ne savais pas ce qui m'arrivait. J'avais peur...

– Je comprends. J'ai été l'Œil d'Horus.

– Rê est beaucoup plus âgé et difficile à canaliser. En plus, il souffre de se sentir captif d'un corps débile et de ne pouvoir accomplir son cycle de renaissance quotidien.

– C'est pourquoi il a besoin de toi... Dès son réveil, il s'est mis à parler de « Zinnia ». Et il t'a offert ce scarabée à votre première rencontre. Il te veut pour hôte.

Une gerbe de flammes orangées s'est élevée d'une crevasse. Son reflet dans les yeux de Zia m'a rappelé l'apparence qu'elle revêtait quand elle fusionnait avec Khépri.

– Mon séjour dans la tombe a failli me rendre folle, Carter, a-t-elle repris. Dans mes cauchemars, je me vois encore dans mon... sarcophage. Je ressens la même terreur quand je me connecte à Rê. Comme si je tentais de le sauver de la noyade et qu'il se cramponnait à moi, m'attirant vers le fond. On dirait qu'il tente de fuir sa prison à travers moi. Il devient chaque fois plus incontrôlable.

– « Chaque fois » ? Tu avais déjà eu ce genre... d'absence ?

Elle m'a avoué qu'elle avait tenté de détruire La Maison du Repos avec des boules de feu. Encore un détail que Sadie avait omis de mentionner.

– Rê est trop puissant, a-t-elle conclu, et moi trop faible pour le maîtriser. Tout à l'heure, dans les catacombes... J'aurais pu te tuer.

– Mais tu ne l'as pas fait. Tu m'as sauvé la vie – encore. Même si c'est dur, je te crois capable de contrôler le pouvoir de Rê. Le plan de Sadie, celui qu'elle veut appliquer à l'ombre de Bès... Quelque chose me dit que ça ne marchera pas avec Rê. Ce qu'il lui faut, c'est une renaissance. Et c'est pour ça qu'il t'a donné Khépri, le soleil levant, ai-je poursuivi, désignant son amulette. Toi seule peut le ramener.

Zia a mordu dans sa barre protéinée.

– On dirait du polystyrène, a-t-elle fait remarquer.

– Ça ne vaut pas un bon hamburger, c'est certain. Ça me fait penser que je dois toujours t'inviter au fast-food.

Elle a esquissé un sourire.

– Dommage qu'on ne puisse pas y aller tout de suite.

– C'est la première fois qu'une fille accepte aussi facilement un rencard avec moi. Enfin, ne crois pas que j'ai l'habi...

Elle s'est penchée vers moi et m'a embrassé.

J'avais si souvent rêvé de cet instant... Pourtant, j'ai réagi comme un parfait crétin, en lâchant ma barre protéinée. Ses lèvres avaient un goût de cannelle. Quand elle s'est écartée, j'ai bredouillé un truc du style :

– Hum... Ah ! Euh...

– Tu es gentil, Carter, a-t-elle dit. Tu es drôle, aussi. Et plutôt beau garçon, même après avoir traversé une vitre et survécu à une explosion. Également, tu as fait preuve de patience avec moi. Mais j'ai peur. J'ai perdu tous les gens qui comptaient pour moi – mes parents, Iskandar... Imagine que je ne puisse pas contrôler le pouvoir de Rê et que je te fasse du mal...

– Ça n'arrivera pas. Si Rê t'a choisie, c'est parce qu'il te sait forte. Et, hum...

J'ai baissé les yeux vers la crosse et le fléau, posés sur le sable près de moi.

– Je ne crois pas que ces trucs soient apparus par hasard. Tu devrais les prendre.

J'ai voulu les lui tendre, mais elle m'a pris la main.

– Garde-les, a-t-elle dit. Tu as raison : il ne sont pas apparus par hasard, mais c'est toi qu'ils ont choisi. Même s'ils appartiennent à Rê, c'est Horus qui doit régner comme pharaon.

Il m'a semblé que les armes se réchauffaient, mais ce n'était peut-être qu'une impression, due à la pression de la main de

Zia. L'idée d'utiliser la crosse et le fléau me rendait nerveux. Sans le vouloir, j'avais échangé mon khépesh, le glaive de la garde royale, contre les attributs du pharaon lui-même... Pas n'importe quel pharaon, en plus, mais le premier d'entre eux : Rê, le roi des dieux.

À quinze ans à peine, alors que j'apprenais encore à me raser et ignorais comment m'habiller pour me rendre à un bal de lycée, j'avais été jugé digne des armes les plus puissantes de la création.

– Comment peux-tu en être aussi sûre ? ai-je demandé.

Zia a souri.

– Sans doute parce que je comprends de mieux en mieux Rê. Il a besoin d'Horus. Et moi, j'ai besoin de toi.

Je n'ai pas su quoi répondre. Tout ce que je désirais à cet instant, c'était qu'elle m'embrasse encore. Je n'aurais jamais imaginé que mon premier baiser aurait pour cadre une plage jonchée d'ossements du pays des démons, pourtant je n'aurais cédé ma place pour rien au monde.

C'est alors que j'ai entendu un bruit sourd suivi d'un juron étouffé. Setné s'était violemment cogné la tête contre un morceau de la quille de *La Reine d'Égypte*. Assommé, il a basculé dans l'eau et coulé à pic.

– On ferait bien de le repêcher, ai-je soupiré.

– Exact, a acquiescé Zia. Ce serait dommage si *Le Livre de Thot* s'abîmait.

On a tiré Setné sur le sable, puis Zia a fait disparaître les rubans qui entouraient sa poitrine afin de récupérer *Le Livre de Thot* sous son bras. Par chance, le papyrus n'avait pas été endommagé.

– Mmm... Hmmpfh..., a marmonné le fantôme.

– Désolé, lui ai-je dit, mais maintenant qu'on a le livre, on va te laisser là. Je n'ai pas envie que tu me poignardes de nouveau dans le dos, ni que tu me racontes d'autres mensonges.

Setné a secoué la tête et s'est lancé dans une explication, malheureusement inaudible, sur les raisons sans doute excellentes qui l'avaient poussé à dresser mon serviteur démoniaque contre moi.

Zia a déroulé le papyrus et entrepris de le déchiffrer.

– Carter, c'est là un document très... dangereux, a-t-elle fait remarquer après avoir parcouru quelques lignes. Il contient des descriptions des palais des dieux, des incantations pour les contraindre à révéler leur nom secret et les identifier sous n'importe quelle forme... Avec un tel savoir, Setné aurait pu causer des ravages. Ce qui me rassure un peu, c'est que la plupart de ces sorts ne peuvent être exécutés que par un magicien vivant.

– C'est sans doute pour ça qu'il nous a épargnés jusqu'ici, ai-je dit. En rusant, il espérait nous persuader de servir ses plans.

Setné a protesté.

– On a vraiment besoin de lui pour retrouver l'ombre d'Apophis ? a demandé Zia.

– Mm-mm, a fait Setné, mais je l'ai ignoré.

Zia s'est replongée dans *Le Livre de Thot.*

– « Le shut d'Apophis », a-t-elle lu. Nous y voilà ! D'après le texte, il se trouve ici, au pays des démons. Mais cette carte...

Elle m'a montré un morceau de papyrus tellement recouvert de hiéroglyphes et de dessins que j'ai eu du mal à identifier une carte.

– Je me sens incapable de la déchiffrer, a-t-elle avoué. Le pays des démons est immense, et d'après ce que j'ai lu, il se transforme sans cesse. Et bien sûr, il est peuplé de démons.

J'ai dégluti pour chasser le goût de bile que j'avais dans la bouche avant de parler :

– Ça signifie qu'on est aussi visibles ici que peuvent l'être les démons dans notre monde. On ne peut aller nulle part sans se faire remarquer ni risquer nos vies.

– Sans compter que le temps file...

Zia avait raison. Je n'avais aucune idée de l'heure qu'il pouvait être dans le monde mortel, mais l'après-midi était déjà avancé quand on avait pénétré dans la Douât. Walt n'était pas censé survivre au coucher du soleil. Si ça se trouvait, il était en train d'agoniser quelque part, et ma petite sœur... Quelle pensée horrible !

Le lendemain à l'aube, les magiciens rebelles attaqueraient le Premier Nome, puis Apophis détruirait le monde. On n'avait pas le temps d'errer en territoire hostile ni de combattre tout ce qui se dresserait sur notre route jusqu'à trouver ce qu'on recherchait.

J'ai lancé un regard noir à Setné.

– J'imagine que tu pourrais nous conduire à l'ombre du serpent ?

Il a acquiescé de la tête.

Je me suis tourné vers Zia :

– S'il dit ou fait quoi que ce soit de suspect, surtout ne te gêne pas : réduis-le en cendres.

– Compte sur moi !

J'ai ordonné aux rubans qui bâillonnaient Setné de s'écarter.

– Horus, mon vieux ! Pourquoi m'as-tu ficelé ainsi ?

– Laisse-moi réfléchir : parce que t'as essayé de me tuer ?

– Oh ! Pour ça ? C'est un peu excessif, comme réaction...

– *Excessif* ?

Une boule de feu d'un éclat aveuglant est apparue dans la main de Zia.

– C'est bon, c'est bon ! Le démon à tête de hache aurait fini par se dresser contre toi, de toute manière. Je n'ai fait qu'accélérer un peu les choses. Et ça faisait partie de mon plan, figure-toi. Jamais ton capitaine n'aurait accepté de mettre le cap sur cet endroit s'il n'avait pas espéré te tuer. Il était ici chez lui ! Les démons ne ramènent jamais de mortels dans leur pays, ou alors comme casse-croûte.

Setné avait décidément un culot monstrueux. Ses arguments étaient aussi moisis qu'une momie mal conservée, pourtant j'ai dû faire appel à toute ma raison pour ne pas les trouver crédibles.

– Si je comprends bien, ai-je dit, tu aurais laissé Lames Dacier me tuer, mais pour la bonne cause ?

– Bah ! Je savais qu'il ne faisait pas le poids face à toi.

– Et c'est pour ça que tu t'es enfui avec le livre ? est intervenue Zia.

– Je ne m'enfuyais pas, je partais en éclaireur ! Je voulais rapidement retrouver l'ombre d'Apophis afin de vous mener auprès d'elle. Si vous me relâchez, je peux encore vous y conduire sans que vous vous fassiez repérer.

– Comment ? a demandé Zia.

– Tes ancêtres étaient encore dans leurs langes que je pratiquais déjà la magie, poupée, a répondu Setné, vexé. Si je n'ai plus le pouvoir d'exécuter tous les sorts que je souhaiterais, a-t-il ajouté, coulant un regard mélancolique vers *Le Livre de Thot*, j'ai appris quelques trucs réservés aux fantômes. Détachez-moi, et je vous les montrerai.

Je me suis tourné vers Zia. Apparemment, on pensait la même chose : ce plan craignait, mais on n'en avait pas d'autre.

– Je n'y crois pas, a-t-elle soupiré. On va vraiment le faire ?

Setné a souri.

– Un excellent choix, a-t-il affirmé. Ne vous méprenez pas : je suis de tout cœur avec vous. Je n'aimerais pas qu'Apophis me détruise. Vous ne regretterez pas votre décision.

– Je suis persuadé du contraire.

D'un claquement de doigts, j'ai fait disparaître les rubans d'Hathor.

Tu te demandes en quoi consistait le plan génial de Setné ? Eh bien, il nous a changés en démons.

Je te rassure, ce n'était qu'une illusion, mais la plus réaliste que j'aie jamais vue. N'importe qui s'y serait laissé prendre.

Zia a pouffé en me voyant. Elle m'a appris que j'avais un décapsuleur en guise de tête. En baissant les yeux, j'ai constaté que ma peau était d'un rose vif très seyant et mes jambes aussi velues que celles d'un singe.

Je ne lui ai pas tenu rigueur d'avoir ri, même si elle n'avait pas meilleure allure que moi en démon femelle. Grande et musclée, vêtue d'une peau de zèbre, elle avait le teint vert pomme et une tête de piranha.

– Parfait, a commenté Setné. Comme ça, vous vous fondrez dans la masse.

– Et toi ?

Il a écarté les bras. Il portait toujours son costume de voyou, et ses bijoux étincelaient à la lueur des éruptions volcaniques. La seule différence, c'était que son tee-shirt rouge arborait à présent le slogan : CHAMPIONS, LES DÉMONS !

– On n'améliore pas ce qui est déjà parfait, a-t-il dit. Ces vêtements conviennent en toutes circonstances. Les démons n'y verront que du feu – ça ne les changera pas beaucoup. En route !

Il s'est éloigné du rivage, flottant au-dessus du sol, sans même s'assurer qu'on le suivait.

De temps en temps, il consultait le papyrus pour vérifier qu'on allait dans la bonne direction. Le paysage, nous a-t-il expliqué, se modifiait sans cesse. *Le Livre de Thot* lui servait à la fois de boussole, de guide touristique et d'almanach. Sans lui, on n'aurait eu aucune chance de retrouver l'ombre d'Apophis.

Setné nous avait affirmé qu'on touchait au but. En réalité, ces recherches m'ont paru interminables. Si j'avais dû passer ne serait-ce qu'une heure de plus au pays des démons, je crois que j'aurais pété un plomb. Il me semblait évoluer au cœur d'une vaste illusion d'optique : une immense chaîne montagneuse barrait l'horizon. Quand nous nous sommes approchés, les montagnes se sont révélées de simples mottes de terre qu'on a enjambées sans difficulté. Inversement, en marchant dans une flaque, j'ai failli me noyer au fond d'un gouffre. Des temples s'écroulaient devant nos yeux pour se reconstruire aussitôt sous une forme différente, comme si un géant invisible avait joué avec des cubes. Des falaises surgissaient du néant, sculptées de silhouettes à la fois grotesques et monumentales qui nous suivaient du regard.

Et bien sûr, il y avait les démons... J'en avais vu des flopées sous Camelback Mountain, là où Seth avait construit sa pyramide, mais dans leur milieu naturel, ils paraissaient encore plus forts et affreux. Certains exhibaient des plaies béantes et des membres tordus de suppliciés, d'autres des ailes d'insectes, des bras multiples ou des tentacules faits de ténèbres. Quant à leurs têtes, elles présentaient toute la diversité de formes qu'on peut trouver dans un zoo ou sur un couteau suisse.

Des hordes sillonnaient le pays, certaines édifiant des forteresses que d'autres s'empressaient de détruire. On a assisté à une bonne dizaine de batailles rangées. Des démons ailés tournoyaient dans l'air enfumé, fondant parfois sur un monstre plus petit qu'ils emportaient dans leurs serres.

Mais aucun ne s'intéressait à nous.

Plus on s'enfonçait à l'intérieur des terres et plus je ressentais la présence du chaos. Il me semblait qu'un éclat de glace s'était logé dans mon ventre, diffusant un froid mortel dans mes veines et mes muscles. Une fois, déjà, à proximité de la prison d'Apophis, le mal du chaos avait failli me tuer, mais cet endroit avait l'air encore plus nocif.

Au bout d'un certain temps, j'ai pris conscience que tout le paysage donnait l'impression d'être aspiré dans la direction que nous suivions. La roche s'émiettait, la trame de la réalité paraissait se défaire. C'était la même force qui altérait les cellules de mon corps.

On aurait dû mourir, Zia et moi. Pourtant, malgré le froid et les nausées, j'avais la sensation qu'une barrière invisible nous protégeait du chaos.

C'est grâce à Zia, m'a soufflé Horus avec une pointe d'admiration. *Rê nous maintient en vie.*

J'ai jeté un coup d'œil au démon femelle à tête de piranha qui marchait à mes côtés. L'air tremblait autour d'elle comme au-dessus d'une route surchauffée.

De temps en temps, Setné se retournait, et il paraissait alors étonné de nous trouver encore vivants.

Nos rencontres avec des démons se sont peu à peu espacées. Plus on avançait et plus le paysage devenait torturé. Dunes, rochers, arbres morts, colonnes de flammes, tout tendait irrésistiblement vers l'horizon.

On a fini par atteindre un cratère semé d'énormes fleurs noires qui se dressaient brusquement vers le ciel avant d'éclater. En approchant, j'ai vu qu'elles étaient faites de la matière ténébreuse que Sadie avait pu observer durant le bal du lycée. Chaque fois que l'une d'elles s'ouvrait, elle recrachait une âme, un malheureux fantôme formé de lambeaux de brume, qui cherchait vainement une prise avant d'être à son tour aspiré vers l'horizon.

– Ça ne te fait rien, à toi ? a demandé Zia à Setné.

Celui-ci s'est tourné vers nous. Pour une fois, il ne souriait pas. Il semblait avoir pâli, de même que ses vêtements et ses bijoux.

– Pressons le pas, a-t-il dit. J'ai horreur de cet endroit.

Soudain je me suis immobilisé. Devant nous se dressait le piton rocheux qu'Apophis m'avait montré. Toutefois, aucun fantôme ne se blottissait contre sa base.

– Ma mère est venue ici, ai-je affirmé.

Zia m'a pris la main.

– C'était peut-être un autre rocher, a-t-elle avancé. Le paysage se transforme tout le temps.

Pour une raison que j'ignorais, j'étais persuadé qu'il s'agissait du même endroit, et qu'Apophis l'avait laissé intact pour me narguer.

– L'ombre du serpent se nourrit des âmes des morts, a glissé Setné. Aucune ne tient face à elle. Si ta maman est passée par là...

– Elle était forte, ai-je affirmé. C'était une magicienne, comme toi. Si tu peux lui résister, elle le peut aussi.

Setné a hésité, puis il a lâché :

– Si tu le dis... On n'est plus très loin. Venez !

Soudain un grondement sourd est parvenu à mes oreilles, et l'horizon s'est mis à rougeoyer. Il m'a semblé qu'on avançait plus vite, comme sur un tapis roulant.

Puis on a dépassé la crête d'une dune, et notre destination nous est apparue.

– L'océan du chaos, a annoncé Setné.

Une vaste étendue de brume, de feu ou d'eau s'étalait à nos pieds. De la vapeur s'élevait de sa surface d'un rouge cendreux agitée de remous. Elle paraissait s'étirer à l'infini, et j'aurais parié que ce n'était pas qu'une impression.

L'océan dévorait la terre ferme tout le long du rivage. Un rocher aussi haut qu'un immeuble a dévalé la pente sur notre droite avant de s'engloutir. Des mottes de terre, des arbres, des bâtiments, des statues volaient au-dessus de nos têtes et se désintégraient au contact des vagues. Les démons ailés eux-mêmes n'étaient pas à l'abri. Quelques-uns qui s'étaient aventurés trop près de la grève ont été avalés par un maelström avec des cris d'effroi.

L'énorme masse tourbillonnante exerçait également son pouvoir d'attraction sur nous. Les pieds plantés dans le sol, j'avais déjà du mal à lui résister. Si je m'approchais davantage, je craignais d'être à mon tour aspiré.

Mon seul espoir résidait dans l'existence, à quelques centaines de mètres au nord, d'une langue de terre qui s'avançait dans l'océan, telle une jetée. À son extrémité se dressait un obélisque d'où irradiait une lumière blanche. J'ai eu l'intuition qu'il était très ancien – plus ancien encore que les dieux. Malgré sa beauté, je ne pouvais m'empêcher de songer en le regardant à l'aiguille de Cléopâtre, au pied de laquelle était morte notre mère.

– Je ne veux pas finir là-dedans, ai-je dit, indiquant l'océan.

Setné a éclaté de rire.

– Pourtant, c'est de là qu'on vient tous, mon gars. Tu sais comment l'Égypte s'est formée, j'espère ?

– Elle a surgi du chaos primordial, a répondu Zia dans une sorte de transe. La première terre est issue de la destruction.

– Exact. Ce que vous voyez là, c'est rien de moins que Maât et le chaos, les deux grandes forces qui régissent l'univers.

– L'obélisque, ai-je demandé, c'est la première terre ?

– Je n'en sais rien, je n'étais pas là. En tout cas, il représente Maât. Et tout ça, a-t-il ajouté avec un geste qui englobait l'océan, le ciel, l'ensemble du paysage, c'est le pouvoir d'Apophis, dévorant sans relâche la création. À ton avis, lequel des deux va l'emporter ?

J'ai éludé la question.

– Où est l'ombre du serpent ?

Setné a gloussé.

– Là, sous tes yeux. Mais pour la voir et la capturer, tu devras prononcer la formule de la jetée.

– On n'arrivera jamais jusque-là, est intervenue Zia. Au moindre faux pas...

– C'est ça qui est drôle, non ? a exulté Setné.

CARTER

16. Rallye d'enfer avec ma sœur

Si j'ai un conseil à te donner, c'est de ne jamais passer tes vacances au bord de l'océan du chaos.

À chaque pas, j'avais l'impression d'être attiré vers un trou noir. Des rochers, des arbres, des démons volaient tout autour de nous, et la brume rougeâtre était sillonnée d'éclairs. Le rivage se désagrégeait sous les assauts des vagues.

Je tenais la crosse et le fléau d'une main, l'autre serrant celle de Zia. Setné flottait à nos côtés en sifflotant. Il voulait paraître décontracté, mais ses couleurs s'estompaient et ses cheveux gominés pointaient vers l'océan comme la queue d'une comète.

À un moment, j'ai perdu l'équilibre et serais tombé à l'eau si Zia ne m'avait pas rattrapé. Un peu plus loin, un démon à tête de poisson surgi de je ne sais où s'est écrasé contre moi. Il s'est cramponné à ma jambe pour éviter d'être aspiré. Fallait-il l'aider ou non ? Avant que j'aie pu prendre une décision, il a lâché prise et a disparu.

Une partie de moi éprouvait le désir de céder et de laisser le chaos m'engloutir à mon tour. À quoi bon lutter ? Si je renonçais, la douleur et l'angoisse cesseraient. Et si Carter Kane se désintégrait en milliards de molécules, qui s'en soucierait ?

J'avais conscience que ces pensées ne venaient pas de moi.

C'était Apophis qui cherchait à me tenter, comme il l'avait déjà fait. Je me suis concentré sur l'obélisque, pareil à un phare brillant au milieu de la tempête. Était-ce vraiment le premier objet à avoir émergé du chaos ? Si oui, comment ce mythe s'articulait-il avec la théorie du Big Bang, le récit de la Création du monde en six jours, ou d'autres systèmes de croyances ? Peut-être n'était-il que la manifestation d'une entité si vaste qu'elle échappait à ma compréhension... Tout ce que je savais, c'était qu'il symbolisait Maât et que je ne devais pas le quitter des yeux sous peine de disparaître.

Le sentier rocailleux qui parcourait le centre de la jetée était solide et rassurant sous mes pieds, mais de part et d'autre, le chaos m'attirait irrésistiblement. J'avançais pas à pas, songeant à ces vieilles photos où l'on voit les ouvriers qui ont construit les gratte-ciel marcher sans peur ni harnais de sécurité sur des poutres tendues au-dessus du vide, à trois cents mètres du sol. Mais à leur différence, j'étais mort de trouille. Le vent me fouettait avec une violence qui me faisait craindre de perdre l'équilibre et tomber à l'eau. J'évitais de regarder les vagues déchaînées qui s'écrasaient en contrebas. J'étais à deux doigts de m'évanouir à cause des vapeurs d'ozone, de formol et de gaz d'échappement qui imprégnaient l'air.

– Encore un effort, a fait la voix de Setné.

Son image se troublait par instants, de même que le déguisement démoniaque de Zia. En tendant le bras, j'ai constaté que le mien menaçait de partir en pièces. Si je me moquais de perdre le décapsuleur qui me servait de tête et mes jambes velues, j'espérais que le vent dissiperait l'illusion en épargnant ma peau.

Enfin, on a atteint le pied de l'obélisque. Sa surface était gravée de milliers de hiéroglyphes presque indéchiffrables.

J'ai aperçu les noms de plusieurs divinités, une formule pour invoquer Maât et des mots magiques si puissants qu'ils ont failli m'aveugler. À chaque bourrasque de vent, un halo dessinant la silhouette d'un scarabée s'allumait brièvement autour de Zia – la carapace de Khépri. Je soupçonnais que c'était elle qui nous avait maintenus en vie jusque-là.

– Et maintenant, il se passe quoi ? ai-je demandé.

– Lis l'incantation, m'a rétorqué Setné, et tu verras.

Zia m'a tendu *Le Livre de Thot*. J'ai tenté de repérer la formule, mais les symboles se brouillaient devant mes yeux. J'aurais dû m'en douter : même dans des conditions normales, j'ai toujours été nul pour déchiffrer les papyrus anciens. Quel dommage que ma sœur n'ait pas été là !

(C'est bon, Sadie. Pas la peine de te pavaner.)

– Je... je n'y arrive pas, ai-je avoué.

– Je vais t'aider.

Zia a parcouru la page du doigt jusqu'à la ligne qu'elle cherchait.

– Une invocation classique, a-t-elle fait remarquer, fusillant Setné du regard. Tu as prétendu qu'il s'agissait d'un sort très complexe qui nécessitait ta présence. Comment as-tu pu mentir alors que tu tenais la plume de vérité ?

– Je n'ai pas menti ! a protesté Setné. C'est un sort complexe... pour moi. En tant que fantôme, je n'ai plus le pouvoir de prononcer des invocations. Et je vous signale que vous aviez besoin de moi pour vous guider jusqu'ici. Sans le livre, et sans mon aide, vous seriez encore coincés sur la plage, au milieu des débris de votre bateau.

– Il a raison, ai-je admis à contrecœur.

– Bien sûr, que j'ai raison ! Dis-toi que tu as fait le plus dur.

Une fois que tu auras forcé l'ombre à se démasquer, il ne te restera plus qu'à la..., euh, capturer.

J'ai échangé un regard inquiet avec Zia. La dernière chose que j'avais envie de faire était d'invoquer une partie de l'âme d'Apophis, face à l'immensité du chaos. Autant activer une balise lumineuse en hurlant : « Hé ! On est là ! Qu'est-ce que t'attends pour nous pulvériser ? »

D'un autre côté, on n'avait pas vraiment le choix.

Zia a lu la formule, d'une simplicité enfantine. On utilisait à peu près la même pour animer un ouchebti, un plumeau, ou faire apparaître n'importe quel esprit mineur de la Douât.

À peine avait-elle achevé qu'une vibration s'est propagée le long du rivage jusqu'au-delà des collines, comme si elle avait balancé une énorme pierre dans l'eau.

– C'était quoi, ce truc ? ai-je demandé.

– Un signal de détresse, a expliqué Setné. L'ombre a dû appeler les forces du chaos à la rescousse.

– Génial ! On ferait bien de ne pas traîner. Où est... Oh !

Le shut d'Apophis était tellement immense qu'il m'a fallu un moment pour le repérer. J'ai d'abord cru que l'ombre de l'obélisque se projetait sur l'eau, mais quand elle s'est mise à onduler, j'ai distingué un serpent géant juste sous la surface. L'ombre s'est étirée jusqu'à ce que sa tête touche presque l'horizon. Sa queue fouettait les flots, sa gueule béante happait le vide.

Mes mains tremblaient, mon estomac s'agitait comme si j'avais avalé un grand verre d'eau teintée de chaos. L'ombre était énorme, et elle irradiait la puissance. Comment avais-je cru pouvoir la capturer ?

Puis j'ai compris que le serpent n'était pas libre, et cette découverte m'a un peu tranquillisé. Sa queue était attachée à l'obélisque comme à un piquet.

Durant une fraction de seconde, j'ai perçu les pensées d'Apophis et vu la situation à travers ses yeux. Contraint à l'immobilité, il se tordait de rage et de douleur. Le monde des dieux et des mortels constituait une entrave insupportable à sa liberté. Pour cette raison, il lui vouait une haine comparable à celle que m'aurait inspirée un clou rouillé planté dans mon pied. Tout ce qu'il désirait, c'était éteindre l'éclat aveuglant de l'obélisque et détruire la terre avant de replonger dans les ténèbres d'où il était issu et s'ébattre librement dans l'immensité du chaos. J'ai dû me raisonner pour ne pas céder à la pitié. Pauvre monstre dévoreur de monde...

– On dirait qu'on a trouvé l'ombre, ai-je déclaré d'une voix cassée. Qu'est-ce qu'on en fait, maintenant ?

– T'inquiète, je prends le relais, a ricané Setné. Et encore merci pour le coup de main. *Tas* ! « Attacher ! »

Distrait par le spectacle de l'ombre, je n'avais rien vu venir. Soudain des bandelettes de lin ont remplacé mon déguisement de démon. Après m'avoir bâillonné, elles se sont enroulées autour de moi avec une rapidité stupéfiante, ne laissant voir que mes yeux. Je me suis effondré sur les rochers auprès de Zia, elle aussi transformée en momie. Je respirais avec difficulté, comme si on avait plaqué un oreiller sur mon visage.

Setné s'est penché au-dessus de Zia. Il a extrait *Le Livre de Thot* de son cocon avec précaution, puis il s'est tourné vers moi et a secoué la tête.

– Oh ! Carter, a-t-il dit en soupirant avec une pointe de déception. J'ai beaucoup de sympathie pour toi, vraiment. Mais qu'est-ce que tu es naïf ! Comment as-tu pu me faire confiance après ce qui s'était passé à bord du bateau ? Enfin ! Il n'y a rien de plus simple que de modifier un camouflage en camisole de force.

– Hmmpf ! ai-je marmonné.

– Pardon ? Je n'ai pas entendu... Pas facile de se faire comprendre quand on est entièrement emmailloté, s'pas ? Surtout, ne le prends pas mal. Si je l'avais pu, il y a longtemps que j'aurais invoqué cette ombre moi-même. Mais pour ça, j'avais besoin de vous... De l'un de vous, en tout cas. J'avais prévu de te tuer en chemin, ou ta copine. Celui qui serait resté aurait filé doux après ça. Je n'en reviens pas que vous ayez survécu tous les deux jusqu'ici. Je suis impressionné, je l'avoue.

En me débattant, j'ai failli tomber à l'eau. À ma grande surprise, Setné m'a éloigné du bord de la jetée.

– Allons, allons, a-t-il dit d'un ton grondeur. Ça t'avancerait à quoi de te tuer ? Ton plan n'est pas fichu, j'y ai juste apporté une variante. C'est moi qui vais capturer l'ombre. Ça, je peux m'en charger moi-même. Mais au lieu de l'exécrer, je vais faire chanter Apophis. Il ne détruira que ce que je lui dirai de détruire. Ensuite, il retournera gentiment au chaos, ou je réduirai son ombre en poussière, et adieu gros serpent !

– Hmm-hmm, ai-je tenté de protester, mais je respirais de plus en plus mal.

– Je sais ce que tu veux me dire : « Setné, c'est impossible ! Tu as perdu la tête ! » Mais l'impossible, c'est ma spécialité. Je suis sûr qu'on peut s'entendre, le serpent et moi. Pour commencer, je le laisserai tuer Rê et le reste des dieux. Bon débarras ! Puis je lui donnerai l'ordre d'anéantir la Maison de vie, l'Égypte et toutes les fichues statues de Ramsès, mon paternel. J'effacerai son souvenir de la surface de la terre ! Quant au reste du monde... Te bile pas, mon gars ! J'ai l'intention de l'épargner, du moins en partie. Il faut bien que je règne sur quelque chose, pas vrai ?

Les yeux de Zia ont flamboyé, ses liens se sont mis à fumer, mais ils ont tenu bon et elle est retombée sur les cailloux, inerte.

– Belle tentative, poupée ! a dit en s'esclaffant Setné. Si vous survivez au grand chambardement, je promets de revenir vous chercher et de faire de vous mes bouffons. Je m'amuse trop en votre compagnie. Mais, en attendant, j'ai bien peur que vous ne soyez coincés ici. N'espérez pas un miracle. Rien ni personne ne va tomber du ciel pour vous sauver...

Un rectangle de ténèbres s'est découpé au-dessus du fantôme, et Sadie a surgi du néant.

Il faut reconnaître que ma sœur a le sens du timing. Elle s'est laissée tomber sur Setné et l'a envoyé au sol. Quand elle nous a vus entourés de bandelettes, elle a compris ce qui se passait et a fait volte-face vers Setné, hurlant :

– *Tas* !

– Nooon !

Le fantôme s'est immédiatement retrouvé ficelé avec des rubans roses, comme un paquet-cadeau.

Sadie s'est écartée de lui. Ses vêtements étaient couverts de boue et de brindilles, et on aurait dit qu'elle avait pleuré. J'ai alors remarqué l'absence de Walt. Pour un peu, je me serais réjoui d'être bâillonné, car je n'aurais pas su quoi dire.

Sadie a englobé du regard l'océan, l'ombre mouvante du serpent, l'obélisque blanc, arc-boutée contre le sol afin de résister à l'attraction du chaos. Je la connaissais assez pour deviner qu'elle luttait de toutes ses forces contre le chagrin.

– Salut, cher frère, a-t-elle dit d'une voix tremblante. Besoin d'un coup de main ?

Après nous avoir débarrassés de nos liens, elle a eu l'air étonnée de découvrir la crosse et le fléau de Rê dans mes mains.

– Comment... ?

Zia lui a résumé nos aventures, depuis notre combat contre l'hippopotame géant jusqu'à l'ultime trahison de Setné.

– Et par-dessus le marché, a commenté Sadie d'un ton faussement compatissant, tu devais te coltiner mon boulet de frère. Je te plains ! Mais comment se fait-il que le chaos ne nous ait pas encore tous tués ? Suis-je bête ! a-t-elle repris, désignant le scarabée au cou de Zia. Pas étonnant que Taouret t'ait regardée bizarrement. Tu canalises le pouvoir de Rê.

– C'est lui qui m'a choisie, a précisé Zia. Je n'ai pas voulu ça.

Sadie est restée muette. Ça ne lui ressemblait pas.

– Qu'est-ce qui est arrivé à Walt ? ai-je demandé avec tout le tact dont j'étais capable.

Ses yeux exprimaient une telle souffrance que j'ai aussitôt regretté ma question. Je ne l'avais pas vue ainsi depuis... depuis la mort de notre mère, et elle était toute petite alors.

– Il ne viendra pas, a-t-elle répondu. Il est... parti.

– Sadie, je suis désolé. Est-ce que tu...

– Je vais bien, d'accord ?

Traduction : « Je me sens horriblement mal, mais si tu insistes, je te fais bouffer un ouchebti en cire. »

– On ferait bien de se dépêcher, a-t-elle repris, s'efforçant de contrôler les tremblements de sa voix. Je sais comment capturer l'ombre. File-moi la figurine.

J'ai paniqué. Qu'est-ce que j'avais fait de la statuette d'Apophis sculptée par Walt ? J'aurais eu l'air malin si je l'avais perdue...

Heureusement, elle se trouvait toujours au fond de ma sacoche.

Je l'ai tendue à Sadie, qui l'a longuement contemplée. Sans doute pensait-elle à Walt, au soin qu'il avait mis à façonner le serpent et à tracer les hiéroglyphes qui entouraient le nom d'Apophis. Puis elle s'est agenouillée à l'extrémité de la jetée, là où la base de l'obélisque rejoignait l'ombre.

– Sadie..., ai-je lâché.

Elle s'est raidie.

– Quoi ?

En la voyant au pied de l'obélisque, minuscule face à l'ombre immense qui s'étirait jusqu'à l'horizon, j'avais eu la sensation d'un danger imminent. Le serpent s'apprêtait à l'attaquer, ou bien le sort allait se retourner contre elle.

Sadie me rappelait tellement notre mère... Je ne pouvais me défaire de l'impression que l'histoire était en train de se répéter. Une fois, déjà, nos parents avaient tenté de maîtriser Apophis, devant l'aiguille de Cléopâtre, et maman y avait laissé la vie. Par la suite, pendant des années, j'avais vu papa torturé par la culpabilité. S'il arrivait quelque chose à ma sœur...

Zia a pris ma main. La sienne tremblait, mais je lui ai été reconnaissant de son geste.

– Ça va marcher, a-t-elle assuré.

Sadie a chassé une mèche de cheveux de son visage.

– Ta copine a raison, Carter, a-t-elle dit. Maintenant, arrête de me déconcentrer.

Elle feignait l'agacement, mais j'avais lu dans son regard qu'elle partageait mes craintes, aussi clairement qu'elle avait lu en moi grâce à mon nom secret. Pourtant, à sa manière, elle essayait de me rassurer.

– Je peux continuer, oui ?

– Bonne chance, ai-je réussi à articuler.

Elle a approché la figurine de l'ombre et entonné une incantation.

J'avais peur que les vagues du chaos ne désintègrent la statuette ou, pire, qu'elles n'engloutissent ma sœur. Mais l'ombre du serpent s'est mise à rétrécir, se débattant furieusement, mordant le vide, comme si on l'avait harcelée avec un aiguillon. Quelques minutes plus tard, la figurine l'avait entièrement absorbée et sa couleur avait viré au noir d'encre. Sadie les a ensuite liées l'une à l'autre :

– *Hi-nehm !*

Un sifflement prolongé qui montait des profondeurs – on aurait presque dit un soupir de soulagement – a retenti dans l'espace, jusqu'aux dunes les plus éloignées. Le rouge de l'océan s'est éclairci, et il m'a semblé que l'attraction du chaos faiblissait un peu.

– Et voilà ! a dit Sadie en se relevant.

Parfois, pour me taquiner, elle prétendait qu'elle finirait par me dépasser et devenir mon aînée. Il émanait d'elle une telle assurance à cet instant que j'étais presque tenté de la croire.

– Tu as été incroyable, ai-je dit. Où as-tu appris à faire ça ?

Son visage s'est assombri. La réponse était évidente : elle avait regardé Walt s'exercer sur l'ombre de Bès avant... avant qu'il lui arrive quelque chose.

– Pour exécrer Apophis, il faudra se tenir face à lui, a-t-elle expliqué. Sinon, la formule n'est pas différente de celle qu'on connaît. Là-dessus aussi, cette vermine nous a menti, a-t-elle ajouté, poussant Setné du pied. Qu'est-ce qu'on va faire de lui ? Je suggère qu'on le balance à la flotte après avoir récupéré *Le Livre de Thot.*

– HMMM ! a protesté Setné.

J'ai échangé un regard avec ma sœur, et on a décidé tacitement de l'épargner, même s'il avait mille fois mérité la destruction. On avait vu assez d'horreurs au cours des derniers jours sans en commettre nous-mêmes. Et puis, on avait promis à Osiris de lui ramener son prisonnier. C'était à lui de décider de son sort.

Je crois que c'est là, au pied de l'obélisque de Maât, entourés par l'océan du chaos, qu'on a compris que ce qui nous différenciait d'Apophis, c'était précisément la faculté de renoncer à la vengeance. C'est pour ça qu'il existe des lois : pour nous éviter de nous perdre.

– On l'emmène, a décidé Sadie. C'est un fantôme ; il ne doit pas peser très lourd.

J'ai empoigné Setné par les pieds et l'ai traîné le long de la jetée. Sa tête rebondissait sur les cailloux, mais ça m'était égal. Je devais faire appel à toute ma volonté pour mettre un pied devant l'autre. Il était encore plus difficile de s'éloigner de l'océan du chaos que de s'en approcher.

Le temps de rejoindre la plage, j'étais épuisé et mes vêtements, trempés de sueur. Après une marche harassante dans le sable, on a entrepris l'escalade d'une dune.

Parvenu au sommet, j'ai lâché un chapelet de mots qui n'avaient rien de divin : des centaines de démons s'étaient rassemblés dans la vallée, et il en arrivait d'autres de toutes les directions. Comme l'avait supposé Setné, l'ombre d'Apophis avait envoyé un signal de détresse. On était coincés entre l'océan du chaos et une armée hostile.

Qu'est-ce que j'avais bien pu faire pour que le sort s'acharne ainsi sur moi ?

Tout ce que je souhaitais, c'était m'introduire dans la région la plus dangereuse de la Douât, y dérober l'ombre du maître du chaos et sauver le monde. Est-ce que c'était trop demander ?

Les démons se rapprochaient rapidement. J'en ai dénombré

entre trois cents et quatre cents. Plusieurs dizaines de monstres ailés volaient en avant du gros de la troupe, décrivant des cercles de plus en plus bas. Face à cette armée, on trouvait deux Kane, Zia et un fantôme ficelé avec des rubans roses. On ne pouvait pas dire que les forces étaient équilibrées.

– Tu pourrais nous ouvrir un portail vers la surface ? ai-je demandé à Sadie.

Elle a fermé les yeux, s'est concentrée, puis a secoué la tête.

– Aucun signe d'Isis. Sans doute est-on trop près de l'océan du chaos.

J'ai tenté d'invoquer mon avatar guerrier, sans succès. Il m'était impossible d'utiliser les pouvoirs d'Horus à cet endroit. J'aurais dû m'en douter : déjà, à bord de *La Reine d'Égypte*, il n'avait pu produire qu'une plume d'autruche quand je lui avais réclamé une arme.

Je me suis adressé à Zia :

– On dirait que les pouvoirs de Khépri agissent toujours. Tu pourrais nous sortir d'ici ?

– Je crains que non, a-t-elle répondu, serrant le scarabée dans sa main. Khépri consacre toute son énergie à nous protéger du chaos. Il ne peut rien faire de plus.

J'ai caressé l'idée de retourner vers l'obélisque pour tenter d'y ouvrir un portail, mais les démons nous auraient rejoints avant.

– On ne va pas s'en sortir, ai-je déclaré. À moins d'exécrer Apophis maintenant...

– Impossible ! ont répliqué Zia et Sadie à l'unisson.

Elles avaient raison. Pour que le sort opère, nous devions nous trouver face au serpent. Mais je ne pouvais me résigner à avoir surmonté autant d'obstacles pour échouer aussi bêtement.

– Au moins, on défendra chèrement notre peau, ai-je dit avec un soupir, décrochant la crosse et le fléau de ma ceinture.

Les deux filles ont empoigné leurs baguettes et leurs bâtons.

Soudain un vent de panique a parcouru les rangs des démons, qui se sont dispersés dans toutes les directions. Des boules de feu illuminaient le ciel, des panaches de fumée montaient du sol éventré. La bataille faisait rage, mais à l'autre extrémité de la plaine.

– Ils se battent entre eux ? me suis-je interrogé.

– Non, a dit Zia avec un grand sourire. Regarde là-bas !

À travers la fumée, j'ai distingué une rangée de guerriers qui enfonçaient les lignes arrière ennemies. Ils semblaient à peine une centaine, pourtant les démons fuyaient devant eux, du moins ceux qui n'explosaient pas et ne se faisaient pas piétiner par leurs congénères affolés.

– Les dieux ! s'est exclamée Sadie.

– Tu te trompes, lui ai-je rétorqué. Jamais les dieux n'envahiraient la Douât pour nous porter secours.

– Pas les dieux majeurs, mais les vieillards oubliés à La Maison du Repos. Anubis avait promis de nous trouver des renforts !

– Quand as-tu parlé à Anubis ?

– Là ! a-t-elle crié, pointant le doigt vers nos nouveaux amis. On dirait... C'est...

Les rangs des dieux s'étaient brièvement ouverts, et une longue limousine noire avait déboulé sur le champ de bataille dans un rugissement de klaxon, tous feux allumés. Son conducteur – un fou furieux – faisait des embardées pour faucher des démons, bondissait au-dessus des brasiers. Après avoir décrit plusieurs cercles meurtriers, il a foncé vers nous, dispersant les premiers rangs ennemis. Seuls quelques monstres ailés avaient le courage de le pourchasser.

Quand la voiture s'est approchée, j'ai reconnu une Mercedes. Elle a gravi la dune avec son escorte de démons à ailes de chauve-souris et a pilé dans un nuage de sable rouge. La portière côté conducteur s'est ouverte, et un petit homme poilu en slip de bain bleu est descendu.

Je n'avais jamais éprouvé un tel bonheur devant un spectacle aussi affreux.

Auréolé de sa laideur, Bès est monté sur le toit de la limousine et s'est tourné vers les démons qui le harcelaient. Puis ses yeux ont paru jaillir de leurs orbites, sa mâchoire s'est décrochée, ses cheveux se sont dressés sur sa tête et il a lancé son cri de guerre :

– BOUH !

Les démons se sont désintégrés dans un hurlement terrifié.

– Bès !

Sadie s'est précipitée vers le dieu nain, dont le visage s'est fendu d'un sourire. Il a sauté sur le capot pour se retrouver à sa hauteur et l'a serrée dans ses bras.

– Tiens, voilà ma copine ! Et Carter... Amène tes fesses, mon gars !

Il m'a presque broyé contre lui. Je n'ai même pas protesté quand il a ébouriffé mes cheveux.

– Toi aussi, Zia Rashid, a-t-il lancé. Y a encore de la place dans mes bras !

– C'est gentil, mais non merci, a dit Zia, reculant.

Bès a éclaté d'un rire tonitruant.

– T'as raison. Gardons les embrassades pour plus tard. D'abord, il faut vous sortir d'ici.

– Ton ombre, a balbutié Sadie. Elle t'a retrouvé... Ça veut dire que le sort a fonctionné ?

– Évidemment, bécasse ! Maintenant, en voiture !

Il s'est frappé la poitrine et est apparu en uniforme de chauffeur.

Je me suis retourné afin d'empoigner Setné et mon sang s'est glacé.

– Par Horus ! me suis-je écrié. Il a disparu !

J'ai jeté des regards paniqués autour de moi, espérant qu'il s'était juste éloigné, mais il n'y avait aucune trace de lui.

Zia a arrosé de flammes l'endroit où j'avais déposé le fantôme. Aucun cri ne s'est élevé. Donc, il n'était pas simplement devenu invisible.

– Enfin, il était là ! a protesté Zia. Comment Setné a-t-il pu s'enfuir malgré les rubans d'Hathor ?

– Setné, hein ? a bougonné Bès. Jamais pu blairer cette vermine. Vous avez l'ombre du serpent ?

– Oui, ai-je dit. Mais Setné a *Le Livre de Thot*.

– Vous ne pouvez pas l'exécrer sans le bouquin ?

J'ai échangé un regard avec Sadie.

– Si, a-t-on répondu d'une seule voix.

– Dans ce cas, on se souciera de Setné plus tard. Le temps presse !

Je te l'accorde, quitte à traverser le pays des démons, autant le faire en limousine. Hélas ! La nouvelle Mercedes de Bès était aussi crade que celle qu'on avait laissée au fond de la Méditerranée le printemps précédent. C'était à se demander s'il existait un modèle avec barquettes de plats chinois à emporter, journaux froissés et linge sale en option.

Sadie a pris place à l'avant, moi à l'arrière avec Zia. Bès a démarré pied au plancher pour se livrer à un jeu de massacre sur les démons.

– Cinq points si tu renverses celui qui a une tête en forme de hachoir ! s'est écriée Sadie.

Boum ! Tête-de-hachoir a volé par-dessus le toit de la Mercedes.

Sadie a applaudi.

– Dix points si tu dégommes ces deux libellules géantes d'un coup !

Boum ! Boum ! Deux insectes monstrueux se sont écrasés contre le pare-brise.

Bès et ma sœur se marraient comme des baleines tandis que je me cramponnais à la main de Zia et m'égosillais :

– Attention ! Une crevasse ! Fais gaffe ! Un jet de flammes !

C'est que je tenais à la vie, moi !

Bientôt, on s'est trouvés au cœur de la mêlée et j'ai pu distinguer nos alliés. L'amicale des pensionnaires des Arpents du Soleil au grand complet semblait avoir déchaîné sa fureur sénile contre les forces du chaos. Taouret, en talons hauts et blouse d'infirmière, marchait à leur tête, brandissant une torche enflammée d'une main et une seringue de l'autre. Je l'ai vue abattre celle-là sur le crâne d'un démon tout en plantant celle-ci dans le postérieur d'un autre qui a immédiatement perdu connaissance.

Deux vieillards branlants en pagne bombardaient les démons volants de boules de feu. J'ignore pourquoi, l'un d'eux ne cessait de répéter : « Mon pudding ! »

Heket, la déesse-grenouille, faisait des bonds autour du champ de bataille, renversant les démons avec sa langue, en particulier ceux qui avaient des têtes d'insecte. Quelques mètres plus loin, Menhit, la déesse-lionne gâteuse, distribuait des coups de déambulateur en miaulant et crachant tel un chat en colère.

– Il faudrait les aider, a dit Zia.

Bès a ri.

– Surtout pas ! Ça faisait une éternité qu'ils ne s'étaient pas autant amusés. Ils se sentent de nouveau utiles ! Ils vont couvrir notre retraite pendant que je vous conduirai à la rivière.

– Mais on n'a plus de bateau ! ai-je objecté.

Bès a haussé un sourcil broussailleux.

– T'en es sûr ?

Puis il a ralenti et baissé sa vitre.

– Ça boume, poussin ?

Taouret s'est retournée, et son faciès d'hippopotame s'est éclairé d'un grand sourire.

– On fait ce qu'on peut, choupinet. Bonne chance !

– Je serai bientôt de retour, a promis Bès.

Il a envoyé un baiser à Taouret. J'ai cru que celle-ci allait s'évanouir.

La Mercedes a redémarré en trombe.

– « Choupinet » ? ai-je lâché.

– Dis donc, morveux, a grondé le nain. Est-ce que je me mêle de vos histoires de cœur ?

Je n'ai pas eu le cran de regarder Zia, mais elle a pressé ma main. Sadie a gardé le silence. Peut-être pensait-elle à Walt.

La Mercedes a franchi une dernière crevasse et s'est immobilisée sur la plage jonchée d'ossements.

– Tu vois ? ai-je dit, indiquant l'épave de *La Reine d'Égypte*. Plus de bateau.

– Ah ouais ? Et ça, c'est quoi ?

En amont de la rivière, une lumière perçait la nuit éternelle.

Zia a étouffé une exclamation.

– Le bateau de Rê, a-t-elle dit.

En effet, c'était bien la barque solaire qui approchait. Sa

voile blanc et or resplendissait, son équipage magique s'affairait sur le pont. Debout à la proue, le dieu à tête de crocodile, Sobek, repoussait les monstres aquatiques à l'aide d'une longue rame. Et le vieux Rê était assis sur son trône flamboyant.

– Bonzzzzour ! a-t-il crié en nous voyant. Craaaaacker !

Sadie a plaqué un baiser sur la joue de Bès.

– T'es génial !

– Hé ! a protesté le nain. Taouret va être jalouse. J'y suis pour rien, c'était juste une question de timing. Si on avait manqué la barque solaire, on aurait eu l'air malins.

J'ai frissonné d'effroi à cette idée.

Pendant des millénaires, Rê avait accompli le même cycle : il pénétrait dans la Douât au coucher du soleil et descendait la rivière de la Nuit pour regagner notre monde à l'aube. Ce voyage à sens unique était strictement minuté : les portes des différentes maisons que traversait le dieu-soleil se refermaient ensuite jusqu'au soir suivant, sans considération pour d'éventuels voyageurs mortels. Ma sœur et moi en avions fait l'amère expérience six mois plus tôt.

Tandis que la barque se dirigeait vers le rivage, Bès nous a adressé un sourire crispé.

– Ça va aller, les gamins ? Quelque chose me dit que ça ne va pas être de la tarte, là-haut.

C'était la première fois de la journée que j'entendais quelque chose qui ne me surprenait pas.

Les sphères de feu ont déployé la passerelle et on est montés à bord pour vivre ce qui risquait d'être le dernier lever de soleil de l'univers.

17. *Le clan Kane à la rescousse*

C'est avec regret que j'ai quitté le pays des démons.

(Ne ris pas, Carter. Je suis sérieuse.)

Si tu comptes bien, j'y avais sauvé Zia et mon frère des agissements de l'horrible Setné, capturé l'ombre du serpent, assisté à la charge héroïque d'une brigade de vétérans divins, et surtout, j'y avais retrouvé Bès... De quoi en garder un souvenir ému. Qui sait ? Un de ces jours, j'y retournerai peut-être en vacances, dans un bungalow au bord de l'océan du chaos.

Cette cascade d'événements m'avait également évité jusque-là de m'adonner à des réflexions moins plaisantes. Mais une fois l'agitation retombée, j'ai repensé aux raisons qui m'avaient amenée à invoquer moi-même l'ombre d'Apophis, et l'excitation a cédé la place au désespoir.

Walt, Walt... Qu'est-ce que tu avais fait ?

Je me suis revue le serrer dans mes bras, froid et inerte, parmi les ruines du temple de Neith. Puis il avait ouvert les yeux, pris une inspiration...

En surface, il était resté le garçon que je connaissais. Mais dans la Douât... L'aura spectrale d'Anubis l'enveloppait et le gardait en vie.

« C'est toujours moi », avaient-ils affirmé à l'unisson, provoquant chez moi une réaction horrifiée.

« Je te rejoindrai au Premier Nome, au lever du soleil », avaient-ils ajouté. « Si tu me promets de ne pas me détester. »

Est-ce que je le détestais ? Ou devais-je parler de lui au pluriel ? Par les dieux d'Égypte, je ne savais même plus comment l'appeler ! La même confusion régnait dans mes sentiments. Je n'étais même pas certaine d'avoir envie de le revoir.

J'ai repoussé ces pensées. Je devais encore vaincre Apophis. Même en possession de son ombre, rien ne garantissait qu'on parviendrait à l'exécrer. Je ne l'imaginais pas rester les bras croisés – si j'ose dire – pendant qu'on tenterait de l'effacer de l'univers. Et l'opération exigeait peut-être davantage d'énergie que Carter et moi ne pouvions en fournir. Si je devais me consumer, au moins, ça résoudrait mon dilemme au sujet de Walt.

Pourtant, je ne pouvais m'empêcher de songer à lui/eux, à leurs deux paires d'yeux bruns, si bien assortis, à la façon dont le sourire d'Anubis éclairait le visage de Walt...

Argh ! C'était bien le moment !

On a embarqué tous les quatre à bord du bateau de Rê. J'étais soulagée que mon dieu nain préféré combatte à nos côtés. Tout ce dont j'avais besoin à cet instant, c'était une épaule velue sur laquelle m'appuyer.

Notre vieil ennemi Sobek nous a adressé un sourire carnassier – normal, pour un crocodile – de la proue.

– Qu'est-ce que je vois ? a-t-il grincé. Les petits Kane sont de retour, dirait-on...

– Et moi, ai-je répondu du tac au tac, je vois un croco qui fera moins le malin quand je lui aurai raboté les canines.

Sobek a renversé en arrière sa grosse tête écailleuse et éclaté de rire.

– Bien envoyé, gamine ! Tu ne manques pas de fer dans les os.

Je suppose que c'était un compliment. Dans le doute, je l'ai traité par le mépris en lui tournant le dos.

Sobek ne respectait que la force. Lors de notre première rencontre, il avait failli noyer Carter dans le Rio Grande et m'avait expédiée au-delà de la frontière mexicaine d'un revers de queue. Depuis, nos rapports ne s'étaient pas vraiment détendus. D'après mes sources, il avait accepté de rejoindre notre camp uniquement parce que Isis et Horus l'avaient menacé de sévices terribles. Ça n'incitait pas vraiment à lui faire confiance.

Les globes de feu de l'équipage voletaient autour de moi, me murmurant des paroles de bienvenue. Ça faisait *Sadie, Sadie, Sadie* dans ma tête. À une époque, ils ne rêvaient que de me carboniser. Mais ils m'avaient à la bonne depuis que je leur avais rendu leur ancien maître, Rê.

– Salut, les gars, leur ai-je dit. Ça fait plaisir de vous revoir. Maintenant, si vous voulez bien m'excuser...

Je me suis approchée du trône avec Carter et Zia. Rê nous a accueillis avec un sourire édenté. Il était toujours aussi vieux et ridé, mais ses yeux semblaient plus vifs. Jusque-là, son regard glissait sur moi comme si j'avais fait partie du décor. À présent, il s'attardait sur mon visage.

Il nous a tendu une assiette de biscuits salés légèrement roussis par la chaleur qui se dégageait de son trône.

– Crackers ? Ouiiiiii...

– Euh... Merci, a dit mon frère en se servant.

J'en ai fait autant. Je n'avais pas fait un repas digne de ce nom depuis qu'on avait quitté le tribunal de notre père.

Rê a reposé l'assiette et s'est levé avec difficulté. Quand Bès a voulu l'aider, il l'a écarté et s'est dirigé vers Zia d'une démarche titubante.

– Zia, Zia, Zia, a-t-il chantonné, comme s'il s'agissait des paroles d'une comptine.

Il m'a fallu quelques secondes pour me rendre compte que c'était la première fois qu'il l'appelait par son véritable prénom.

Il a tendu la main vers son amulette, provoquant chez elle un mouvement de recul.

– Tout va bien, lui a soufflé Carter d'un ton rassurant.

Zia a pris une profonde inspiration, puis elle a détaché son collier et l'a pressé dans la main du vieillard. Le scarabée a émis une vive lumière dorée, enveloppant Rê et Zia de son éclat.

– Bien, bien, bien, a marmonné Rê.

Je m'attendais à le voir se régénérer, pas se décomposer.

J'avais vécu quantité de choses bizarres et inquiétantes au cours des derniers jours, mais rien de comparable à ça. D'abord ses oreilles se sont détachées de sa tête, puis sa peau s'est désagrégée.

– Qu'est-ce qui se passe ? ai-je crié.

Carter assistait à la scène avec une expression horrifiée. Sa bouche était grande ouverte, mais aucun son n'en sortait.

Le visage souriant de Rê s'est dissous, ses bras et ses jambes se sont émiettés en fines particules qui se sont dispersées au fil de la rivière de la Nuit.

– Ça n'a pas traîné, a fait remarquer Bès, pas particulièrement impressionné. D'habitude, ça prend plus longtemps.

– Quoi ? ai-je dit, interloquée. Tu l'as déjà vu faire ça ?

– Qu'est-ce que tu crois ? Moi aussi, j'ai servi à bord de la barque solaire. On a tous vu Rê accomplir son cycle. Mais c'était il y a très, très longtemps. Regardez ! a-t-il ajouté, désignant Zia.

Le scarabée avait disparu, mais son aura dorée enveloppait toujours notre amie. Elle a tourné vers nous un visage radieux. Je ne l'avais jamais vue aussi détendue et heureuse.

– Je comprends, maintenant, a-t-elle dit – sa voix avait gagné en profondeur ; elle couvrait à présent plusieurs octaves, vibrant jusqu'au cœur de la Douât. C'est une question d'équilibre entre mes pensées et celles de Rê... Ou devrais-je dire, les miennes et celles de cette jeune fille ?

Elle a éclaté d'un rire enfantin. On aurait dit une gamine déballant ses cadeaux d'anniversaire.

– Carter, Sadie, vous aviez raison. Après des millénaires dans les ténèbres, j'ai pu renaître à travers la compassion de Zia. La jeunesse, la puissance... J'avais oublié ce que c'était.

Carter a reculé. Comment lui en vouloir ? Pour avoir assisté à la fusion entre Walt et Anubis, je savais ce qu'il ressentait. C'était drôlement flippant d'entendre Zia parler d'elle-même à la troisième personne.

J'ai plongé le regard dans la Douât. À la place de notre amie, j'ai distingué un homme de haute taille, portant une armure en cuir et en bronze, qui ressemblait à Rê. Il était toujours chauve et ridé, avec un sourire très doux (mais à présent, il avait des dents). En revanche, il s'était redressé, et son corps musclé avait l'éclat de l'or en fusion. Un super papy coulé dans le bronze, quoi.

Bès s'est prosterné.

– Seigneur Rê...

Le dieu-soleil a ébouriffé les cheveux du nain.

– Ah ! Mon minuscule ami... Relève-toi, je t'en prie. C'est bon de te revoir.

À la proue, Sobek s'était mis au garde-à-vous, tenant la longue rame comme un fusil.

– Seigneur Rê, vous êtes revenu ! Je le savais !

Rê a éclaté de rire.

– Sobek, cher vieux reptile ! Si tu l'osais, tu m'avalerais tout cru. Horus et Isis t'ont gardé à l'œil, à ce que je vois.

– Je ne peux pas aller contre ma nature..., a plaidé Sobek.

– Peu importe. Nous aurons besoin de toute ta force. Est-ce bientôt le matin ?

– Oui, seigneur, a répondu le crocodile.

J'ai regardé dans la direction qu'il indiquait et aperçu une lumière au bout du tunnel – pour une fois, ce n'était pas une image. Le lit de la rivière s'était élargi. Les portes de la Douât se dressaient devant nous, flanquées de deux statues monumentales du dieu-soleil. Au-delà s'étendait un tapis de nuages étincelant dans la clarté de l'aube.

– Parfait ! s'est exclamé Rê. Sobek, conduis-nous à Gizeh.

– À vos ordres, seigneur.

Le dieu-croco a plongé la rame dans l'eau, propulsant la barque comme une gondole.

Carter n'avait pas bougé. Le pauvre contemplait le dieu-soleil avec un mélange de stupeur et de fascination.

– Carter Kane, a dit Rê d'un ton plein d'affection, je comprends que ce soit compliqué pour toi. Mais sache que tu comptes beaucoup pour Zia. Ses sentiments n'ont pas changé.

J'ai toussé pour attirer son attention.

– Hum ! Si vous pouviez éviter de l'embrasser...

Rê a ri, son image s'est brouillée et Zia a réapparu.

– Ne t'inquiète pas pour ça, m'a-t-elle dit. De toute manière, ce n'est pas le moment.

Gêné, Carter a fait mine de s'éloigner.

– Euh... Si vous me cherchez, je serai... là-bas.

Il s'est dirigé vers la poupe, se cognant au mât en chemin.

L'expression de Zia s'est teintée d'inquiétude.

– Veille sur lui, tu veux bien ? m'a-t-elle demandé. Nous allons bientôt rejoindre le monde mortel. Je dois rester concentrée.

Pour une fois, je n'ai pas discuté.

J'ai trouvé mon frère recroquevillé près de la barre, la tête appuyée sur les genoux.

– Ça va ? ai-je demandé.

Une question idiote, je sais.

– La fille que j'aime est un vieillard, a-t-il marmonné. Un vieillard chauve, avec une voix plus grave que la mienne. Je l'ai embrassée sur la plage, et maintenant...

Je me suis assise à ses côtés. Les sphères de feu tournoyaient autour de nous, excitées par l'approche du jour.

– Tu l'as embrassée, tu dis ? Donne des détails !

Je pensais que ça le soulagerait peut-être de parler. J'ignore si ça a marché, toujours est-il qu'il a relevé la tête. Il m'a ensuite raconté son expédition au Sérapéum avec Zia, puis le naufrage de *La Reine d'Égypte*.

Debout à la proue entre Sobek et Bès, Rê – pardon, Zia – nous tournait ostensiblement le dos.

– Si j'ai bien suivi, ai-je dit, tu l'as encouragée à aider Rê. Et maintenant, tu le regrettes.

– Tu trouves que j'ai tort ?

– On a tous les deux hébergé des dieux. Dans le cas de Zia,

rien ne dit que ça durera. En attendant, elle reste elle-même. Et je te rappelle qu'on s'apprête à livrer une bataille décisive. Si on doit mourir, tu as envie de passer tes dernières heures à la snober ?

Il m'a longuement dévisagée avant de demander :

– Qu'est-ce qui est arrivé à Walt ?

En plein dans le mille ! Parfois, Carter semble connaître mon nom secret aussi bien que je connais le sien.

– Je... je ne sais pas au juste. Il est vivant, mais uniquement parce qu'il...

Carter a achevé à ma place :

– Parce qu'il est l'hôte d'Anubis.

– Tu le savais ?

– Je l'ai deviné à ton expression. Mais ça paraît logique. Walt avait un don pour... Tu sais, son fameux toucher de la mort grise.

Je suis restée sans voix. J'étais venue le réconforter, et sans que je voie rien venir, il avait réussi à inverser les rôles.

– C'est jouable, Sadie, a-t-il assuré, me pressant le genou. Anubis peut maintenir Walt en vie, lui permettre de mener une existence normale...

– *Normale* ?

– Anubis n'a jamais eu d'hôte humain. Walt lui offre une chance unique de posséder un corps de chair et de sang.

– Carter, ça n'a rien à voir avec la situation de Zia. Elle peut se séparer de Rê à tout moment.

– Pardonne-moi d'être brutal, mais les deux garçons que tu aimais – l'un mourant et l'autre inaccessible – sont à présent réunis dans un même corps, celui-ci en bonne santé et accessible. De quoi tu te plains ?

– Tu me trouves ridicule, c'est ça ?

J'avais élevé la voix. Les trois dieux se sont retournés vers moi. Génial ! Pour le coup, j'étais vraiment ridicule.

Carter a repris :

– Je te suggère d'attendre que la bataille soit passée pour péter un plomb... À condition qu'on y survive, bien sûr.

J'ai pris une inspiration tremblante.

– D'accord.

Je l'ai aidé à se relever, et on a rejoint les dieux à la proue juste comme on émergeait de la Douât. La rivière de la Nuit a disparu derrière nous et la barque solaire a poursuivi sa course sur les nuages.

Les couleurs du paysage – rouge, vert et or – resplendissaient dans la clarté de l'aube. À l'ouest, le désert était traversé par des tempêtes de sable. À l'est, le Nil s'étirait en direction du Caire. Juste au-dessous de nous, à la limite de la ville, trois pyramides se dressaient sur le plateau de Gizeh.

Sobek s'est mis à frapper la coque du bateau avec sa rame, s'écriant :

– Rê est de retour ! Que le peuple se réjouisse ! Que ses adorateurs se rassemblent !

Peut-être avait-il prononcé cette dernière phrase par pure convention, ou par flatterie, à moins qu'il n'ait simplement voulu saper le moral du vieux Rê, car les adorateurs ne se bousculaient pas dans la plaine. De même, c'est en vain qu'on aurait cherché des marques de réjouissances.

En réalité, je n'avais jamais vu cet endroit aussi vide. Des feux brûlaient à travers la ville, laquelle semblait inhabitée, et on n'apercevait ni touristes ni aucune présence humaine au pied des pyramides.

– Où sont passés tous les gens ? ai-je demandé.

– Peuh ! a craché Sobek. Ces pitoyables humains se cachent

ou ont fui à cause des troubles. Apophis a bien choisi son champ de bataille. Il ne risque pas d'être importuné par les mortels.

J'ai frissonné. Des troubles avaient éclaté récemment en Égypte, s'ajoutant à une série de catastrophes naturelles. Je n'avais pas compris jusque-là que ces événements faisaient partie du plan d'Apophis.

En scrutant le plateau de Gizeh, j'ai constaté qu'il n'était pas aussi vide qu'il en avait l'air. Au niveau de la Douât, un tourbillon de ténèbres et de sable rouge dessinant un serpent géant entourait la base de la Grande Pyramide. Ses yeux étaient deux points incandescents, ses crocs deux éclairs aveuglants. Le sol fondait sous lui, et la pyramide vibrait de manière alarmante. Un des plus vieux bâtiments construits par l'homme était sur le point de s'écrouler.

Même à distance, je percevais la présence du serpent et l'épouvante des habitants du Caire, terrés chez eux. Toute la terre d'Égypte retenait son souffle.

Soudain l'énorme tête de cobra a piqué vers le sol, y creusant un cratère de la taille d'une maison. Puis il a reculé avec un sifflement furieux, comme s'il avait été piqué par une guêpe. N'arrivant pas à distinguer son adversaire, j'ai fait appel à la vision de milan d'Isis et repéré une minuscule silhouette en combinaison léopard. Un couteau dans chaque main, elle bondissait, frappait le serpent et esquivait sa morsure avec une agilité et une rapidité surhumaines.

Bastet tenait Apophis en respect, seule.

– Où sont les autres dieux ? ai-je demandé.

– Ils attendent les ordres du pharaon, a expliqué Rê. Le chaos les a divisés et plongés dans la confusion. Ils attendent qu'un chef se déclare pour les conduire au combat.

– Alors, conduisez-les, vous !

L'image du dieu-soleil s'est brouillée, et Zia est apparue devant moi. Pendant une seconde, j'ai cru qu'elle allait me réduire en cendres. Elle n'aurait eu qu'un geste à faire.

– J'affronterai mon vieil ennemi en personne, a-t-elle déclaré avec la voix de Rê. Je ne laisserai pas ma loyale Bastet seule face à Apophis. Sobek, Bès, vous m'assisterez.

– À vos ordres, seigneur, a dit Sobek.

Bès a fait craquer les articulations de ses doigts. Son fameux slip de bain bleu s'est substitué à son uniforme de chauffeur.

– À nous deux, serpent ! a-t-il marmonné.

Carter est intervenu :

– Et nous ? Qu'est-ce qu'on fait de l'ombre d'Apophis ?

La barque avait accéléré sa descente afin d'atterrir au sud des pyramides.

– Chaque chose en son temps, Carter, a répliqué Zia. D'abord, ta sœur et toi devez aider votre oncle.

Elle nous a indiqué le Grand Sphinx, à environ trois cents mètres des pyramides. Un panache de fumée s'élevait d'un tunnel entre les pattes du monstre de pierre. Mon cœur a fait un bond. Zia nous avait révélé que ce passage avait été condamné pour empêcher les archéologues d'accéder au Premier Nome. Apparemment, on en avait forcé l'entrée.

– Le Premier Nome est sur le point de tomber, a repris Zia.

Son image s'est également brouillée, et le dieu-soleil a réapparu. J'aurais bien voulu qu'il/elle se décide.

– Je vais retenir Apophis le plus longtemps possible, a dit Rê. Mais si vous ne volez pas au secours de votre oncle et de vos amis, aucun d'eux ne survivra, et ce sera la fin de la Maison de vie.

J'ai imaginé Amos et nos élèves, encerclés par les rebelles. On ne pouvait pas les laisser se faire massacrer sans réagir.

– Elle a raison, ai-je affirmé. Ou *il* a raison... Bref !

Carter a acquiescé à contrecœur.

– Vous en aurez besoin, a-t-il lâché, tendant la crosse et le fléau au dieu-soleil.

Rê a secoué la tête – ou était-ce Zia ? Par tous les dieux, quel bazar ! – puis il s'est expliqué :

– Quand je disais que les dieux attendaient un pharaon, je parlais de toi, Carter Kane, l'Œil d'Horus. Je suis ici pour combattre mon vieil ennemi, pas pour réclamer le trône. Réunifier la Maison de vie, rassembler les dieux en mon nom, c'est ton destin. Ne crains rien, je retiendrai Apophis jusqu'à ton retour.

Carter a baissé les yeux vers la crosse et le fléau. Il semblait aussi terrifié que lorsque Rê était tombé en poussière.

Je ne pouvais le blâmer : Rê en personne venait de lui donner l'ordre de monter sur le trône et de mener une armée de dieux et de magiciens au combat. À peine six mois plus tôt, l'idée de voir mon frère endosser une telle responsabilité m'aurait également horrifiée.

Bizarrement, ça ne me faisait plus du tout le même effet. Au contraire, je trouvais réconfortant d'imaginer Carter pharaon. Je sais que je vais regretter ce que je m'apprête à dire – et je peux compter sur mon cher frère pour me le rappeler à la moindre occasion – mais le fait est que je n'avais cessé de me reposer sur lui depuis notre installation à Brooklyn. Je lui faisais confiance pour prendre les décisions justes, même quand il doutait de lui-même. Son nom secret m'avait révélé sa nature véritable : il était né pour régner.

– Tu es prêt, ai-je affirmé.

– C'est vrai, a approuvé Rê.

Carter m'a regardée, hébété, et il a lu sur mon visage que je ne le faisais pas marcher – pas cette fois.

Bès lui a filé une tape sur l'épaule.

– Pour sûr, que t'es prêt ! Maintenant, assez traînassé. Cours sauver ton oncle !

Mes yeux se sont emplis de larmes. J'avais déjà perdu Bès une fois. Je ne voulais pas revivre ça.

Rê, lui, respirait la confiance, même enfermé dans le corps de Zia Rashid – une magicienne puissante, mais un hôte encore novice. Si elle connaissait un moment de faiblesse, ou abusait de ses forces...

– Bonne chance, a murmuré Carter. J'espère...

Sa voix s'est brisée. Le pauvre était en train de dire au revoir à sa copine, peut-être pour la dernière fois, et il ne pouvait pas l'embrasser sans embrasser du même coup le dieu-soleil.

Soudain ses vêtements, son sac, la crosse et le fléau se sont fondus dans un plumage brun moucheté de blanc. Puis il a déployé ses ailes de faucon et pris son essor.

– Non, ai-je gémi. Je déteste ça !

Isis ? ai-je pensé. *C'est ici que nos routes se rejoignent.*

Un courant magique aussi puissant qu'une centrale hydroélectrique m'a envahie. Je me suis transformée en milan (tu sais, l'oiseau de proie ?) et élancée vers le ciel.

Pour une fois, je n'ai eu aucun mal à reprendre forme humaine. J'ai rejoint Carter au pied du Grand Sphinx et ai examiné avec lui l'entrée du tunnel. Les rebelles n'y étaient pas allés de main morte. L'explosion avait réduit des blocs de pierre de la taille d'une voiture en gravats. Le sable était vitrifié à plusieurs mètres à la ronde. Seul un *ha-di* collectif avait pu causer de tels dégâts, ou à la rigueur quelques bâtons de dynamite.

– Ce tunnel..., ai-je dit. Il débouche à proximité de la salle des temps, non ?

Carter a acquiescé d'un air sombre. Serrant fermement la crosse et le fléau, qui émettaient à présent une clarté spectrale, il s'est enfoncé dans l'obscurité. J'ai fait apparaître ma baguette et mon bâton avant de lui emboîter le pas.

Des traces de combats violents ont accompagné notre descente. Les marches et les murs avaient noirci par endroits, et une partie du plafond s'était affaissée. Carter est parvenu à nous dégager un passage grâce au pouvoir d'Horus mais le couloir s'est effondré derrière nous, nous coupant toute retraite.

Bientôt, l'écho d'une bataille est parvenu à nos oreilles : invocations, rugissements de fauve, fracas d'armes entrechoquées...

On a trouvé la première victime un peu plus loin. Un jeune garçon à l'uniforme gris déchiré, assis au pied d'un mur, se tenait le ventre en gémissant faiblement.

– Léonid !

Mon ami russe était livide. J'ai touché son front et l'ai trouvé glacé.

– En bas..., a-t-il balbutié. Trop nombreux. J'ai essayé...

– Ne bouge pas d'ici, ai-je dit, avant de me mordre la langue – il aurait été bien en peine d'aller quelque part. On va revenir avec des secours.

Il a acquiescé bravement, mais j'ai regardé mon frère et lu sur son visage qu'il pensait la même chose que moi : Léonid ne tiendrait pas jusqu'à notre retour. Son manteau était trempé de sang, et si sa main nous cachait sa blessure, celle-ci paraissait sérieuse. Son ventre semblait avoir été lacéré par des griffes, des couteaux ou une magie particulièrement féroce.

Faute de mieux, j'ai régulé sa respiration et ralenti l'hémorragie au moyen d'un sort. Le malheureux avait risqué sa vie pour fuir Saint-Pétersbourg et m'avertir de l'offensive des rebelles. Puis il avait tenté de défendre le Premier Nome contre ses anciens maîtres, et ceux-ci s'étaient vengés en lui infligeant une mort lente et douloureuse.

– Je reviens bientôt, lui ai-je de nouveau promis.

On avait à peine atteint le pied de l'escalier qu'on s'est retrouvés plongés au cœur de la mêlée.

Un lion a bondi vers moi. Isis a immédiatement réagi en me soufflant un mot magique :

– *Fah* !

Le hiéroglyphe signifiant « libérer » a scintillé dans l'air.

Le lion – un ouchebti – s'est transformé en une inoffensive statuette de cire qui s'est écrasée contre ma poitrine sans me blesser.

La plus grande confusion régnait autour de nous. De quelque côté que je me tournai, j'apercevais un de nos élèves aux prises avec un magicien ennemi. Une douzaine de rebelles bloquaient l'accès à la salle des temps, et nos amis semblaient vouloir les déloger.

Cette vision m'a d'abord laissée perplexe – c'était notre camp qui aurait dû défendre la salle des temps – puis j'ai compris : surpris par l'attaque contre le tunnel, nos amis avaient accouru afin de protéger Amos, mais le temps qu'ils atteignent les portes de son refuge, l'ennemi était déjà dans la place. Pendant qu'un cordon empêchait nos renforts d'atteindre Amos, celui-ci, retranché à l'intérieur, devait affronter seul Sarah Jacobi et ses tueurs d'élite.

Mon pouls s'est accéléré. Je me suis jetée dans la bataille, puisant dans la réserve apparemment intarissable de mots magiques d'Isis. C'était bon d'être de nouveau une déesse, je l'avoue, mais je devais économiser mon énergie. Si j'avais laissé les coudées franches à Isis, il ne lui aurait fallu qu'une poignée de secondes pour détruire nos ennemis, mais elle m'aurait également consumée. Je devais réfréner son penchant à vouloir tailler en pièces tous les mortels qui passaient à sa portée.

J'ai lancé ma baguette tel un boomerang. Elle est allée frapper un barbu qui croisait le fer avec Julian et l'invectivait en russe.

Il y a eu un éclair doré. Le Russe a cédé la place à un hamster qui a déguerpi avec des couinements affolés. Julian m'a souri. La lame de son épée fumait, le bas de son pantalon était en feu, sinon il avait l'air indemne.

– Pas trop tôt ! a-t-il lâché.

Un autre magicien est venu le défier, mettant un terme à la conversation.

Cependant, Carter se frayait un chemin à travers la mêlée, maniant la crosse et le fléau comme s'il n'avait fait que ça de toute sa vie. Un ennemi a fait apparaître un rhinocéros – c'était exagérer, compte tenu de l'exiguïté des lieux. Mon frère a abattu le fléau, dont les chaînes se sont enflammées. Le rhino s'est brisé en trois blocs de cire.

Le reste de nos amis ne se débrouillait pas mal non plus. Felix enfermait ses adversaires dans des bonshommes de neige – le modèle classique, avec carotte et pipe –, un sort que je le voyais employer pour la première fois, tandis que son armée de manchots distribuait des coups de bec et arrachait leurs baguettes aux rebelles.

Alyssa luttait contre une autre magicienne tellurique qu'elle surclassait sans effort. La Russe n'avait probablement jamais affronté le pouvoir de Geb jusque-là. Chaque fois qu'elle invoquait une créature de pierre ou tentait de lancer un bloc de roche, ils s'effritaient. D'un claquement de doigts, Alyssa a modifié la nature du sol sous son adversaire et celle-ci s'est enfoncée jusqu'aux épaules dans des sables mouvants.

À l'extrémité nord du corridor, Jaz soignait le bras de Cléo, transformé en tournesol. Toutefois, notre amie s'en tirait à meilleur compte que son adversaire : tout me portait à croire que le livre posé près d'elle – une édition de taille humaine du roman *David Copperfield* – était en réalité un ennemi.

(Carter dit que David Copperfield est le pseudonyme d'un célèbre magicien. Je ne sais pas pourquoi, mais ça le fait rire. Un conseil : ignore-le.)

Même les Razmoket prenaient part au combat. Shelby avait semé ses crayons magiques le long du couloir pour faire tomber nos adversaires. À présent, elle se faufilait entre les jambes des magiciens adultes, brandissant sa baguette comme une raquette de tennis et les frappant sur les fesses en criant : « Meurs ! Meurs ! » C'est mignon à cet âge...

D'un coup de baguette, elle a métamorphosé un géant de métal, sans doute un ouchebti, en un cochon ventru aux couleurs de l'arc-en-ciel. Quelque chose me disait qu'elle allait vouloir le conserver – si on survivait à cette journée, bien sûr.

Quelques membres du Premier Nome nous prêtaient main-forte, mais ils étaient désespérément peu nombreux. Une maigre poignée de vieillards chancelants et de marchands paniqués détournaient des sorts et bombardaient l'ennemi de talismans.

Lentement mais sûrement, nous progressions vers les portes, où le dernier carré des rebelles semblait concentrer ses attaques contre un unique adversaire.

Quand j'ai aperçu celui-ci, j'ai eu la tentation de me transformer en hamster et de décamper en couinant.

Walt se frayait un chemin à mains nues à travers la cohue. Je l'ai vu lancer un rebelle à travers le couloir avec une force surhumaine, en emmailloter un autre avec des bandelettes grisâtres d'un simple geste et pulvériser le bâton d'un troisième. Pour finir, il a réduit les ennemis restants à la taille de poupées. Des canopes (les vases dans lesquels on enterrait les viscères des momies) avec des bouchons en forme de têtes d'animaux se sont matérialisés autour des magiciens miniatures. Scellés à l'intérieur, ceux-ci poussaient des cris désespérés et frappaient des poings les flancs des vases qui chancelaient telles des quilles.

Walt s'est alors tourné vers nous.

– Tout le monde va bien ? a-t-il demandé.

En apparence, il n'avait pas changé – toujours grand et musclé, avec un visage qui respirait la confiance, des yeux bruns au regard doux et des mains robustes. Mais à présent, il portait un jean, un tee-shirt et une veste en cuir noirs – les vêtements habituels d'Anubis, adaptés à sa morphologie. Mon regard a plongé dans la Douât, juste sous la surface, et à sa place, j'ai vu le dieu de la mort dans toute sa splendeur horripilante.

Walt/Anubis a eu le culot de me sourire. Puis il a touché les portes de la salle des temps. Le bronze a viré au gris avant de tomber en poussière.

– Après toi, m'a-t-il dit.

18. Jeu, Seth et match

La bonne nouvelle, c'était qu'Amos n'était pas seul. La mauvaise, c'était qu'il avait reçu le renfort du dieu du mal.

Notre brigade de sauvetage a fait irruption dans la salle des temps et s'est arrêtée net. On s'attendait à tout sauf à un ballet aérien de couteaux et d'éclairs. Les millions de hiéroglyphes qui tourbillonnaient habituellement dans l'espace avaient disparu. Les écrans le long des murs clignotaient faiblement. Certains s'étaient même décrochés.

Comme je l'avais soupçonné, un commando de rebelles s'était retranché dans la salle avec notre oncle, mais ils semblaient le regretter.

Amos flottait au centre de l'immense pièce, entouré de l'avatar le plus étrange que j'aie jamais vu. Une forme vaguement humaine se déployait autour de lui, moitié brasier, moitié tempête de sable. Elle ressemblait un peu à l'Apophis géant qu'on avait vu à la surface, en beaucoup plus joyeux. Le guerrier rouge riait à gorge déployée, faisant tournoyer sans effort un bâton en fer de dix mètres. Logé dans sa poitrine, Amos reproduisait chacun de ses gestes. La sueur coulait sur son visage. Je n'aurais su dire s'il guidait Seth ou s'il tentait de le réfréner. Les deux, peut-être.

Les magiciens ennemis décrivaient des cercles autour de lui. Kwai, qu'on repérait facilement à son crâne rasé et à sa robe bleue, volait à travers les airs tels ces moines spécialistes en arts martiaux qui défient la gravité. Il décochait à l'avatar de Seth des éclairs rouges qui semblaient ne lui faire aucun effet.

Avec ses cheveux noirs dressés sur sa tête et sa robe blanche virevoltante, Sarah Jacobi évoquait un croisement entre la sorcière du *Magicien d'Oz* et un spectre schizophrène. Portée par un nuage d'orage, elle était armée de deux couteaux noirs, aussi tranchants que des rasoirs, qu'elle lançait sur l'avatar de Seth et rattrapait au vol, comme dans un numéro de cirque de l'horreur. J'ai reconnu une paire de netjery. Je les croyais réservés aux cérémonies funéraires, mais apparemment, ils faisaient de redoutables armes d'attaque. Les forces de l'avatar s'écoulaient lentement par chacune des entailles que lui causaient les lames acérées. La colère m'a envahie devant ce spectacle : mon instinct me disait que c'était avec ces mêmes couteaux que Jacobi avait blessé Léonid avant de l'abandonner à son sort.

Si les autres rebelles ne rencontraient pas le même succès, ils n'en persévéraient pas moins dans leurs attaques. Certains déclenchaient des rafales de vent ou de pluie contre Seth, d'autres lâchaient sur lui des griffons ou des scorpions géants. Un gros lard s'obstinait à le bombarder de morceaux de gruyère. Quelle idée d'intégrer un grand maître fromager à un commando d'élite ! Peut-être Jacobi souffrait-elle de petits creux en pleine bataille...

Nos élèves me jetaient des regards indécis. Je comprenais leur désarroi. Comment notre oncle avait-il pu volontairement accueillir Seth alors qu'il avait déjà failli perdre la raison à cause de celui-ci ? Ça me dépassait, mais je devais me rendre à l'évidence : Amos était en train de réaliser l'impossible. La victoire semblait à portée de main.

Toutefois, même le chef lecteur ne pouvait canaliser aussi longtemps une telle puissance.

– Il a besoin d'aide ! ai-je plaidé d'un ton pressant. Regardez-le : il n'est pas possédé, il contrôle Seth !

– C'est impossible, m'a objecté Walt. On ne peut pas contrôler le dieu du mal.

– Amos y arrive, lui, a répliqué Carter. Bon, vous voulez vous battre, oui ou non ?

On s'est tous jetés dans la bataille, mais on avait trop attendu. Jacobi avait remarqué notre présence.

– Maintenant ! a-t-elle hurlé à ses partisans.

Elle était peut-être maléfique, mais certainement pas idiote. Jusque-là, les efforts des rebelles n'avaient visé qu'à distraire Amos et à le fatiguer. À son signal, la véritable offensive a commencé. Pendant que Kwai aveuglait notre oncle avec un éclair, ses complices lançaient des cordes magiques en direction de son avatar.

Les cordes se sont enroulées autour des bras et des jambes du guerrier rouge, le déséquilibrant. Entre-temps, Sarah Jacobi avait rengainé ses couteaux pour produire un long lasso noir, et le nuage qui la portait s'était immobilisé au-dessus de l'avatar. D'un geste vif, elle a passé le nœud coulant autour du cou du géant et a serré.

Seth a poussé un cri de fureur. L'avatar s'est mis à rétrécir, et avant qu'on ait pu le rejoindre, Amos s'est retrouvé à genoux, entouré d'un mince halo rougeâtre. Debout derrière lui, Sarah Jacobi tenait l'extrémité du lasso comme une laisse et pressait la lame d'un de ses netjery sur sa gorge.

– Stop ! a-t-elle crié. Rendez-vous, ou bien...

Nos amis ont hésité. Les rebelles nous observaient avec méfiance.

C'est regrettable, m'a soufflé Isis, *mais mieux vaut qu'il meure. Il est l'hôte de Seth, notre vieil ennemi.*

C'est mon oncle ! ai-je protesté.

Il a été corrompu. Tu l'as déjà perdu.

– Non !

J'ai senti le lien qui nous unissait faiblir. Quand tu partages ton esprit avec une divinité, tu ne peux pas te permettre de la contredire. Pour demeurer son Œil, tu dois agir en parfait accord avec elle.

Carter semblait rencontrer les mêmes difficultés avec Horus. Il a invoqué son avatar de guerrier faucon, mais celui-ci s'est immédiatement dissous et mon frère est retombé.

– Horus, il faut l'aider ! a-t-il supplié.

Le rire de Jacobi évoquait le crissement du sable sur l'acier.

– Voilà à quoi mène la voie des dieux, a-t-elle dit, tirant d'un coup sec sur la laisse. À la confusion et au chaos. Introduire Seth dans la salle des temps... Même vous, vous devez admettre que c'est un crime !

Amos tentait désespérément de desserrer la corde qui l'étranglait. Quand il a ouvert la bouche, c'est la voix de Seth qui a franchi ses lèvres :

– Pour une fois que j'essaie de bien me comporter, voilà comment je suis récompensé ! Tu aurais dû me laisser les détruire, Amos !

Je me suis lentement avancée, évitant les mouvements brusques.

– Jacobi, vous ne comprenez pas la situation. Amos contrôle le pouvoir de Seth. Il aurait pu vous tuer, il ne l'a pas fait. Seth était le lieutenant de Rê. Bien dirigé, il peut se révéler un allié précieux.

– « Précieux », oui ! a acquiescé Seth. Quant à me diriger... Accordez-moi une seule minute de liberté, misérables vermisseaux, et je me ferai une joie de tous vous massacrer !

J'ai lancé un regard furieux à mon oncle.

– Seth ! Tu ne m'aides pas, là !

L'expression d'Amos s'est radoucie, et quand il a parlé, c'était avec sa propre voix :

– Partez ! Allez affronter Apophis sans moi.

– Pas question de te laisser ici ! Nous nous battons pour la Maison de vie, et tu en es le chef lecteur.

Je ne me suis pas retournée, mais j'espérais que mes amis approuvaient ma décision. Seule, je ne tiendrais pas longtemps face à Apophis.

– Ton oncle est au service de Seth ! a craché Jacobi. Ton frère et toi avez été condamnés à mort. Les autres, déposez vos armes. En tant que nouveau chef lecteur, je vous accorde l'amnistie. Puis nous combattrons Apophis ensemble.

– C'est faux ! ai-je hurlé. Vous avez fait alliance avec le serpent !

Le visage de Jacobi s'est brusquement fermé.

– Mensonge !

Puis elle a brandi son bâton et prononcé le mot magique *ha-di.*

J'ai levé ma baguette afin de me protéger, mais sans l'aide d'Isis, j'étais beaucoup trop lente. L'explosion m'a projetée contre un mur. Des images de l'âge des dieux se sont mises à crépiter autour de moi : la création du monde, le couronnement d'Osiris, le duel entre Seth et Horus... Comme si on avait téléchargé une soixantaine de films simultanément dans mon cerveau tout en m'électrocutant. L'écran s'est brisé et je me suis affaissée sur le sol, étourdie et privée d'énergie.

Carter a voulu me secourir, mais Kwai l'a arrêté d'un éclair rouge. Je n'ai même pas eu la force de crier en voyant mon frère à genoux.

Jaz a couru vers lui tandis que Shelby hurlait : « Assez ! Assez ! » Les autres initiés sont restés cloués sur place.

– Capitulez, leur a dit Jacobi.

J'ai alors compris que c'était elle qui les paralysait. Elle employait sur eux les mêmes moyens de persuasion magique que le fantôme de Setné.

– Les Kane n'ont apporté au monde que des ennuis, a-t-elle repris. Il est temps que ça cesse.

Elle a écarté le netjery de la gorge d'Amos et l'a lancé dans ma direction. Je savais que le couteau m'infligerait une mort aussi douloureuse que celle du pauvre Léonid, qui se vidait de son sang dans la solitude du tunnel. Pourtant, j'étais incapable de l'esquiver.

Soudain une ombre est passée devant mes yeux. Une main a saisi le couteau en plein vol. Le métal noir est devenu gris avant de tomber en poussière.

Surprise, Jacobi a dégainé son second couteau.

– Qui es-tu ? a-t-elle demandé.

– Je suis Walt Stone, de la lignée des pharaons, et aussi Anubis, dieu des morts.

Il s'est placé devant moi, m'abritant de mes ennemis. J'avais dû me cogner la tête, car j'y voyais double : je les distinguais parfaitement tous deux, aussi beaux, puissants et furieux l'un que l'autre.

– Nous parlons d'une même voix, a repris Walt, surtout

quand il est question de Sadie Kane. Personne ne lui fera le moindre mal.

Il a étendu le bras. Le sol s'est ouvert, laissant surgir des spectres aux mains décharnées, aux visages livides, des bâ aux serres acérées qui ont encerclé la chef des rebelles, l'ont enveloppée dans des bandelettes et entraînée, hurlante, dans l'abîme. Quand le sol s'est refermé, il ne subsistait aucune trace de Sarah Jacobi.

Le nœud coulant qui étranglait Amos s'est desserré, et le rire de Seth a retenti.

– Bien joué, fiston !

– Silence, père ! a ordonné Anubis.

Dans la Douât, il était tel que je l'avais toujours connu, avec ses cheveux en bataille et ses adorables yeux bruns. Mais je ne l'avais jamais vu aussi en colère. J'ai compris alors que quiconque oserait s'attaquer à moi aurait à subir sa fureur, et que Walt ne ferait rien pour le réfréner.

Jaz a aidé Carter à se relever. Sa chemise avait noirci, mais à part ça, il semblait indemne. Il faut dire qu'il avait survécu à bien pire au cours des derniers jours.

Il s'est tourné à la fois vers nos alliés et vers les rebelles et leur a parlé d'un ton plein d'assurance :

– Écoutez-moi tous ! Nous perdons un temps précieux. Au-dessus de nos têtes, Apophis s'apprête à détruire le monde. Quelques dieux courageux s'efforcent de l'en empêcher, pour le salut de l'Égypte et celui des hommes, mais ils ne peuvent le vaincre seuls. Jacobi et Kwai vous ont abusés. Délivrez le chef lecteur. Nous devons nous unir.

– Jamais nous ne nous inclinerons devant les dieux ! a grondé Kwai.

Des étincelles rouges fusaient de ses doigts.

J'ai réussi à me lever.

– Mon frère a raison, ai-je dit. Vous ne faites pas confiance aux dieux ? Pourtant, ils nous aident déjà ! Apophis a tout intérêt à nous diviser. Vous croyez que c'est un hasard si votre offensive a eu lieu ce matin, en même temps qu'il s'apprêtait à attaquer ? Kwai et Jacobi vous ont trahis. Votre véritable ennemi est là, devant vous !

Même les rebelles ont tourné leurs regards vers Kwai. Les liens qui entravaient encore Amos sont tombés.

– Trop tard ! a rugi Kwai.

Sa voix résonnait puissamment ; la couleur de sa robe avait viré du bleu au rouge. Ses yeux flamboyaient, et leurs pupilles se réduisaient à deux fentes verticales.

– En ce moment même, a-t-il poursuivi, mon maître détruit les anciens dieux et balaie les fondations de votre monde. Ensuite il avalera le soleil, et vous mourrez tous !

Soudain Amos s'est dressé au cœur d'un tourbillon de poussière rouge. La puissance irradiait de toute sa personne. En le voyant ainsi, nul ne pouvait douter que c'était lui qui contrôlait Seth, et non le contraire.

Il a levé son bâton, et l'air s'est empli de hiéroglyphes multicolores.

– Maison de vie, aux armes !

Kwai a vendu chèrement sa peau.

J'imagine que c'est toujours ainsi quand le serpent du chaos s'introduit dans ton esprit, t'insufflant sa magie et sa fureur inextinguible.

Une chaîne d'éclairs s'est déployée à travers la salle, renversant la plupart des magiciens, y compris les partisans de Kwai. Il faut croire qu'Isis me protégeait, car la foudre a glissé sur moi sans me blesser. Amos non plus ne semblait pas affecté à l'intérieur de sa tornade rouge. Walt a chancelé, mais à peine. Même affaibli, Carter est parvenu à détourner l'éclair avec sa crosse.

Les autres ont eu moins de chance. Jaz s'est effondrée, puis Julian, puis Felix et son escouade de manchots. À tour de rôle, tous nos élèves et les rebelles qu'ils avaient combattus sont tombés, inconscients.

J'ai fait appel au pouvoir d'Isis afin d'entraver Kwai, mais le Coréen avait plus d'un tour dans son sac. Il a déchaîné une tempête de sable en écartant les bras. Plusieurs dizaines de tourbillons se sont mis à sillonner la salle, gagnant rapidement en épaisseur pour donner vie à des sphinx, des crocodiles, des lions et des loups qui se jetaient sur nos amis sans défense.

– Protège-les ! m'a crié Amos.

Tandis que j'improvisais des boucliers magiques pour abriter nos initiés évanouis, lui-même pulvérisait les monstres l'un après l'autre, mais ils se reformaient aussitôt.

Carter a invoqué son avatar. Il s'est rué vers Kwai, mais celui-ci l'a repoussé au moyen d'un éclair. Le pauvre s'est écrasé contre une colonne de pierre qui s'est écroulée sur lui. J'ai prié pour que son avatar ait encaissé le choc à sa place.

Walt a fait apparaître simultanément une dizaine de créatures – sphinx, dromadaires, ibis, et même Philippe de Macédoine – qui ont chargé les monstres du Coréen afin de les détourner des magiciens à terre.

Walt s'est alors tourné vers Kwai.

– Anubis..., a fait celui-ci d'une voix sifflante. Tu as eu tort de quitter ton salon funéraire, mon garçon. Tu ne fais pas le poids !

Walt a répondu en écartant les bras, et le sol s'est ouvert de part et d'autre de lui. Deux énormes chacals ont surgi de ces crevasses, montrant les dents. La silhouette de Walt s'est brouillée, et il a réapparu en armure, faisant tournoyer un bâton à l'extrémité incurvée, un *was*.

Deux vagues de sable ont balayé les chacals. Kwai s'est mis à bombarder Walt d'éclairs et de mots magiques que celui-ci déviait avec son bâton et réduisait en cendres.

Sitôt relevés, les chacals ont pris leur agresseur en tenaille et planté leurs crocs dans ses mollets. Walt s'est approché et a abattu son bâton sur le crâne de Kwai. Le coup était si violent que son écho a dû retentir jusque dans la Douât. Kwai s'est écroulé et ses créatures ont disparu.

Walt a rappelé ses chacals. Amos a abaissé son bâton. Carter a émergé des gravats, sonné mais sain et sauf. On a tous fait cercle autour de notre ennemi à terre.

Le coup aurait dû tuer Kwai. Un filet de sang coulait de sa bouche, il avait le regard vitreux, mais pendant que je scrutais son visage, il a pris une brève inspiration et un rire faible a fusé de ses lèvres.

– Imbéciles, a-t-il lâché d'une voix éraillée. *Sa-hei* !

Un hiéroglyphe sanglant s'est inscrit sur sa poitrine.

Sa robe s'est enflammée. Devant nos regards stupéfaits, il s'est transformé en sable et une vague de froid – le pouvoir du chaos – s'est répandue à travers la salle des temps. Les colonnes ont tremblé. Le plafond s'est fissuré. Un énorme bloc de pierre s'est écrasé sur les marches du trône

La signification du hiéroglyphe invoqué par Kwai m'est brusquement apparue. Même Isis semblait redouter ses effets.

– *Sa-hei*, c'est « tomber », ai-je expliqué à mes compagnons. Tout va s'écrouler !

Amos a juré en vieil égyptien – il m'a semblé qu'il formait le vœu que des singes viennent piétiner la dépouille de Kwai.

– Il a employé ses dernières forces à provoquer un éboulement, a-t-il dit. Fuyons avant d'être enterrés vivants !

J'ai promené mon regard autour de la salle. Certains de nos élèves donnaient des signes de réveil, mais on n'aurait jamais le temps de tous les mettre en sécurité.

– Il faut empêcher ça ! me suis-je écriée. On a quatre dieux avec nous. On doit pouvoir faire quelque chose, non ?

– Seth ne nous sera d'aucun secours, m'a objecté Amos. Il ne sait que détruire, pas réparer.

Une nouvelle colonne s'est renversée, manquant de tuer un rebelle évanoui.

Walt – je ne sais pas si je l'ai signalé, mais il portait rudement bien l'armure – a secoué la tête.

– Ce n'est pas non plus du ressort d'Anubis, a-t-il dit. Désolé.

Une rumeur s'est élevée du sous-sol. À moins de réagir, d'ici quelques secondes, la salle des temps deviendrait notre tombeau.

Je me suis tournée vers mon frère, qui a écarté les bras dans un geste d'impuissance. Il était encore faible, et de toute manière, ce n'était pas la magie guerrière qui pouvait nous tirer d'affaire dans ces circonstances.

J'ai soupiré.

– Bref, je vais encore devoir me débrouiller toute seule. Vous trois, essayez de protéger les autres. Et si mon plan ne fonctionne pas, fuyez !

– Quel plan ? a demandé Amos tandis que des morceaux du plafond pleuvaient autour de nous. Sadie, qu'est-ce que tu as l'intention de faire ?

– Moi ? Trois fois rien, tonton...

J'ai levé mon bâton et invoqué le pouvoir d'Isis.

Elle a immédiatement compris ce que j'attendais d'elle. À nous deux, on allait tenter d'apaiser le chaos. Je me suis concentrée sur les moments les plus sereins de mon existence. Autant dire qu'ils étaient rares : je me suis revue à Los Angeles avec maman, papa et Carter, le jour de mon sixième anniversaire – la dernière image que je conservais de notre famille au complet. Je me suis représentée écoutant de la musique dans ma chambre, à Brooklyn, pendant que Khéops grignotait des Cheerios, perché sur ma commode, puis déjeunant sur la terrasse avec mes amis, au bord de la piscine dans laquelle s'ébattait Philippe de Macédoine. J'ai évoqué les dimanches chez mes grands-parents – Muffin endormie sur mes genoux, papy qui regardait un match de rugby à la télé, les biscuits trop secs et le thé fadasse de mamie en train de refroidir sur la table basse... De bons souvenirs, tout compte fait.

Surtout, j'ai affronté le chaos en moi, mes incertitudes quant à mes origines – américaines ou britanniques ? – et ma véritable nature – simple lycéenne ou magicienne ? J'étais moi, Sadie Kane, et je me sentais capable de tout concilier – à condition de survivre à cette journée, bien sûr. Même Walt et Anubis n'étaient plus un problème. Je les ai imaginés tous deux à mes côtés, et mon dépit, ma colère ont aussitôt reflué. La situation n'était pas banale, certes, mais elle reflétait le reste de ma vie. Walt était vivant, Anubis s'était incarné... J'ai fait taire mes doutes et mes inquiétudes.

J'ai pris une profonde inspiration et prononcé un unique mot :

– Maât...

Il m'a semblé que je venais de frapper les fondations de la terre avec un diapason, déployant une riche palette d'harmoniques à travers toutes les strates de la Douât.

Tout s'est figé autour de moi. Puis les colonnes se sont redressées, les fissures au sol et au plafond se sont comblées. Les écrans de part et d'autre de la salle se sont rallumés et l'espace s'est rempli de hiéroglyphes.

Je me suis effondrée dans les bras de Walt et il m'a souri à travers un voile brumeux. Anubis aussi me souriait. En les voyant tous les deux, j'ai compris que rien ne m'obligeait à faire un choix.

– Sadie, tu as réussi ! m'a-t-il dit. Tu es incroyable !

– Beuh-euh, ai-je bredouillé. Bonne nuit...

Il paraît que je ne suis restée que quelques secondes inconsciente, mais ça m'a paru durer des siècles. À mon réveil, tout le monde était sur pied.

– Bon retour parmi nous ! m'a dit Amos avec un grand sourire.

Il m'a aidée à me relever, et Carter m'a serrée dans ses bras avec une ferveur inédite, comme s'il m'appréciait à ma juste valeur pour la première fois.

– Ce n'est pas terminé, a-t-il déclaré. Il faut regagner la surface. Tu te sens prête ?

J'ai acquiescé, même si aucun de nous n'était très en forme. On avait dépensé trop d'énergie pour défendre la salle des temps. Même avec l'aide des dieux, on n'était pas en état d'affronter Apophis. Mais on n'avait pas le choix.

Amos s'est tourné vers mon frère et lui a désigné le trône avec solennité.

– Carter, tu es l'Œil d'Horus, le sang des pharaons, et Rê t'a désigné pour porter la crosse et le fléau. Ce trône te revient de droit. Acceptes-tu de nous guider au combat, dieux et mortels réunis ?

Carter s'est redressé. Je lisais le doute et la peur en lui, mais c'était parce que je le connaissais mieux que personne. Aux yeux des autres, il devait paraître fort, confiant, authentiquement royal.

(Pas de quoi attraper la grosse tête, frangin. Dans le fond, tu restes un gros blaireau.)

– J'accepte de vous guider, a répondu Carter. Mais le trône attendra. Rê a besoin de nous. Tu peux nous montrer le plus court chemin pour regagner la surface ?

Amos a acquiescé, puis il s'est adressé aux autres :

– Et vous, qu'avez-vous décidé ?

Une clameur enthousiaste a jailli de toutes les poitrines, même celles des anciens rebelles.

– On n'est pas nombreux, a observé Walt. Quels sont tes ordres, Carter ?

– D'abord, il faut trouver des renforts. Il est temps que j'appelle les dieux à combattre.

CARTER

19. Dans le labyrinthe de glaces

Sadie prétend que j'avais l'air confiant ?

Tu parles !

En réalité, je mourais de trouille à l'idée de régner sur l'univers, ou d'assumer le commandement d'une armée de dieux et de mortels. Mon seul réconfort, c'était que cette proposition soit venue alors qu'on s'apprêtait à combattre, ce qui ne me laissait pas le temps d'y réfléchir ni de paniquer.

Tout va bien se passer, m'a assuré Horus. *Appuie-toi sur mon courage.*

Pour une fois, j'étais content de lui laisser l'initiative. Sinon, quand on a atteint la surface et constaté l'ampleur des dégâts, j'aurais probablement pris la fuite en pleurant comme un bébé.

(Sadie me trouve injuste. Elle dit que nos « bébés », les Razmoket, n'ont pas versé une seule larme au cours de cette journée. Je dois admettre qu'ils paraissaient plus impatients que moi d'en découdre.)

Notre petite troupe a débouché d'un passage secret à mi-hauteur de la pyramide de Khephren, en pleine Apocalypse.

Dire qu'Apophis était énorme reviendrait à qualifier d'« avarie » le naufrage du *Titanic*. Il avait encore grandi pendant notre séjour dans la salle des temps. Enfoui sous le sable, son corps s'étirait sur des kilomètres de désert, s'enroulait au pied des pyramides, sous les faubourgs du Caire, soulevant des pâtés d'immeubles comme s'il s'agissait d'un tapis.

Seule sa tête était visible. Dressée au-dessus du sol, elle atteignait presque le sommet de la Grande Pyramide. Elle était formée de tornades sillonnées d'éclairs, ainsi que l'avait décrite Sadie. Sur son front était gravé un hiéroglyphe qu'aucun magicien n'aurait jamais osé invoquer : *Isfet*, le symbole du chaos.

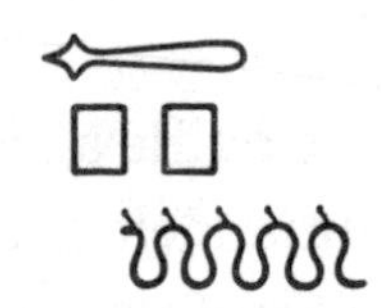

Les quatre divinités qui affrontaient le serpent paraissaient minuscules en comparaison. Assis sur son dos, Sobek le mordait et le frappait avec son bâton, sans qu'Apophis paraisse incommodé.

Bès courait en tous sens en slip, agitant une massue et criant « BOUH ! » avec une telle vigueur que les habitants du Caire devaient tous se cacher sous leurs lits, terrifiés. Mais le serpent, lui, ne manifestait aucune frayeur.

Notre amie Bastet n'avait pas plus de succès. Perchée sur la tête du monstre, je l'ai vue le lacérer avec ses couteaux puis sauter à terre avant qu'il ne puisse la faire tomber. Mais Apophis n'avait d'yeux que pour une seule cible.

Entre la Grande Pyramide et le Sphinx, Zia était entourée d'un halo doré si éblouissant qu'on avait du mal à la regarder. Elle bombardait Apophis de boules de feu qui altéraient brièvement sa substance en explosant. Le serpent ripostait et tentait de la saisir dans sa gueule, mais ses mâchoires se refermaient sur le sable. Aussi fuyante qu'un mirage, Zia se volatilisait pour réapparaître quelques mètres plus loin, hors d'atteinte.

Il était évident qu'elle ne tiendrait pas longtemps à ce régime. Mon regard a plongé dans la Douât. Les auras des quatre combattants pâlissaient à vue d'œil tandis que celle d'Apophis se renforçait.

– Qu'est-ce qu'on fait ? a demandé Jaz, inquiète.

– Vous attendez mon signal, ai-je répondu.

– Quel signal ? a insisté Sadie.

– Je ne sais pas encore. Je reviens tout de suite.

J'ai fermé les yeux et mon bâ a pris son essor. Soudain je me suis retrouvé dans le palais des dieux. Aussi loin que portait le regard, des braseros magiques se reflétaient sur les dalles de marbre poli et les colonnes élancées. La barque de Rê reposait au centre de la salle sur une estrade. À ses côtés, le trône de feu était vide.

Je me croyais seul, jusqu'à ce qu'Horus et moi disions d'une seule voix :

– Approchez ! Il est temps d'accomplir votre serment.

Des traînées scintillantes se sont déployées à travers la salle, telles des comètes filmées au ralenti ; des lumières surgies du néant se sont mises à tournoyer entre les colonnes. Tout autour de moi, les dieux se matérialisaient.

Une masse grouillante de scorpions a pris la forme de Serket, qui a dardé vers moi un regard plein de méfiance. Baba le babouin a sauté de la colonne la plus proche et m'a montré les dents. Nekhbet s'est perchée sur la proue de la barque solaire. Un tourbillon de poussière, de papiers et de feuilles mortes a revêtu l'apparence d'un pilote de la Seconde Guerre mondiale : Shou, le dieu de l'air.

Il y en avait des dizaines d'autres : le dieu de la lune, Khonsou, et son costume argenté ; Nout, la déesse du ciel au corps semé d'étoiles ; Hâpy le hippie, son pagne d'écailles et son sourire dément ; une femme en treillis à l'expression sévère, avec un arc sur l'épaule, des peintures de camouflage et deux palmes ridicules plantées sur la tête – Neith, sans doute.

J'espérais voir des visages plus amicaux, mais Osiris ne pouvait s'absenter du royaume des morts, Thot était toujours retranché à l'intérieur de sa pyramide, et les plus susceptibles de nous apporter leur aide parmi les autres dieux devaient également repousser les attaques du chaos. Il faudrait nous contenter de ce qu'on avait.

J'ai fait face à cette assemblée divine, priant pour que mes jambes ne me trahissent pas. Je me sentais toujours le même, Carter Kane, mais je savais qu'ils voyaient en moi Horus le vengeur.

J'ai levé la crosse et le fléau.

– Ces symboles de pouvoir m'ont été donnés par Rê en personne, ai-je affirmé. Il m'a désigné pour vous guider. En ce moment même, il affronte Apophis. Nous devons joindre nos forces aux siennes. Venez, et faites votre devoir.

– Nous n'obéissons qu'aux puissants, a répliqué Serket d'une voix sifflante. Es-tu puissant ?

Rapide comme l'éclair, je l'ai frappée avec le fléau. Quand j'en ai eu terminé, il ne restait d'elle qu'une montagne fumante de scorpions grillés.

Quelques créatures qui avaient échappé au massacre ont rampé hors du tas. Parvenues à bonne distance, elles se sont rassemblées et la déesse s'est reconstituée derrière un écran de flammes bleutées.

– Il est puissant ! a croassé Nekhbet.

– Alors, suivez-moi !

Mon bâ a réintégré mon corps, et j'ai ouvert les yeux.

Des nuages d'orage étaient massés au-dessus de la pyramide de Khephren. Ils se sont écartés dans un grondement de tonnerre, et les dieux ont attaqué, certains montés sur des chars, d'autres sur des vaisseaux aériens, d'autres encore sur des faucons géants. Baba a atterri au sommet de la Grande Pyramide et s'est frappé la poitrine en rugissant.

Je me suis tourné vers Sadie et lui ai dit :

– Ça te va, comme signal ?

On a tous dévalé le flanc de la pyramide pour nous jeter dans la bataille.

Un bon conseil : si tu dois affronter un jour le serpent du chaos, défile-toi.

Ce n'est pas le genre de combat qu'on peut gagner, même avec le soutien d'un escadron de dieux et de magiciens. J'en ai pris conscience en voyant la réalité se fracturer à notre approche. Les circonvolutions d'Apophis n'épousaient pas seulement les contours du désert ; elles s'insinuaient entre les différentes strates de la Douât. La situation évoquait une course-poursuite à l'intérieur d'un labyrinthe de glaces dont chaque miroir ouvrirait sur une nouvelle baraque foraine elle-même remplie de miroirs.

Chacun de nous s'est rapidement trouvé isolé à un niveau plus ou moins profond de la Douât, à combattre un infime fragment du pouvoir de notre ennemi commun.

Prisonnier des anneaux du monstre, Walt décochait à

celui-ci des éclairs gris qui réduisaient ses écailles en cendres. Mais le serpent se régénérait instantanément et resserrait son étreinte mortelle autour de lui. Quelques centaines de mètres plus loin, Julian avait invoqué un avatar d'Horus, un guerrier vert à tête de faucon armé d'un khépesh dans chaque main. Il avait beau la trancher, la queue du serpent repoussait aussitôt et tentait de le transpercer. Presque au même endroit, mais à un niveau inférieur, Serket, sous la forme d'un scorpion géant, parait les coups d'une version alternative de la même queue avec son aiguillon, dans une bizarre parodie d'escrime. Même Amos s'était laissé abuser : tourné dans la mauvaise direction – du moins était-ce l'impression qu'il donnait –, il agitait inutilement son bâton en proférant des mots magiques dans le vide.

J'espérais fatiguer Apophis en l'obligeant à combattre sur autant de fronts, mais il ne montrait aucun signe d'affaiblissement.

– Il tente de nous diviser ! a hurlé Sadie.

Elle se trouvait juste à côté de moi, pourtant sa voix semblait me parvenir à travers une soufflerie.

– Attrape ! ai-je crié, lui tendant l'extrémité de la crosse. Il faut qu'on reste ensemble !

Elle a saisi la crosse, et on s'est rués en avant.

Plus on s'approchait de la tête du serpent et plus notre progression devenait difficile. J'avais l'impression de traverser des couches successives de mélasse, toutes plus épaisses et résistantes que la précédente. En regardant autour de moi, j'ai constaté que la plupart de nos alliés s'éloignaient inexorablement de nous. Certains avaient même disparu à travers une distorsion de la réalité.

Droit devant nous, une vive clarté miroitait comme si elle était filtrée par l'eau.

– Nous devons rejoindre Rê, ai-je dit à ma sœur. Concentre-toi sur lui !

En réalité, ma seule préoccupation était de sauver Zia, comme Sadie l'avait probablement deviné. Elle devait être proche, car je l'entendais invoquer le feu du soleil contre son adversaire. Mais une dizaine de mètres dans le monde mortel peuvent se convertir en plusieurs milliers de kilomètres dans la Douât.

– On y est presque ! ai-je repris.

La voix d'Apophis a retenti dans ma tête : *Trop tard, misérables larves ! Rê va me servir de déjeuner !*

Le serpent a déroulé ses anneaux, manquant de nous écraser. L'énergie du chaos parcourait son corps massif, faisant chatoyer ses écailles. Une violente nausée m'a plié en deux. Sans la protection d'Horus, son contact m'aurait désintégré. J'ai abattu mon fléau sur son flanc, arrachant des lambeaux de brume ardente.

– Ça va ? ai-je demandé à Sadie.

Elle a acquiescé, très pâle, et on a repris notre avancée.

Le combat faisait toujours rage autour de nous. Baba chevauchait une version de la tête du serpent qu'il bourrait de coups de poing sans qu'Apophis en paraisse très affecté. Embusquée derrière des rochers, Neith criblait de flèches une tête alternative. Aisément repérable à ses palmes, elle tenait des propos incohérents où il était question de Jelly Babies et de conspiration. Plus loin, on a vu le serpent planter ses crocs dans Nekhbet, qui a explosé en un bouquet de plumes noires.

– On va bientôt manquer de dieux ! a fait remarquer Sadie.

On a enfin plongé au cœur d'un tourbillon de fumée rouge et gris. Le vacarme est retombé sitôt qu'on a pénétré dans l'œil du cyclone. Au-dessus de nous se dressait la véritable tête du serpent, ou du moins sa manifestation la plus puissante.

Comment je le savais ? Eh bien, sa peau paraissait plus épaisse, et ses écailles rouges jetaient des reflets dorés. Sa gueule aussi profonde qu'une caverne ouvrait sur deux crocs immenses. Ses yeux flamboyaient et sa collerette largement déployée occultait en partie le ciel.

Rê lui faisait face, nimbé d'une aura si éblouissante qu'on ne pouvait le regarder en face. Du coin de l'œil, j'ai aperçu Zia à l'intérieur, vêtue à l'égyptienne avec une robe blanche vaporeuse, un collier et des bracelets en or. Même sa baguette et son bâton étaient dorés. Son image se brouillait, empêchant le serpent de la localiser avec précision.

Zia projetait vers lui des gerbes de flammes qui l'aveuglaient et arrachaient sa peau par lambeaux, mais ses blessures cicatrisaient aussitôt. Il devenait plus grand et plus fort de minute en minute. À l'inverse, la force vitale de Zia, son ka, déclinait. La vive lumière qui irradiait de sa poitrine semblait se contracter, comme celle d'une lampe en veilleuse.

Cependant, Bastet faisait de son mieux pour distraire son ennemi millénaire, bondissant sur son dos, le lacérant avec ses couteaux et poussant des miaulements rageurs, mais Apophis se secouait et la renvoyait immanquablement dans la tempête.

– Où est passé Bès ? a interrogé Sadie, jetant des regards inquiets autour d'elle.

En effet, le dieu nain avait disparu. Je commençais à craindre le pire quand une voix bougonne s'est élevée à la limite de la tempête :

– Ça vous ferait mal de me filer un coup de main ?

Je n'avais pas vraiment prêté attention jusque-là aux vestiges qui nous entouraient. Partout dans la plaine, on apercevait des blocs de pierre, des tranchées et les fondations de bâtiments déjà exhumés. La tête de Bès dépassait d'un morceau de calcaire de la taille d'une voiture.

Sadie a couru vers lui.

– Tu te sens comment ? a-t-elle demandé.

– À ton avis ? Ce truc pèse au moins dix tonnes. Mon vieil ami le rampant l'a lâché sur moi après m'avoir envoyé au tapis. Je pourrais le poursuivre pour actes de cruauté envers une personne de petite taille !

J'ai demandé :

– T'as essayé de le déplacer ?

Le regard qu'il m'a lancé était aussi expressif que la plus hideuse de son répertoire de grimaces.

– Mince, j'y avais pas pensé ! Il faut dire qu'on est tellement bien là-dessous... Bien sûr que j'ai essayé, idiot ! Malheureusement, mon charme n'agit pas sur la roche. T'as l'intention de m'aider, ou quoi ?

J'ai invoqué le pouvoir d'Horus, et un gant d'énergie bleutée a entouré ma main. Le bloc de pierre s'est cassé en deux, libérant le dieu nain. Le coup était impressionnant. Il l'aurait été encore plus si je n'avais pas poussé un jappement de chiot affolé en le portant. Apparemment, j'avais encore besoin d'entraînement au karaté. Ma main me faisait autant souffrir que si je l'avais plongée dans de l'huile bouillante. Je craignais de m'être brisé plusieurs os.

Sadie s'est inquiétée :

– Ça va ?

– Ouais, ai-je menti.

– Merci, gamin, a dit Bès en se relevant. Maintenant, je connais un reptile qui va prendre la raclée qu'il mérite !

On a couru vers Zia pour l'aider, ce qui s'est révélé une mauvaise idée : en nous voyant, elle a eu une seconde de distraction.

– Les dieux soient loués ! s'est-elle exclamée.

Sa voix se superposait à celle, plus grave et impérieuse, de Rê. Au risque de te paraître ringard, entendre ma copine s'exprimer comme un vieillard de cinq mille ans ne figure pas dans mon top dix des trucs les plus sexy. Mais j'étais tellement heureux de la voir que c'est à peine si j'y ai pris garde.

– Vous arrivez à point nommé, a-t-elle ajouté, lançant une nouvelle boule de feu à Apophis. Notre ami le serpent devient de plus en...

– Attention ! lui a crié Sadie.

La riposte d'Apophis a été immédiate, et cette fois, il a atteint sa cible. Quand il s'est redressé, il y avait un trou dans le sable à l'endroit où se tenait précédemment Zia, et une grosseur de forme humaine glissait le long de sa gorge, l'illuminant de l'intérieur.

Sadie prétend que j'ai pété un câble. Honnêtement, je n'en ai aucun souvenir. Je me revois juste m'écarter d'Apophis en vacillant, la voix éraillée d'avoir trop crié. Ma main blessée me faisait mal, et un liquide rouge grisâtre suintait de ma crosse et mon fléau : le sang du chaos.

Le cou d'Apophis présentait trois entailles qui ne s'étaient pas refermées. À part ça, il semblait en pleine forme. Il n'est pas facile de déchiffrer l'expression d'un serpent, mais j'aurais juré qu'il exultait.

– La prophétie va s'accomplir !

Au son de sa voix, la terre s'était mise à trembler, et le sable du désert s'était craquelé comme la surface d'un lac gelé. Le ciel s'est obscurci ; seuls les étoiles et les éclairs rouges qui le zébraient éclairaient à présent la nuit. La température a brutalement chuté.

– Tu ne peux pas contrer le destin, Carter Kane ! J'ai avalé le soleil. La fin du monde est proche !

Sadie est tombée à genoux, secouée de sanglots. Un désespoir plus mortel que le froid m'a envahi. La force d'Horus s'est retirée de moi, ne laissant que Carter Kane. Autour de nous, à tous les niveaux de la Douât, dieux et magiciens ont cessé de combattre tandis que la terreur se propageait dans leurs rangs.

Avec une agilité proprement féline, Bastet a atterri près de moi. Elle avait la respiration haletante et les cheveux hérissés. Sa combinaison était déchirée et une ecchymose violacée marquait son menton. De la fumée s'échappait de ses couteaux rongés par le venin du serpent.

– Non, a-t-elle dit d'un ton ferme. Non, non, non et non. Tu as un plan ?

– Un plan ? ai-je répété sans comprendre.

On avait échoué, Zia avait disparu, la prophétie antique s'était accomplie, et j'allais mourir avec la certitude d'être un parfait loser. Je me suis tourné vers Sadie, qui avait l'air aussi désemparée que moi.

– Secoue-toi, gamin !

Bès s'est approché et m'a filé un coup de pied dans le tibia – il ne pouvait pas frapper plus haut.

– Ouille ! ai-je protesté.

– C'est toi le chef, alors t'as intérêt à avoir un plan. Je suis pas revenu à la vie pour me faire tuer à nouveau !

Apophis a émis un sifflement strident. Le sol continuait à se craqueler, fragilisant les fondations des pyramides. Le froid vif transformait mon haleine en vapeur.

Le serpent a fixé sur moi son regard flamboyant, puis il a dit :

– Trop tard, pauvres enfants ! Ça fait des siècles que Maât décline. Votre monde n'était qu'un grain de poussière, une scorie éphémère dans l'océan du chaos. Tout ce que les hommes ont construit sera réduit à néant. J'incarne votre passé et votre avenir. Incline-toi, Carter Kane, et je t'épargnerai peut-être ainsi que ta sœur. J'ai décidé de laisser la vie à quelques mortels afin qu'ils assistent à mon triomphe. Dis-moi, ce sort n'est-il pas préférable à la mort ?

Mes jambes me semblaient peser une tonne. En moi tremblait un petit garçon qui n'aspirait qu'à vivre. J'avais perdu mes parents, on m'avait forcé à endosser un costume trop large pour moi. Pourquoi m'obstiner quand tout était perdu ? Si au moins je pouvais sauver Sadie...

J'ai alors levé les yeux vers le serpent. L'éclat du dieu-soleil progressait toujours le long de son gosier. Zia s'était sacrifiée pour nous protéger.

« Ne crains rien », m'avait dit Rê. « Je retiendrai Apophis jusqu'à ton retour. »

La colère m'a envahi, agissant comme un électrochoc. Apophis tentait de prendre l'ascendant sur moi comme il l'avait fait sur Vlad Menchikov, Kwai, Sarah Jacobi et même Seth, le dieu du mal. Il était expert dans l'art de saper la volonté de ses victimes, de détruire ce qu'il y avait de bon et noble en elles. Tout ce qu'il désirait, c'était que je devienne aussi égoïste que lui.

L'image de l'obélisque dressé face à l'océan du chaos s'est imposée à moi. Ça faisait des millénaires qu'il résistait en dépit de tout. Il symbolisait le courage, la civilisation, l'aptitude à faire les bons choix, sans céder à la facilité. Si je renonçais maintenant, il s'écroulerait, entraînant dans sa chute toutes les réalisations des hommes depuis les pyramides.

Je me suis adressé à ma sœur :

– Sadie, tu as l'ombre ?

Elle s'est relevée d'un bond, et la stupeur qui se lisait sur ses traits s'est muée en fureur.

– Je croyais que tu ne me la demanderais jamais, a-t-elle dit.

Elle a tiré de sa sacoche la statuette à présent noire.

Apophis a eu un mouvement de recul, et il m'a semblé percevoir de la peur chez lui.

– Ne soyez pas stupides, a-t-il grondé. Votre sort ridicule ne marchera pas – plus maintenant, alors que je triomphe ! Et dans votre état de faiblesse, cet effort vous serait fatal.

Sa mise en garde contenait une part de vérité : mes réserves de magie étaient presque épuisées, et celles de Sadie ne devaient pas valoir mieux. Même avec une aide divine, l'exécration allait probablement nous consumer.

– Prêt ? m'a lancé Sadie sur un ton de défi.

– Si vous faites ça, a repris Apophis, je vous tirerai du chaos pour le plaisir de vous tuer à petit feu, ce autant de fois qu'il me plaira. Vos parents connaîtront le même sort. Vous souffrirez pour l'éternité !

J'avais l'impression d'avoir avalé une des boules de feu de Rê. Malgré ma main blessée, je serrais fermement la crosse et le fléau dans mes poings. Soudain la force d'Horus m'a de nouveau possédé, et nous n'avons plus formé qu'un. J'étais l'Œil du dieu, le Vengeur.

– Erreur, ai-je dit. T'aurais jamais dû menacer ma famille.

J'ai lancé la crosse et le fléau, qui se sont écrasés sur la tête d'Apophis. Une colonne de feu a jailli avec la puissance d'une explosion nucléaire. Le serpent a poussé un hurlement de douleur, mais mon intuition me disait que je n'avais gagné que quelques secondes.

– Prête ? ai-je demandé à Sadie.

Elle m'a tendu la figurine pour que je la tienne avec elle, et nous nous sommes préparés à prononcer le dernier sort de nos existences. On n'a pas eu besoin de consulter le papyrus : à force de nous entraîner, on avait fini par savoir la formule par cœur. Une fois lancés, rien ne pourrait nous arrêter. Et en cas d'échec comme de succès, on finirait probablement en cendres.

– Bès, Bastet, ai-je dit, vous pouvez tenir Apophis à distance ?

Bastet a souri en montrant ses couteaux.

– Tu n'avais pas besoin de demander. Rien ne pourra m'empêcher de protéger mes chatons.

Elle s'est ensuite adressée à Bès :

– Au cas où on y resterait, je voulais te demander pardon d'avoir parfois joué avec tes sentiments. Tu méritais mieux.

– Y a pas de mal, a marmonné le nain. J'ai enfin ouvert les yeux et trouvé la personne qu'il me faut. Et puis, t'es une chatte... C'est dans ta nature de te croire le centre du monde.

– Mais je suis le centre du monde ! a protesté Bastet.

Bès a éclaté de rire.

– Bonne chance, les gosses ! Il est temps de passer en mode affreux...

Au même moment, Apophis a émergé des flammes.
– À mort ! a-t-il rugi.
Bastet et Bès, les meilleurs amis et protecteurs qu'on ait jamais eus, se sont rués vers lui.
Sadie et moi, on a entamé l'incantation.

CARTER

20. *On me porte au pouvoir*

Comme je l'ai déjà signalé, les incantations, c'est pas mon truc.

Elles exigent une attention sans faille, une articulation et un timing rigoureux. La moindre erreur peut te détruire ainsi que tout ce qui respire à trois mètres à la ronde, ou te transformer en marsupial.

Eh bien, dis-toi qu'il est doublement difficile de prononcer une incantation à deux.

On avait étudié le texte, bien sûr, mais ce n'était pas comme si on avait pu exécrer Apophis à l'avance. Avec ce genre de sort, tu n'as droit qu'à un essai.

Au début, j'avais conscience de la présence de Bès et Bastet à nos côtés. Nos autres alliés combattaient également le serpent à différents niveaux de la Douât. La température baissait toujours, les crevasses s'élargissaient, des éclairs rouges déchiraient le ciel, semblables à des lézardes dans un dôme noir.

Pour m'empêcher de trembler, je fixais mon attention sur la figurine d'Apophis. Aux premiers mots qu'on avait dits, celle-ci avait commencé à émettre de la fumée.

Je m'efforçais de ne pas penser à la dernière fois où j'avais entendu cette incantation. Michel Desjardins était mort en la prononçant, et il n'affrontait alors qu'une version incomplète d'Apophis, non un serpent au summum de sa puissance après avoir avalé Rê.

Concentre-toi, m'a soufflé Horus.

C'était plus facile à dire qu'à faire, avec le bruit, le froid et les explosions. Autant essayer de compter à rebours entouré de gens qui te crient des nombres au hasard.

Soudain Bastet est passée au-dessus de nos têtes avant de s'écraser contre un bloc de roche. Avec un cri de rage, Bès a abattu sa massue sur la gorge du serpent, si violemment que les yeux du monstre ont paru jaillir de ses orbites.

Apophis a tenté de happer le nain, qui s'est cramponné à un de ses crocs. Il a alors relevé la tête et l'a secouée afin de déloger l'intrus, sans succès.

Entre-temps, la figurine s'était mise à chauffer dans nos mains, amplifiant le dégagement de fumée. Isis et Horus faisaient de leur mieux pour nous protéger en nous enveloppant d'un voile de lumière bleu et doré. La sueur me piquait les yeux et je brûlais de fièvre malgré le froid glacial.

Quand on a atteint le passage le plus important – celui où il fallait nommer l'ennemi –, j'ai commencé à entrevoir la véritable nature de l'ombre du serpent. C'est drôle, mais il y a des choses qui échappent à ta compréhension jusqu'au moment où tu les détruis. Plus qu'un simple reflet, une « copie de sauvegarde » de l'âme, le shut représente la trace qu'un être vivant laisse dans l'Histoire. Certaines ombres sont si minces qu'on les remarque à peine, tandis que d'autres subsistent pendant des siècles, voire des millénaires. J'ai repensé à ce que m'avait dit Setné : lui et moi, on avait grandi dans l'ombre d'un père célèbre. Au-delà de la métaphore, mon père projetait une ombre si puissante qu'elle m'affectait toujours ainsi que le reste du monde.

Quand un être cesse de projeter une ombre, son existence perd tout son sens. Détruire l'ombre d'Apophis revenait à le couper entièrement du monde mortel. Plus jamais il ne pourrait se manifester. J'ai enfin compris pourquoi il avait mis tant de soins à brûler toutes les copies du papyrus, et pourquoi le sort de Setné lui inspirait une telle terreur.

Juste comme on abordait les dernières lignes de la formule, Apophis est enfin parvenu à décrocher Bès de sa gueule et l'a expédié contre le flanc de la Grande Pyramide. Puis il s'est tourné vers nous alors qu'on prononçait les mots : « Nous t'exilons sous terre. »

– NOOON ! a-t-il rugi.

La statuette s'est embrasée, l'ombre s'est évanouie en fumée, et l'onde de choc nous a projetés au sol.

L'empreinte qu'Apophis avait laissée en ce monde s'est alors effacée ; les guerres, les meurtres, les désordres qu'il avait pu causer depuis l'origine des temps ont cessé de planer sur notre avenir. Tandis que le chaos recrachait les milliers d'âmes qu'il avait englouties, une voix a murmuré mon nom à mon oreille : *Carter...* Des larmes de soulagement ont brouillé mon regard. Même si je ne pouvais la voir, j'avais la certitude que notre mère était libre.

Apophis se tordait de rage et rapetissait de seconde en seconde.

– Stupides mortels ! a-t-il craché.

La Douât s'est effondrée sur elle-même, strate après strate, jusqu'à ce que le plateau de Gizeh ne forme plus qu'une seule réalité. Si nos amis magiciens nous entouraient bien, hébétés, aucun dieu n'était visible.

– Maât et le chaos sont liés, pauvres fous ! a repris le serpent. En me tuant, vous allez chasser les autres dieux. Quant à Rê, il va mourir à l'intérieur de moi, lentement digé...

Soudain sa tête a explosé, projetant des fragments enflammés à travers la plaine – crois-moi, ce n'était pas beau à voir. Une boule de feu a surgi de sa gorge béante tandis que son corps retombait sur le sable jonché de débris visqueux, puis Zia Rashid est apparue. Sa robe était en lambeaux, son bâton doré s'était fendu en deux, mais elle avait survécu.

J'ai couru vers elle et elle s'est écroulée dans mes bras, épuisée.

Une autre silhouette a alors émergé du cadavre fumant d'Apophis : un vieillard athlétique, à la peau dorée, coiffé de la couronne des pharaons. Son image tremblait comme un mirage quand il s'est avancé. Aussitôt, le ciel s'est illuminé, la température est remontée, les fissures dans le sol se sont refermées.

Le dieu du soleil nous a souri.

– Bien joué, Carter et Sadie. Je vous dois la vie. À présent, je dois disparaître, comme l'ont fait les autres dieux.

– Disparaître... ?

La voix qui avait jailli de ma bouche était plus grave et râpeuse que la mienne. Ce n'était pas non plus celle d'Horus – le dieu de la guerre semblait être sorti de ma tête.

– Vous voulez dire, pour toujours ?

Rê a ri.

– Quand tu auras mon âge, tu sauras qu'on ne doit employer le mot « toujours » qu'avec la plus extrême prudence. La première fois où j'ai abdiqué, je pensais ne jamais revenir. Je vais me retirer dans le ciel, au moins provisoirement. Mon vieil ennemi Apophis n'avait pas tort. Chaque tentative pour repousser le chaos entraîne l'éloignement des dieux garants de l'ordre et de Maât. Il en va de l'équilibre de l'univers.

– Dans ce cas, vous devriez emporter ceci...

Je lui ai de nouveau tendu la crosse et le fléau, mais il a secoué la tête.

– Garde-les. Tu es le pharaon légitime. Et prends bien soin de ma favorite, a-t-il ajouté, désignant Zia. Elle se rétablira, mais elle aura besoin de soutien.

La lumière qui irradiait de lui est brusquement devenue aveuglante. Quand elle s'est atténuée, il n'était plus là. Regroupés autour d'une dépression fumante qui dessinait la silhouette d'un gigantesque serpent, une vingtaine de magiciens fatigués ont assisté au lever du soleil au-dessus des pyramides.

Sadie a posé une main sur mon bras.

– Carter ?

– Ouais ?

– On a eu chaud, non ?

Pour une fois, je partageais son avis.

Je ne garde qu'un souvenir confus du reste de la journée. Je me revois accompagner Zia à l'infirmerie du Premier Nome. Ma main a été réparée en quelques minutes, mais je suis resté à ses côtés jusqu'à ce que Jaz me prie de sortir. Son équipe et elle avaient des dizaines de blessés à soigner – dont Léonid, qui, contre toute attente, paraissait en bonne voie de guérison – et même si elle jugeait mon dévouement « trop chou », je les gênais.

J'ai alors erré à travers la caverne principale. À ma grande surprise, elle était pleine de visiteurs. Les portails avaient recommencé à fonctionner autour du monde ; les magiciens affluaient pour nettoyer et assurer le chef lecteur de leur soutien. C'est facile de rappliquer pour faire la fête une fois que les autres se sont appuyé le sale boulot... Même si beaucoup des autres nomes avaient dû livrer eux-mêmes bataille. Apophis n'avait pas ménagé ses efforts pour nous abattre et nous diviser. Pourtant, notre victoire me laissait un goût amer. Beaucoup des nouveaux venus coulaient des regards à la fois craintifs et admiratifs vers la crosse et le fléau de Rê, qui pendaient de ma ceinture. Quelques-uns m'ont félicité et traité de « héros ». Je ne me suis même pas arrêté.

Je dépassais l'étal d'un vendeur de bâtons magiques quand on m'a appelé :

– Psitt !

J'ai jeté un coup d'œil vers l'entrée de la ruelle la plus proche et aperçu le fantôme de Setné, adossé à un mur. J'ai d'abord cru à une hallucination. Mais c'était bien lui, vêtu de son affreuse veste cintrée, les doigts chargés de bagues, les cheveux plaqués en arrière, *Le Livre de Thot* glissé sous le bras.

– Beau boulot, mon vieux, m'a-t-il dit. Personnellement, j'aurais employé une autre méthode, mais bravo.

À peine revenu de ma surprise, j'ai crié :

– *Tas* !

Setné a souri.

– C'est fini, ce temps-là. Mais t'inquiète, mon gars. Je te promets qu'on se reverra...

Sur ces paroles, il s'est évanoui en fumée.

J'ignore combien de temps je suis resté là avant que ma sœur ne me trouve.

– Tout va bien ? m'a-t-elle demandé.

Je lui ai raconté ce qui venait de m'arriver. Elle a grimacé, pas vraiment étonnée.

– J'imagine que notre route croisera de nouveau celle de cette vermine un jour ou l'autre. Mais en attendant, tu ferais bien de venir. Amos a convoqué une assemblée générale dans la salle des temps. Et essaie de sourire, a-t-elle ajouté, passant son bras sous le mien. Je sais que c'est difficile, mais si invraisemblable que ça paraisse, tout le monde ici te considère comme un exemple.

J'ai fait mon possible pour avoir l'air gai, mais je n'ai pas réussi à chasser Setné de mon esprit.

On a croisé plusieurs de nos amis qui participaient aux travaux de reconstruction. Alyssa et une équipe de spécialistes en magie tellurique s'employaient à renforcer les murs et les plafonds. Assis sur les marches de la salle de divination, Julian baratinait un groupe de filles du nome scandinave.

– Quand Apophis a vu la taille de mon avatar, ai-je capté au passage, il a pigé qu'il ne faisait pas le poids...

Sadie a levé les yeux au ciel avant de m'entraîner.

Les Razmoket ont accouru vers nous, essoufflés mais souriants. Ils avaient dévalisé des étals laissés sans surveillance, de sorte qu'ils semblaient déguisés pour un carnaval sur le thème de l'Égypte ancienne.

– J'ai tué un serpent ! a annoncé Shelby. Un gros !

– Ah bon ? ai-je dit, feignant la surprise. Et tu as fait ça toute seule ?

– Ouiii ! Maintenant, il est mort, mort, MORT !

Elle s'est mise à trépigner d'excitation, faisant jaillir des étincelles de sous ses semelles, avant de pourchasser ses camarades.

– Cette petite ira loin, a déclaré Sadie. On dirait moi à son âge.

J'ai frissonné. Quelle idée effrayante !

Des coups de gongs ont résonné le long des tunnels, invitant chacun à rejoindre la salle des temps. À notre entrée, celle-ci était déjà remplie de magiciens en robe, en vêtement moderne, voire en pyjama, comme s'ils s'étaient téléportés de leur lit. De part et d'autre du tapis central, les images holographiques chatoyaient de nouveau entre les colonnes.

Felix est venu à notre rencontre. Il arborait un grand sourire, et un troupeau de manchots trottinait sur ses talons. (« Troupeau » ou « colonie » ? Bah ! On s'en fiche...)

– Regardez ! nous a-t-il dit. J'ai appris ça pendant la bataille !

Il a prononcé un mot magique. J'ai cru entendre *chiche-kebab*, mais il m'a expliqué ensuite qu'il s'agissait de *se-kebeb*, soit « refroidir » en égyptien ancien.

Une suite de symboles scintillants s'est inscrite sur le sol :

En quelques secondes, une épaisse couche de glace s'est formée sur une dizaine de mètres carrés. Les manchots ravis se sont dispersés à sa surface en agitant leurs courtes ailes. En reculant, un magicien est tombé à la renverse et en a lâché son bâton.

Felix a levé le poing en signe de victoire.

– Yeeesss ! J'ai trouvé ma voie. Le dieu de la glace sera mon maître.

Je me suis gratté la tête, perplexe.

– Euh... L'Égypte est un désert. T'es sûr qu'il existe un dieu de la glace ?

– Aucune idée !

Felix a traversé la patinoire improvisée d'une glissade avant de s'éloigner en courant avec son escorte.

Sadie et moi, on s'est avancés au milieu d'une foule de magiciens qui échangeaient des nouvelles, se congratulaient ou laissaient éclater leur joie de revoir leurs amis vivants. Des hiéroglyphes tournoyaient dans l'air, plus éclatants et nombreux que je ne les avais jamais vus ; on aurait dit des pâtes alphabet flottant dans une soupe d'arc-en-ciel.

Enfin, l'assistance a pris conscience de notre présence. Une rumeur s'est répandue à travers la salle, et tous les regards se sont tournés vers nous. Les magiciens se sont écartés, nous ouvrant un passage vers le trône.

La plupart nous souriaient ; des remerciements et des félicitations accompagnaient notre progression. Même les ex-rebelles paraissaient sincèrement heureux de nous voir. Toutefois, j'ai surpris quelques regards hostiles. Malgré la victoire contre Apophis, certains ne nous accorderaient jamais leur confiance et continueraient à nous haïr. Les Kane auraient toujours intérêt à surveiller leurs arrières.

Sadie scrutait la foule de visages avec une expression angoissée. Sans doute cherchait-elle Walt. J'étais tellement préoccupé par Zia que je ne m'étais pas soucié d'elle jusque-là. Walt avait disparu après la bataille, en même temps que les dieux.

– Je suis sûr qu'il va bien, lui ai-je murmuré.

– Chut !

Si elle souriait, son regard était on ne peut plus éloquent.

« Si tu me colles la honte devant tout le monde », me disait-il, « je t'étrangle. »

Amos nous attendait au pied du trône. Son costume cramoisi s'accordait étonnamment bien avec sa cape en léopard. Des grenats décoraient ses tresses, et les verres de ses lunettes étaient teintés en rouge. J'ai eu le sentiment qu'il tenait à souligner sa proximité avec Seth, à présent que celle-ci était de notoriété publique.

Pour la première fois de son histoire, la Maison de vie avait à sa tête un chef lecteur intimement lié au dieu du mal. Cette particularité risquait d'entraîner la défiance de certains, mais les magiciens, comme les dieux, respectent la force. Amos n'aurait plus de difficulté à asseoir son autorité.

Il nous a accueillis avec un sourire.

– Sadie et Carter, au nom de la Maison de vie, je vous remercie. Vous avez restauré le pouvoir de Maât, exécré Apophis, et si Rê s'est de nouveau retiré dans le ciel, cette fois, il l'a fait en vainqueur. Grâce à vous !

Un tonnerre d'acclamations et d'applaudissements a salué cette déclaration. Des magiciens ont brandi leur bâton, déclenchant un feu d'artifice miniature.

Amos nous a serrés dans ses bras, puis il s'est écarté et m'a indiqué le trône. J'espérais quelques mots d'encouragement de la part d'Horus, mais je ne décelais sa présence nulle part en moi.

J'ai senti la panique me gagner. Ce trône était inoccupé depuis des millénaires. Allait-il seulement supporter mon poids ? S'il se désintégrait sous mon postérieur royal, ça augurerait mal de la suite de mon règne !

Ma sœur m'a poussé du coude.

– Qu'est-ce que t'attends, idiot ?

J'ai gravi les marches et me suis assis. Le trône a craqué, mais il a tenu bon.

J'ai promené mon regard sur l'assistance.

Horus n'était plus là pour m'aider ? Tant pis. Quand mes yeux sont tombés sur la bande de lumière pourpre en formation à la limite des écrans chatoyants, j'ai eu l'intuition que cette nouvelle ère nous serait bénéfique.

Soudain il m'a semblé qu'on m'ôtait un poids des épaules, et que j'émergeais enfin de l'ombre du dieu de la guerre – et de celle de mon père.

– J'accepte le trône.

Les mots m'étaient venus naturellement.

J'ai enchaîné :

– Rê m'a confié la tâche de guider les dieux et les magiciens en temps de crise, et je ferai de mon mieux pour m'en acquitter. Nous avons banni Apophis, mais l'océan du chaos est toujours là, en train de saper les fondations de Maât. Je l'ai vu de mes yeux. Nous aurions tort de croire que nos ennemis ont tous capitulé.

Des remous ont agité la foule.

– Profitons de cette période de paix pour reconstruire et consolider la Maison de vie, ai-je poursuivi. Si l'heure du combat doit sonner de nouveau, vous pourrez compter sur moi en tant que pharaon et Œil d'Horus. Mais en tant que Carter Kane...

M'étant levé, j'ai déposé la crosse et le fléau sur le trône, puis j'ai descendu les marches.

– ... en tant que Carter Kane, j'ai de quoi faire d'ici là. Je dois diriger un nome – celui de Brooklyn – et passer mon bac. C'est pourquoi je délègue la gestion du quotidien à la personne qui en est la plus digne : le chef lecteur et intendant royal, Amos Kane

Ça m'a fait bizarre quand Amos s'est incliné devant moi. Les magiciens applaudissaient à tout rompre. Parce qu'ils approuvaient ma décision ou parce qu'ils étaient soulagés de ne pas devoir obéir à un gamin ? La raison m'importait peu, seul le résultat comptait.

Amos nous a de nouveau serrés dans ses bras.

– Je suis fier de vous, a-t-il dit. Il faudra qu'on parle tous les trois, mais pour le moment...

Il désignait un rectangle de ténèbres qui venait de se découper dans l'espace, à côté du trône.

– ... vos parents souhaitent vous voir.

J'ai échangé un regard avec Sadie. En une fraction de seconde, j'avais perdu ma superbe de roi de l'univers pour redevenir un gosse désobéissant qui craignait de se faire gronder. Malgré mon désir de voir mes parents, je n'oubliais pas que j'avais failli à la promesse faite à mon père en laissant filer un prisonnier dangereux.

Un vent de folie soufflait sur la salle du jugement. Ammout la dévoreuse, coiffée d'un chapeau en papier, courait frénétiquement autour de la balance avec des jappements excités. Les démons à tête de guillotine, appuyés sur leurs piques, trinquaient avec ce qui ressemblait à du champagne. J'ignorais comment ils pouvaient boire, et à vrai dire, je ne tenais pas à le savoir. Même le vieillard bleu, Causeur de troubles, semblait de bonne humeur. Le papyrus qu'il tenait sous le bras se déroulait jusqu'au milieu de la salle, mais lui, la perruque de travers, plaisantait et bavardait avec les autres juges divins, fraîchement libérés de La Maison de Repos. Celui qui étreint la flamme et le Brûlant de jambe faisaient tomber des cendres sur le précieux document, mais s'il le remarquait, il n'avait pas l'air de s'en soucier.

Assis sur son trône, notre père tenait les mains de maman. Un orchestre de jazz fantôme jouait auprès d'eux. Il m'a semblé reconnaître Miles Davis, John Coltrane et quelques autres favoris de papa parmi les musiciens. Régner sur le monde des morts offre certains avantages...

Papa nous a fait signe d'approcher. Il ne paraissait pas en colère, ce qui m'a un peu rassuré. On s'est frayé un chemin à travers la joyeuse foule de démons et de dieux mineurs. Ammout s'est précipitée vers Sadie et a grogné de plaisir quand ma sœur lui a gratté le menton.

– Mes enfants ! s'est exclamé notre père, écartant les bras.

Ça m'a fait drôle qu'il nous appelle comme ça. Je n'avais plus l'impression d'être un enfant, moi. Un gosse ne combat pas le serpent du chaos ; il ne prend pas la tête d'une armée pour empêcher la fin du monde.

Papa nous a serrés contre lui. En tant que fantôme, maman ne pouvait pas en faire autant, mais la voir saine et sauve suffisait à mon bonheur. Excepté son aura lumineuse, elle était telle que dans mon souvenir, en jean et tee-shirt imprimé d'un ankh, ses cheveux blonds plaqués sous un foulard. Parfois, quand je la regardais de côté, j'avais presque l'impression de voir Sadie.

– Maman, tu as survécu ! ai-je dit. Comment...

– Grâce à vous deux, m'a-t-elle coupé, les yeux brillants. J'ai résisté le plus longtemps possible, mais l'ombre d'Apophis était trop puissante. Si vous ne l'aviez pas détruite, elle m'aurait... Mais ne parlons plus de ça. Vous avez réussi l'impossible. Nous sommes fiers de vous !

– C'est vrai, a acquiescé papa, me pressant l'épaule. Vous

avez accompli tout ce pour quoi nous avons lutté, au-delà même de nos espérances.

Je m'interrogeais : se pouvait-il qu'il n'ait pas été informé de l'évasion de Setné ?

– On n'a pas réussi sur toute la ligne, ai-je avoué. On a perdu ton prisonnier. Je ne comprends pas comment il a pu fuir. Il était toujours attaché et...

Papa m'a arrêté du geste.

– Je sais. Peut-être n'aura-t-on jamais l'explication. Mais quoi qu'ait fait Setné, vous n'avez rien à vous reprocher.

– Ah oui ? a dit Sadie.

– Cela fait des millénaires qu'il déjoue la surveillance de ses gardiens. Dieux, démons, magiciens ou simples mortels, nul n'est jamais parvenu à le retenir. Quand vous l'avez emmené, je me doutais qu'il trouverait le moyen de vous échapper. Tout ce que j'espérais, c'était que vous le contrôleriez assez longtemps pour qu'il vous aide. Et ça a été le cas.

– Il nous a conduits à l'ombre, c'est vrai, ai-je admis. Mais il a volé *Le Livre de Thot*...

– Et ce bouquin est extrêmement dangereux, a insisté Sadie. Mort, Setné n'est plus en mesure d'exécuter tous les sorts qu'il contient, mais il peut encore causer beaucoup de dégâts avec.

– On le retrouvera, a assuré papa. Pour l'heure, célébrons dignement votre victoire.

Maman a passé une main immatérielle dans les cheveux de ma sœur.

– Tu peux venir un instant, ma chérie ? Il y a quelque chose dont je voudrais discuter avec toi.

Alors qu'elles se dirigeaient vers les musiciens, j'ai eu la surprise d'apercevoir deux visages connus parmi ceux-ci. Un grand type roux et souriant en costume texan jouait de la *steel guitar* en marquant la cadence du pied et échangeait des solos avec Miles Davis. Debout à ses côtés, une jolie violoniste blonde se penchait parfois pour l'embrasser sur le front. En perdant la vie, JD et Anne Grissom avaient gagné le droit de faire la fête pour l'éternité. C'était la première fois que j'entendais de la *steel guitar* et du violon dans un orchestre de jazz, mais le résultat était plutôt convaincant. Seth avait raison : la musique comme la magie ont besoin d'une dose de chaos.

Tandis que maman lui parlait, j'ai vu les yeux de Sadie s'agrandir, et son expression est devenue très sérieuse. Puis elle a rougi et esquissé un sourire timide, ce qui ne lui ressemblait pas du tout.

– Tu as été parfait à la salle des temps, m'a dit papa. Tu feras un excellent roi, sage et puissant.

J'ignore comment il était au courant de mon discours, mais ma gorge s'est serrée. Notre père a toujours été avare de compliments. Ces retrouvailles me rappelaient combien la vie était plus simple à l'époque où je l'accompagnais dans ses voyages. Il avait toujours la solution à tous les problèmes, et sa seule présence me rassurait. Jusqu'à sa disparition, un soir de Noël à Londres, je n'avais pas mesuré à quel point je dépendais de lui.

– Je sais que tu as vécu des moments difficiles, a-t-il repris, mais tu incarnes l'avenir de la famille Kane. Et je ne suis plus là pour te faire de l'ombre...

– Ce n'est pas tout à fait exact, ai-je objecté. Remarque que ça ne me gêne pas, au contraire. En tant que père, tu es très... « ombreux » ?

Il a éclaté de rire.

– Je serai là chaque fois que tu auras besoin de moi, m'a-t-il assuré. Mais comme l'a dit Rê, il sera plus difficile aux dieux d'entrer en contact avec le monde mortel à présent que vous avez exécré Apophis. Quand le chaos se retire, Maât en fait autant. De toute manière, je te crois capable de te débrouiller seul. Cette victoire, tu ne la dois qu'à toi-même. Ton ombre dépasse déjà la mienne. La Maison de vie célébrera encore ton nom dans plusieurs millénaires.

Il m'a de nouveau serré dans ses bras. Sa poitrine était aussi chaude, son étreinte aussi vigoureuse que de son vivant, de sorte que j'ai failli oublier à qui j'avais affaire.

Sadie est revenue vers nous, l'air un peu secouée.

– Qu'est-ce qui t'arrive ? lui ai-je demandé.

Elle a gloussé sans raison.

– Rien, a-t-elle affirmé, retrouvant son sérieux.

Maman s'est approchée sans toucher le sol.

– Maintenant, filez, nous a-t-elle dit. Brooklyn vous attend.

Une nouvelle porte s'est découpée près du trône. J'en ai franchi le seuil derrière Sadie, sans m'inquiéter de ce que j'allais trouver de l'autre côté. Cette fois, je savais que je rentrais chez moi.

Nos existences ont repris leur cours normal avec une rapidité étonnante.

Si tu le veux bien, je passerai directement aux trucs importants. Je fais confiance à Sadie pour te mettre au courant des moindres événements survenus au manoir et te soûler avec son drame personnel.

(Aïe ! On avait dit, pas pincer...)

Deux semaines après notre victoire contre Apophis, Zia et

moi, on visitait le Mall of America de Bloomington, dans le Minnesota.

Pourquoi Bloomington ? J'avais lu quelque part que le MOA était le plus vaste centre commercial de tous les États-Unis. Je m'étais dit alors : pourquoi faire les choses à moitié ? Pour s'y rendre, on avait emprunté un raccourci à travers la Douât, puis on avait laissé Crack sur le toit, en train de se goinfrer de dindes surgelées, pour faire la tournée des boutiques.

(Oui, Sadie. Pour notre premier vrai rencard, j'ai fait monter Zia à bord d'un bateau tiré par un griffon psychopathe. Et alors ? T'es mal placée pour critiquer, je te signale.)

Zia était restée bouche bée devant le choix de restaurants. Comme on n'arrivait pas à se décider, on a composé notre menu en puisant dans les quatre principaux groupes d'aliments : chinois, tex-mex, pizza et crème glacée. On a eu la chance de trouver une table qui dominait le parc d'attractions central.

Le secteur restauration grouillait d'ados. Beaucoup nous regardaient, ou plutôt, ils regardaient ma compagne. Sans doute se demandaient-ils ce qu'une fille comme elle fabriquait avec un blaireau dans mon genre.

Vêtue d'une robe sans manches en lin beige toute simple, chaussée de sandales noires, elle n'était pas maquillée et ne portait d'autres bijoux que son pendentif en forme de scarabée. Pourtant, elle avait l'air plus mûre et sexy que toutes les filles qui nous entouraient.

Elle avait attaché ses longs cheveux noirs, à l'exception d'une mèche glissée derrière son oreille droite. Depuis qu'elle avait accueilli Rê en elle, ses yeux couleur d'ambre et sa peau dorée brillaient d'un éclat particulier. Je pouvais sentir la chaleur qui émanait d'elle à travers la table.

Elle m'a souri par-dessus son bol de nouilles chinoises.

– C'est donc le genre d'endroit où les jeunes Américains ordinaires viennent se distraire ?

– Plus ou moins... Même si toi et moi, on ne risque pas de passer pour des jeunes « ordinaires ».

– J'espère bien !

Je devenais incapable de réflexion quand je posais les yeux sur elle. Si elle m'avait demandé d'enjamber la rambarde et de sauter dans le vide, je me serais certainement exécuté.

– Carter, a-t-elle repris, remuant ses nouilles avec sa fourchette, on n'a pas reparlé de... Tu sais, mon expérience avec Rê. Ça a dû te paraître bizarre, non ?

Qu'est-ce que je disais ? Une conversation « ordinaire » pour deux ados en balade au centre commercial...

– Pas du tout ! ai-je protesté.

Devant son expression incrédule, je me suis corrigé :

– D'accord, ça l'était un peu. Mais Rê avait besoin de toi, et tu as été incroyable. Hum, tu lui as reparlé depuis... ?

Elle a secoué la tête.

– Il s'est retiré de notre monde, avec les autres dieux. Je ne crois pas redevenir un jour l'Œil de Rê, à moins d'une nouvelle Apocalypse.

– Avec la chance qu'on a, ça ne devrait pas arriver avant un ou deux mois.

Elle a ri. J'adore son rire. Et j'adorais la petite mèche de cheveux derrière son oreille.

(Sadie me trouve « pitoyable ». Ma parole, elle ne s'est pas écoutée !)

– J'ai eu une discussion avec Amos, a-t-elle enchaîné. Il a

toute l'aide qu'il souhaite à présent. Il pense que ça me ferait du bien de passer un peu de temps loin du Premier Nome, de mener une existence aussi « ordinaire » que possible.

Mon cœur a fait un bond dans ma poitrine.

– Tu vas quitter l'Égypte, alors ?

Elle a acquiescé.

– Ta sœur m'a suggéré de venir à Brooklyn, et de m'y inscrire au lycée. Comment a-t-elle dit, déjà ? « Les Américains sont trop bizarres, mais à la longue, on s'y fait. »

Elle a approché sa chaise de la mienne et m'a pris la main. Au moins une vingtaine de types m'ont lancé des regards jaloux.

– Ça ne t'ennuie pas si je m'installe au manoir Kane ? m'a-t-elle demandé. Je pourrais vous aider, Sadie et toi, à former les nouveaux initiés. Mais si ça te gêne...

– Non ! ai-je répondu un peu trop fort. Je veux dire, ça ne me gêne pas du tout. Au contraire ! Ce serait génial !

Elle m'a souri. La température à l'intérieur du centre commercial a aussitôt grimpé d'au moins dix degrés.

– Alors, c'est oui ?

– Oui. À moins que ça ne te gêne, toi. Je ne voudrais pas que tu te sentes mal à l'aise ou...

– Carter ? a-t-elle murmuré. Tais-toi.

Elle s'est penchée vers moi et m'a embrassé.

J'ai obéi et me suis tu, sans qu'elle ait eu à recourir à la magie.

21. *Tout rentre dans l'ordre, ou presque*

« Carter, tais-toi »... Ma phrase préférée !

Zia a bien changé depuis notre rencontre. Tout espoir n'est pas perdu pour elle, malgré son penchant incompréhensible pour mon frère.

Carter a eu la sagesse de me laisser le dernier mot, et c'est tout à son honneur.

Notre combat contre Apophis m'avait laissée dans un état pitoyable, sur tous les plans. J'étais crevée physiquement, et une brûlure au creux du sternum – comme quand tu as mangé un plat trop épicé – m'indiquait que j'avais épuisé mes réserves de magie.

Côté cœur, c'était encore pire. En voyant Carter enlacer Zia quand elle avait émergé des débris visqueux du serpent, je m'étais réjouie pour eux, bien sûr. Mais ce spectacle avait également semé le trouble en moi.

J'ignorais où était passé Walt (j'avais décidé de continuer à l'appeler ainsi, pour ne pas devenir folle). Il se tenait à mes côtés à l'issue de la bataille, puis il avait disparu, juste comme je commençais à me faire à l'idée qu'il soit Anubis – ou l'inverse. Si sa famille avait de nouveau décidé de nous séparer, il ne me resterait plus qu'à m'enfermer dans un sarcophage pour ne plus jamais en sortir.

En plus, je me faisais du souci pour Bès et Bastet : ça ne leur ressemblait pas de filer sans dire au revoir. Et les dernières paroles d'Apophis ne contribuaient pas à me rassurer : « En me tuant, vous allez chasser les autres dieux. » Il aurait pu nous avertir plus tôt, non ?

Pendant que Carter accompagnait Zia à l'infirmerie, j'avais erré à travers le Premier Nome sans trouver aucune trace de Walt. J'avais ensuite tenté de le contacter au moyen de mon anneau shen, sans succès. Je m'étais même adressée à Isis pour lui demander conseil, mais elle ne répondait plus.

Cela pour t'expliquer que j'avais la tête ailleurs pendant que Carter faisait son speech, dans la salle des temps : « Je remercie du fond du cœur tous ceux qui m'ont permis de devenir pharaon, blablabla... »

En revanche, j'étais contente de rendre visite à nos parents dans leur royaume souterrain. Encore heureux qu'on m'ait autorisée à leur parler ! Toutefois, j'ai été déçue de ne pas voir Walt. Si le monde mortel lui était interdit, j'avais espéré le trouver dans la salle du jugement, remplaçant Anubis au pied levé.

C'est alors que maman m'a prise par le bras – façon de parler : comme elle est un fantôme, sa main m'aurait traversée – et attirée à l'écart, près de la scène sur laquelle des musiciens morts jouaient des airs entraînants. JD Grissom et sa femme, Anne, m'ont souri. Ça me faisait plaisir de les voir si heureux, même si je ne pouvais les regarder sans me sentir coupable.

Maman a porté la main à son pendentif en forme de tyet – la réplique fantôme du mien.

– Sadie, a-t-elle attaqué, toi et moi, on n'a pas eu souvent l'occasion de parler...

C'était le moins qu'on puisse dire : j'avais six ans à la mort de maman. Nos retrouvailles, au printemps dernier, ne nous avaient pas vraiment permis de rattraper le temps perdu. Ce n'était pas simple de lui rendre visite dans la Douât, et les dieux ne connaissent pas les mails, les SMS ni Skype. Et même si elle avait disposé d'un compte Facebook, je ne me voyais pas proposer à ma mère défunte de devenir mon « amie ».

J'ai gardé ces réflexions pour moi et me suis contentée d'acquiescer.

Elle a poursuivi :

– Avec toutes les épreuves que tu as traversées, je comprends que tu sois sur la défensive. Tu as peur de perdre encore des êtres chers...

J'ai été prise de vertige. Apparemment, j'étais aussi transparente qu'un fantôme. Confrontée à cette vérité insupportable, j'ai eu la tentation de nier, de m'en tirer avec une plaisanterie. En même temps, mes sentiments pour Walt étaient tellement confus – sans parler de l'inquiétude que m'inspirait sa disparition – que j'avais juste envie de me laisser aller, de me jeter dans les bras de ma mère et de l'entendre m'assurer que tout irait bien. Malheureusement, il n'est pas possible de pleurer sur l'épaule d'un fantôme.

– Je sais, a dit avec un soupir maman, comme si elle avait lu dans mes pensées. Je ne t'ai pas vue grandir, et ton père... Ton père a dû te confier à tes grands-parents. Ils ont fait leur possible pour t'offrir une vie ordinaire, mais toi, tu étais tout sauf ordinaire. Et te voici presque une femme... Tu me connais à peine, aussi je ne suis pas sûre que tu veuilles de mes conseils, mais laisse-moi te dire ceci : fais confiance à tes sentiments. Je ne peux pas te promettre que tu ne souffriras plus jamais, mais crois-moi, le risque en vaut la peine.

Je la dévorais des yeux pendant qu'elle parlait. Ses cheveux blonds et fins, ses yeux bleus, la courbe de ses sourcils qui donnait une expression malicieuse à son visage... On m'avait souvent dit que je lui ressemblais, mais je n'en avais jamais eu vraiment conscience avant cet instant. En grandissant, je devenais le portrait craché de ma mère. Inversement, avec des mèches violettes, celle-ci aurait pu se faire passer pour moi.

– Tu veux parler de Walt ? ai-je dit enfin. C'est une conversation de mère à fille à propos d'un garçon ?

– Eh bien... J'ai peur de ne pas être très douée pour ce genre de chose, mais au moins, j'aurai essayé. Quand j'avais ton âge, ma propre mère ne m'a pas été d'un grand soutien. Je n'ai jamais su comment l'aborder.

– Ça ne m'étonne pas !

Je me suis imaginée tentant de me confier à mamie avec papy qui braillait devant la télé et réclamait un supplément de thé et de biscuits brûlés...

J'ai ajouté :

– Mais je croyais que le rôle d'une mère consistait à mettre sa fille en garde contre ses sentiments, les garçons, les risques qu'elle ferait courir à sa réputation...

– Désolée de te décevoir, mais je m'en sens incapable. Ce qui m'inquiète, Sadie, ce n'est pas que tu fasses un mauvais choix, mais que tes craintes t'empêchent d'accorder ta confiance à un garçon, même s'il est fait pour toi. Ça ne me regarde pas, bien sûr, mais sache que Walt a encore plus peur que toi. Ne te montre pas trop dure avec lui.

– Dure avec *lui* ?

J'ai failli éclater de rire.

– Je ne sais même pas où il est passé ! En plus, il est devenu l'hôte d'un dieu qui... que...

– Que tu aimes également, a achevé maman. Je comprends que ça te trouble, mais ils ne forment qu'un à présent. Anubis et Walt ont beaucoup en commun. Jusqu'ici, ni l'un ni l'autre ne pouvait se projeter dans l'avenir. Ce n'est plus le cas.

L'horrible tension au creux de mon estomac s'est un peu relâchée, mais à peine.

– Ça veut dire... que je vais le revoir ? Il n'est pas en exil, ou forcé d'obéir à je ne sais quelle interdiction absurde ?

– Tu le reverras. Parce qu'ils partagent le même corps mortel, il leur est permis de demeurer dans le monde mortel, comme les anciens dieux-rois égyptiens. Walt et Anubis sont deux gentils garçons – maladroits en société, craignant le jugement des autres... et ils éprouvent des sentiments similaires pour toi.

Je devais être rouge comme une tomate, car Carter ne me quittait pas des yeux, se demandant sans doute ce qui me mettait dans cet état. Je n'osais pas croiser son regard. Il me connaissait assez pour lire en moi comme dans un livre.

J'ai soupiré.

– C'est compliqué...

Maman a ri.

– En effet. Mais si ça peut te consoler, tous les hommes possèdent une double personnalité.

J'ai jeté un coup d'œil à mon père dont l'image se brouillait sans cesse, oscillant entre le professeur Julius Kane et Osiris, le Grand Schtroumpf du royaume des morts.

– Je te crois sur parole. Mais ça ne me dit pas où se trouve Anubis... Non, Walt... Argh ! Ça recommence...

– Tu le verras bientôt, promis. Mais avant, je voulais m'assurer que tu étais prête.

C'est trop déstabilisant, me soufflait la voix de la raison. *Tu ne peux pas faire face.*

Toi, la ferme, lui rétorquait la voix des sentiments. *Tu me prends pour qui ?*

– Merci, maman, ai-je dit, feignant le détachement – sans succès, j'en ai peur. Le fait que les dieux doivent prendre de la distance avec notre monde... Ça signifie qu'on vous verra moins souvent, papa et toi ?

– C'est probable. Mais vous n'avez plus besoin qu'on vous guide. Vous devez continuer à enseigner la voie des dieux, restaurer la Maison de vie dans sa gloire passée. Grâce à vous et à Amos, la magie égyptienne n'aura jamais été aussi puissante. Et c'est heureux, car de nouvelles épreuves vous attendent.

– Setné ?

– Oui, mais pas seulement. Mon pouvoir de divination a résisté à la mort. J'ai eu des bribes de visions concernant d'autres dieux, et une magie concurrente...

– D'autres dieux ? Qu'est-ce que ça signifie ?

– Je l'ignore, Sadie. Mais tout au long de son histoire, l'Égypte a dû affronter des ennemis extérieurs – des magiciens étrangers, ou même des dieux. Soyez vigilants.

– Super, ai-je murmuré, dépitée. Je préférais quand on parlait des garçons...

Maman a souri.

– Quand tu auras regagné le monde mortel, attends-toi à ce

qu'un autre portail s'ouvre pour vous, ce soir. De vieux amis aimeraient vous dire au revoir.

Je croyais savoir qui étaient les amis dont elle parlait.

– Si tu as besoin de moi, a-t-elle ajouté, sers-toi de ton pendentif pour me contacter. Nos tyet nous relient l'une à l'autre, de la même manière que ton anneau shen te relie à Walt.

– Ç'aurait été bien que je le sache plus tôt.

– Le lien entre nous n'était pas assez solide jusqu'ici. À présent... Je crois qu'il l'est.

Ses lèvres ont effleuré mon front ; on aurait dit la caresse du vent.

– Je suis fière de toi, Sadie. Tu as toute la vie devant toi Profites-en bien !

Ce soir-là, à Brooklyn, un vortex de sable s'est ouvert sur la terrasse de notre QG, comme l'avait annoncé notre mère.

– C'est pour nous, ai-je dit à Carter, me levant de table. Viens !

Le portail débouchait sur la grève du lac de feu. Bastet, vêtue d'une combinaison noire assortie à sa chevelure, a cessé de jouer avec une pelote de ficelle pour nous accueillir. Les vagues allumaient des reflets mouvants dans ses yeux de chat.

– Ils vous attendent, nous a-t-elle dit, indiquant les marches de La Maison du Repos. On parlera plus longuement à votre retour.

Je ne lui ai pas demandé pourquoi elle ne nous accompagnait pas. Il y avait de la mélancolie dans sa voix. Taouret et elle s'entendaient comme chien et chat à cause de Bès. Apparemment, Bastet avait choisi de se faire discrète pour ne pas gêner sa rivale. Peut-être commençait-elle aussi à entrevoir qu'elle avait laissé filer un type en or.

J'ai déposé un baiser sur sa joue avant d'emboîter le pas à Carter.

Pour une fois, la joie et la bonne humeur régnaient à l'intérieur de La Maison du Repos. Des fleurs fraîches décoraient le comptoir. Heket, la déesse-grenouille, faisait des bonds au plafond, déployant des guirlandes et des serpentins. Des vieillards à tête de chien formaient une chaîne vacillante et chantaient avec des voix fêlées :

Ah ! ah ! ah !
Balance ta canne
À la queue leu leu
T'as la banane
À la queue leu leu...

Menhit, la déesse-lionne, dansait un slow avec un grand vieillard. Elle ronronnait bruyamment, la tête posée sur l'épaule de son cavalier.

– Regarde ! ai-je dit à mon frère. Ce ne serait pas...

– Onuris, a acquiescé Taouret, approchant dans sa blouse blanche. Le mari de Menhit. C'est magnifique, non ? On le croyait disparu, mais quand Bès a appelé les dieux anciens au combat, on l'a vu sortir d'un placard de service. Beaucoup d'autres ont réapparu ce jour-là. Cette guerre leur a donné une nouvelle raison d'exister !

Elle nous a écrasés contre son ample poitrine.

– Mes chéris ! Regardez comme ils sont tous heureux... Vous leur avez rendu la vie.

– Ils sont moins nombreux qu'avant, a remarqué Carter.

– Certains ont rejoint le ciel, d'autres ont regagné leurs temples ou leurs palais. Et votre cher père, Osiris, a rappelé les juges divins à ses côtés.

Le bonheur des vieillards me réchauffait le cœur. Toutefois, je n'étais pas complètement rassurée.

– Ils ne risquent pas de disparaître à nouveau ?

Taouret a écarté les bras.

– Ça va dépendre de vous, les mortels. Si vous entretenez leur souvenir et leur donnez le sentiment d'être importants, ils resteront. Mais venez, Bès vous attend.

Assis dans son fauteuil habituel, près de la fenêtre, le dieu nain fixait le lac de feu d'un regard atone. Devant ce spectacle trop familier, j'ai eu peur qu'il n'ait de nouveau perdu son ren.

– Qu'est-ce qu'il lui est arrivé ? me suis-je inquiétée.

Bès a sursauté et s'est tourné vers nous.

– En plus d'être né avec la gueule de travers, tu veux dire ? Rien de grave, ma grande. Je réfléchissais, c'est tout.

Il s'est dressé de toute sa – petite – taille afin de nous serrer dans ses bras.

– Je suis content que vous ayez pu venir. Je ne sais pas si Taouret vous l'a dit, mais elle et moi, on va construire une maison au bord du lac. À force, je me suis habitué au paysage. Elle continuera à travailler ici, et moi... Eh bien, je serai nain au foyer, du moins au début. Qui sait ? Il se pourrait que j'aie bientôt des bébés hippopotames nains à dorloter.

– Oh ! chéri...

Taouret a battu des cils, rouge comme une pivoine.

Bès a explosé de rire.

– C'est la belle vie, quoi ! Mais si jamais vous avez besoin d'un coup de main, n'hésitez pas à me sonner. Contrairement à la plupart des autres dieux, votre monde m'a presque toujours porté chance.

– Qu'est-ce qui te fait croire qu'on aura besoin de toi ? a demandé Carter. Évidemment, on sera toujours contents de te voir, mais...

– C'est vrai, quoi... Qu'est-ce que vous pourriez bien faire d'un nain hideux, sapé comme un lord, avec une bagnole et des pouvoirs qui déchirent ?

– Touché !

– Mais n'appelez pas trop souvent, quand même... Ma douce et moi, on a du temps à rattraper... Des milliers d'années !

Quand il a pris la main de Taouret, le nom de cet endroit – Les Arpents du Soleil – m'a soudain paru moins déprimant.

– Merci pour tout, Bès, ai-je dit.

– Tu veux rire ? Grâce à toi, je revis, et pas seulement parce que tu m'as rendu mon âme...

J'ai eu le sentiment que ces deux-là avaient envie de rester seuls, alors on a pris congé.

Le portail était resté ouvert en notre absence. Debout près de lui, Bastet semblait fascinée par la figure qu'elle avait formée en entrecroisant la ficelle entre ses doigts.

– Tu t'amuses bien ? lui ai-je demandé.

– Ceci devrait t'intéresser, a-t-elle dit, levant les mains.

La ficelle traçait un rectangle à la surface duquel tremblaient des images, comme sur un écran.

J'ai reconnu le palais des dieux, ses colonnes majestueuses, ses dalles de marbre poli, la clarté irisée des centaines de braseros. Un trône étincelant se dressait au centre de la salle, à la place de la barque solaire. Il était occupé par un jeune type en armure, au crâne rasé, avec un œil doré et l'autre argenté : Horus sous sa forme humaine. La crosse et le fléau de Rê reposaient sur ses genoux. Debout à sa droite, Isis lui souriait avec fierté en agitant doucement ses ailes chatoyantes. À sa gauche, Seth, le dieu du mal, soupesait son bâton en fer avec une expression amusée, comme s'il projetait un mauvais coup. Prosternés au pied du trône, les autres dieux buvaient les paroles de leur roi. J'ai cherché Anubis parmi eux – avec ou sans Walt –, sans succès.

Si je ne captais rien du discours d'Horus, je supposais qu'il était du même genre que celui que mon cher frère avait prononcé devant la Maison de vie.

– Il a copié sur moi ! a protesté Carter. Je parie qu'il m'a même volé mon discours !

– En tant que pharaon du monde mortel, lui a dit Bastet, tu dois t'attendre à ce que tes actions trouvent un écho dans le monde des dieux. La puissance de l'Égypte repose à présent sur deux piliers : Horus et toi.

– C'est rassurant, ai-je ironisé.

Carter m'a donné une tape sur le bras, puis il a recommencé à se plaindre :

– Je n'en reviens pas qu'Horus ait filé sans même me dire au revoir. Comme s'il m'avait jeté après s'être servi de moi !

– Ne crois pas ça, a répliqué Bastet. Simplement, il devait partir.

Je dois avouer que je partageais le sentiment de mon frère. Les dieux sont des entités égoïstes, même quand ils ne tiennent pas du chat. Isis aussi s'était éclipsée sans un mot d'adieu.

– Dis, tu rentres avec nous ? ai-je demandé à Bastet d'un

ton suppliant. Tu ne peux pas être concernée par cette mesure d'éloignement absurde, ou je ne sais quoi. Le manoir Kane a besoin de son prof de sieste...

Bastet a mis la ficelle en boule et l'a lancée. Elle a rebondi sur les marches. Le visage de notre amie exprimait une tristesse inhabituelle pour une chatte.

– Mes chatons, a-t-elle soupiré. Si je le pouvais, je vous prendrais dans ma gueule et vous emmènerais partout avec moi. Mais vous avez grandi. À présent, vous avez des griffes acérées, une vue perçante, et un chat adulte doit tracer sa propre voie dans la vie. C'est pourquoi je vous dis adieu, même si je suis persuadée qu'on se reverra.

J'ai failli lui rétorquer que je n'étais pas adulte, et que je n'avais même pas de griffes, même si Carter prétend le contraire. Mais au fond de moi, je savais qu'elle avait raison. On pouvait s'estimer heureux de l'avoir eue aussi longtemps près de nous. Il était temps pour nous de grandir.

– Oh, Muffin...

Je l'ai serrée dans mes bras et l'ai entendue ronronner.

Elle a ébouriffé mes cheveux, puis frotté les oreilles de Carter. J'ai trouvé ça rigolo.

– Partez avant que je me mette à pleurer, a-t-elle dit. En plus, a-t-elle ajouté, fixant du regard la pelote de ficelle qui avait roulé au bas de l'escalier, j'ai une proie à chasser.

– Tu vas nous manquer, ai-je soupiré, refoulant mes larmes. Bonne chasse.

Elle s'est accroupie, l'air distraite, et a descendu les marches à quatre pattes en marmonnant : « Ficelle... Ennemie... »

Cette fois, le portail nous a déposés sur le toit de notre QG. Une surprise nous y attendait en la personne de Walt, appuyé à la cabane de Crack. Il a souri à ma vue, et j'ai senti mes jambes mollir.

– Hum, je vous laisse, a marmonné Carter.

Quand Walt s'est approché, j'ai subitement oublié comment on faisait pour respirer.

SADIE

22. *La dernière valse (pour le moment)*

Il ne portait plus ses amulettes, à l'exception de l'anneau shen assorti au mien. Ses vêtements – débardeur, jean, long manteau et bottes militaires noirs – associaient son style à celui d'Anubis, tout en faisant de lui un garçon différent et inconnu. Seuls ses yeux n'avaient pas changé, toujours aussi profonds et bouleversants. Mon cœur s'est mis à battre plus vite, comme chaque fois qu'il me souriait.

J'ai attaqué :

– Toi aussi, t'es venu me dire adieu ? Merci, j'ai eu ma dose aujourd'hui.

– Au contraire, je suis venu dire bonjour. Je m'appelle Walt Stone, je viens de Seattle, et j'aimerais me joindre à vous.

Il m'a tendu la main sans cesser de sourire. C'étaient exactement les mots qu'il avait prononcés à son arrivée au manoir, au printemps précédent.

Je l'ai repoussé avec colère.

– Aïe ! a-t-il protesté.

Pourtant, je ne crois pas que je lui avais fait mal. Il était solide.

– C'est trop facile de fusionner avec un dieu et de débarquer ensuite en disant : « Au fait, on partage le même corps. » J'ai horreur d'être mise devant le fait accompli !

– J'ai tenté de te prévenir, a-t-il rétorqué, à plusieurs reprises. Anubis aussi. Mais tu ne nous as pas laissés parler.

– Ne te cherche pas des excuses.

J'ai croisé les bras et pris mon air le plus désagréable avant de poursuivre :

– Selon ma mère, je devrais te ménager sous prétexte que tout cela est nouveau pour toi. Mais je suis toujours fâchée contre toi. C'est déjà assez compliqué d'aimer un garçon sans qu'il se transforme en un autre, qu'on aime aussi...

– Ça veut dire que tu m'aimes ?

– N'essaie pas de me distraire ! T'as vraiment l'intention de t'incruster ?

Il a acquiescé. Il était tout près de moi à présent. Il sentait bon, comme une bougie parfumée à la vanille. Était-ce son odeur ou celle d'Anubis ? Sincèrement, je ne me rappelais pas.

– J'ai encore beaucoup à apprendre, a-t-il expliqué. Je ne vais pas me limiter à fabriquer des amulettes. J'ai l'intention de pratiquer la magie plus intensivement que je ne l'ai fait jusqu'ici, en suivant la voie d'Anubis.

– Pour découvrir de nouvelles manières de me faire tourner en bourrique ?

– Je fais déjà des trucs incroyables avec des bandelettes. Par exemple, si une fille parle trop, je la bâillo...

– T'as pas intérêt !

Il a pris ma main. Je l'ai fusillé du regard, mais je n'ai pas résisté.

– Je suis toujours Walt, a-t-il affirmé. Je suis toujours mortel. Anubis pourra demeurer dans ce monde tant que je lui servirai d'hôte. J'espère une vie longue et bien remplie. Ni lui ni moi ne pensions dire ça un jour. Alors, il n'est pas question que je m'en aille, à moins que tu ne me le demandes.

Sans doute a-t-il lu ma réponse dans mes yeux : *Non, je t'en prie... Ne pars plus jamais.* Mais je n'allais pas lui faire le plaisir de le dire tout haut. Les garçons prennent facilement la grosse tête.

– Eh bien, ai-je marmonné, je pense pouvoir supporter ta présence...

– Je te dois une danse.

Il a plaqué sa main libre contre ma taille, comme l'avait fait Anubis au bal du lycée. Un geste d'un autre siècle, que ma grand-mère aurait certainement approuvé.

– Tu permets ? a-t-il demandé.

– On ne risque pas de voir débarquer ton chaperon, Shou ?

– Je te l'ai dit : je suis mortel, maintenant. Mais je parierais qu'il nous tient quand même à l'œil, pour s'assurer qu'on se conduit bien...

– Que *tu* te conduis bien, ai-je rectifié. Je suis une jeune fille comme il faut, moi.

Il a ri. Sans doute l'expression « comme il faut » n'est-elle pas celle qui me décrit le mieux. Je l'ai quand même frappé, pour le principe, mais pas aussi fort que la première fois. Puis j'ai posé ma main sur son épaule.

– Je te rappelle que mon père est ton patron dans le monde souterrain. Alors, t'as intérêt à te surveiller.

– Oui, m'dame !

Il s'est penché vers moi et m'a embrassée. Toute ma colère a fondu d'un coup.

Puis on a dansé, sans que la magie s'en mêle. Cette fois il n'y avait ni musique ni danseurs fantômes, et nos pieds touchaient le sol. Crack nous observait avec curiosité – peut-être espérait-il nous voir produire des dindes pour son dîner. Le vieux toit goudronné craquait sous nos pas. Je ressentais toujours la fatigue de la bataille, et je n'avais même pas eu le temps de faire un brin de toilette depuis. Je devais être affreuse. J'aurais voulu me liquéfier dans les bras de Walt – ce que j'ai plus ou moins fait, d'ailleurs.

– Tu vas me laisser m'« incruster » ? a-t-il murmuré, soufflant son haleine chaude dans mes cheveux. M'offrir une chance de vivre comme un ado ordinaire ?

– Ça se peut.

J'ai levé les yeux vers lui. Je n'avais aucun effort à faire pour distinguer Anubis, juste sous la surface. Mais ce n'était pas nécessaire. J'avais devant moi un être neuf, et il incarnait tout ce que j'aimais.

– Je suis mal placée pour t'apprendre comment vit un ado ordinaire, ai-je fait remarquer. Mais il y a une règle à laquelle je ne tolérerai aucune infraction : chaque fois qu'une fille te demandera si tu es pris, tu répondras « Oui ».

– Je devrais pouvoir m'y faire.

– Bien ! Sinon, je me mettrai en colère.

– Parce que tu ne l'es pas déjà ?

– Tais-toi et danse... Walt.

Alors on a dansé, accompagnés par les cris de notre griffon psychotique, le vacarme des avertisseurs et des sirènes de police qui montait de la ville, et c'était follement romantique.

Maintenant tu sais tout ou presque.

Depuis notre retour à Brooklyn, le monde a subi un peu moins de désastres naturels ou non, l'année scolaire a repris son cours et les novices continuent d'affluer au manoir.

À l'avenir, on devrait être trop occupés à former nos initiés, poursuivre nos études et vivre nos vies pour trouver le temps ou éprouver le besoin de réaliser de nouveaux enregistrements.

Quand celui-ci sera terminé, on va le placer dans une boîte sécurisée et l'envoyer au type qui a retranscrit nos précédentes aventures. Carter est d'avis de faire confiance à la Poste, mais je préfère charger Khéops de l'acheminer à travers la Douât. Qu'est-ce qui pourrait bien lui arriver, je te le demande ?

Quant à nous, ne crois pas que notre vie soit devenue une partie de rigolade. Amos ne pouvait pas laisser une bande d'ados sans surveillance. Comme Bastet n'est plus là, il a détaché une poignée de magiciens adultes à Brooklyn pour nous servir de professeurs – autrement dit, pour nous surveiller. Mais on sait tous qui dirige la baraque : moi – et aussi Carter, dans une moindre mesure.

Ne t'imagine pas non plus qu'on soit tirés d'affaire. Je ne suis pas rassurée de savoir le fantôme de Setné en cavale avec son esprit vicieux, son mauvais goût vestimentaire et *Le Livre de Thot*. Les avertissements de ma mère m'intriguent également toujours. D'autres dieux, une magie concurrente... J'ignore ce que ça signifie, mais ça ne m'inspire rien de bon.

En attendant, il demeure assez de foyers d'activité démoniaque à travers le monde pour nous occuper. On nous a même signalé des phénomènes magiques inexpliqués à Long Island, dans les parages immédiats de notre QG. On va probablement devoir enquêter.

Mais pour le moment, j'ai bien l'intention de profiter de la vie, d'embêter mon frère un max et d'éduquer Walt pour en faire un petit ami digne de ce nom, tout en éloignant les autres filles au lance-flammes. Tout un programme !

Quant à toi qui écoutes cela, sache qu'on trouvera toujours

le temps d'accueillir de nouveaux initiés. Si le sang des pharaons coule dans tes veines, n'attends pas plus longtemps. Ne gaspille pas tes talents. Les portes du manoir Kane te sont ouvertes.

Lexique

Sorts

Drowah : « séparer »

Fah : « libérer »

Ha-di : « détruire »

Hâpy, u-ha ey pwah : « Hâpy, lève-toi et attaque »

Ha-wi : « frapper »

Hi-nehm : « réparer », « lier »

Isfet : sert à déchaîner le chaos

Maât : sert à restaurer l'ordre

Maw : « eau »

Med-wah : « parler »

N'dah : « protéger »

Sa-hei : « tomber »

Se-kebeb : « refroidir »

Tas : « attacher »

Autres termes égyptiens

Ab : partie de l'âme correspondant au cœur
Ankh : hiéroglyphe signifiant « vie »
Bâ : partie de l'âme correspondant à l'esprit
Canope : urne funéraire contenant les viscères d'une momie
Criosphinx : créature à corps de lion et tête de bélier
Douât : royaume magique coexistant avec notre monde
Hiéroglyphes : caractères de l'écriture des anciens Égyptiens, représentant des concepts, des objets ou des sons
Isfet : chaos
Ka : partie de l'âme correspondant à la force vitale
Khépesh : épée à lame recourbée
Maât : l'équilibre de l'univers
Netjery : couteau destiné au rituel de l'ouverture de la bouche
Ouchebti : figurine magique en cire ou en argile
Per-Ankh : Maison de vie
Pharaon : souverain de l'Égypte ancienne
Ren : partie de l'âme correspondant à l'identité, au nom secret
Sarcophage : cercueil de pierre, souvent décoré de sculptures et d'inscriptions
Scarabée : insecte sacré pour les Égyptiens
Shen : cercle symbolisant l'éternité
Shut : partie de l'âme correspondant à l'ombre. Signifie également « statue »
Sistre : sorte de crécelle en bronze
Tjesu heru : serpent possédant une tête à chaque extrémité et des pattes de dragon
Tyet : nœud magique, symbole d'Isis
Was : symbole du pouvoir

Divinités égyptiennes

Anubis : dieu de la mort et des enterrements
Apophis : dieu du chaos

Baba : dieu-babouin
Bastet : déesse-chatte
Bès : dieu nain
Causeur de troubles : juge divin, assistant d'Osiris
Geb : dieu de la Terre
Gengen Wer : dieu à tête d'oie
Hâpy : dieu du Nil
Heket : déesse-grenouille
Horus : dieu de la guerre, fils d'Isis et Osiris
Isis : déesse de la magie, épouse d'Osiris et mère d'Horus
Khépri : scarabée divin, représente le soleil à son lever
Khonsou : dieu de la lune
Menhit : déesse mineure à tête de lionne, épouse d'Onuris
Neith : déesse de la chasse
Nekhbet : déesse-vautour
Nout : déesse du ciel
Osiris : dieu du monde souterrain, époux d'Isis et père d'Horus
Rê : dieu du soleil. Également appelé Amon-Rê
Sekhmet : déesse-lionne
Serket : déesse-scorpion
Seth : dieu du mal
Shou : dieu de l'air, arrière-grand-père d'Anubis
Sobek : dieu-crocodile
Taouret : déesse-hippopotame
Thot : dieu de la connaissance

D'autres livres

Rafael ÀBALOS, *Grimpow, l'élu des Templiers*
Rafael ÀBALOS, *Grimpow, le chemin invisible*
Rafael ÀBALOS, *Gótico*
Rafael ÀBALOS, *Poliedrum*
Rafael ÀBALOS, *Poliedrum, la prophétie du héros*
John et Carole E. BARROWMAN, *Le Réveil des créatures*
Nina BLAZON, *Jade, fille de l'eau*
Stephen COLE, *Code Aztec*
Fabrice COLIN, *La Malédiction d'Old Haven*
Fabrice COLIN, *Le Maître des dragons*
Fabrice COLIN, *Bal de Givre à New York*
Neil GAIMAN, *Coraline*
Neil GAIMAN, *L'Étrange Vie de Nobody Owens*
Neil GAIMAN, *Odd et les géants de glace*
Rachel HAWKINS, *Hex Hall*
Rachel HAWKINS, *Hex Hall, le Maléfice*
Rachel HAWKINS, *Hex Hall, le Sacrifice*
Rebecca MAIZEL, *Humaine*
Rebecca MAIZEL, *Âmes sœurs*
Jackson PEARCE, *Sisters Red*
Angie SAGE, Magyk, *Livre Un*
Angie SAGE, Magyk, *Livre Deux : Le Grand Vol*
Angie SAGE, Magyk, *Livre Trois : La Reine maudite*
Angie SAGE, Magyk, *Livre Quatre : La Quête*
Angie SAGE, Magyk, *Livre Cinq : Le Sortilège*
Angie SAGE, Magyk, *Livre Six : La Ténèbre*
Angie SAGE, *Magyk Book*
Jonathan STROUD, *La Trilogie de Bartiméus I. L'Amulette de Samarcande*
Jonathan STROUD, *La Trilogie de Bartiméus II. L'Œil du golem*
Jonathan STROUD, *La Trilogie de Bartiméus III. La Porte de Ptolémée*
Jonathan STROUD, *L'Anneau de Salomon*
Jonathan STROUD, *Les Héros de la vallée*
Ulrike SCHWEIKERT, *Nosferas*

www.wiz.fr
Logo Wiz : Cédric Gatillon

Composition Nord Compo
Impression CPI Firmin Didot en août 2013
Éditions Albin Michel
22, rue Huyghens 75014 Paris

ISBN : 978-2-226-25075-9
ISSN : 1637-0236
N° d'édition : 19536/01 N° d'impression : 119020
Dépôt légal : septembre 2013
Loi n° 49-956 du 16 juillet 1949 sur les publications destinées à la jeunesse.
Imprimé en France.